王朔——著

无情的雨夜

北京出版集团公司
北京十月文艺出版社

目录

人莫予毒

由于列车晚点，单立人到达西北一个省会时已是傍晚。五月时节，尽管天气已经渐渐转暖，但在西北一带，暮色仍然降临得很早，温差较大，单立人出站时不免感到一点寒意。

由于出来急，又值旅游旺季开始，加上单立人窝囊，在火车站售票处没路子，他是一路坐着旅行的。列车严重超员，沿途又不断地上来大量挑担背筐长途贩运的农民，席地而坐，倒头便睡，单立人坐也没坐舒坦，他两腿之间始终蹲着一个蓬头垢面、老是不由自主枕着他腿打瞌睡的贩子，单立人坐了一天一夜火车后已是疲惫至极。

车站出口处有不少开旅店的个体户在包揽生意，条件十分令人垂涎：“单间，有卫生设备，吃饭不花钱！”伴随着这些夸海口的吆喝，国营旅馆介绍处的大喇叭也在一阵阵雄壮的进行曲之间郑重宣告：“非经本处介绍……产生的一切后果，本处概不负责！”单立人自然不完全是受到国营旅馆介绍处大喇叭的暗示，由此想起种种关于个体黑店敲诈勒索做人肉包子的可怖流言，而对那些热情的妇女望而却步。他多年从事的职业本身就使他养成一种对一切牟取个人私利的人根深蒂固的不信任，另外他也不能想象，一个堂堂正正的国家干部、高级警官，在公干期间会为了蹭几顿白饭（这笔饭费自然由狡猾的店主记在旅客的住宿费上——反正这笔钱由国家支付）投宿那种狗窝，即便他是个家庭负担很重、生活拮据、一贯精打细算的人也罢。他毫不踌躇地推开那些围着他在他身上打主意的女人，坚定地走向国营旅馆介绍处。

国营旅馆介绍处职员的冷漠与那个哇哇叫的大喇叭的极力招徕恰成对照，老单提出的关于舒适程度和交通便利的要求一概没得到回答，只是要他付了手续费，便麻利、不容商量地分配给他一个一家旅馆的名额。

单立人提着笨重的皮箱，按街边两个不怀好意地讪笑着的青年指点的方向步行了数百米后，发觉自己受了愚弄，他进入了一个杂乱无章、迷宫般的破旧居民区，到处都是四通八达、狭窄弯曲的昏暗小路，他试着凭直觉自个儿闯下去，几乎直接走到居民家的炕沿上，终于迷失了方向，不得不再次向路边的人打听，经过对当地方言及习惯用语、省略用语的费力理解，半猜半碰运气地走回车站广场。他已经不再相信自己的判断力了，甚至开始怀疑自己今夜能不能找到那个偏僻、鲜为人知的旅馆。他正在考虑是否要去谋求驻在车站的同行的帮助（这对他的自尊心是个打击），一个蹬着运货平板三轮的小伙子来到他面前，单立人接受了那个小伙子近乎勒索的高价，坐上他那辆龌龊、硌人的平板车出发。

那家旅馆是座红砖砌成的五层楼，每条走廊上对等均匀地对列着十个房间，犹如一所中学的教学楼，而每个房间里紧紧排着的双层木床又使人联想到兵营。单立人被一个肥胖的女服务员领进了一间十六人的房间。屋里灯光黯淡，喧闹嘈杂，人们光着膀子端着脸盆进进出出地洗漱；刚刚认识的出差人员互相敬烟神聊；

一伙年轻人坐在上铺打扑克，大呼二喊，时而一片哄笑；单立人的铺上熟睡着一个半大、口唇溃烂的孩子，孩子的父亲，一个阴郁健壮的汉子看到单立人到来没有丝毫表示。单立人叹口气，挨着床边坐下，立刻感到了被褥的潮湿和气味刺鼻。被下车伊始即遭到的一连串挫折弄得深为沮丧的单立人渐渐产生了掉换房间的念头。

单立人再次来到服务台时，已尽其所能穿得体面了，虽然以他那身便装的质地来说这体面很有限，但他脸上的神态却是地道、货真价实、一般骗子很难模仿得惟妙惟肖的“官派儿”，一望可知是个掌握他人命运的人，那是一种矜持与尊严的混合。没等女服务员回过神儿，他就掏出自己烫金的证件拍在桌上：

“我是公安局的，身上携有文件，我要个单人房间，要最好的。”

女服务员看过证件，并未像某些人那样令人厌恶地殷勤起来，这倒不全是因为单立人的职务还未高到令人目眩的程度。你要了解她们这种见过世面的人，要知道今天的服务员已不是人民没有取得胜利前那号低贱、任人驱使的仆役，她们是刚强自豪的充满主人翁精神的一代——她只是一声不吭，低头给单立人开了间顶层的单人房间的票。

单立人怀着感激欣慰的心情来到顶层，尽管这儿也是那种厕所公用、一模一样、像刚出屉的馒头一样叫人无法分辨的房间，但由于每间房住的人少，整层楼显得安静、清洁。房里多了一张写字台、一对沙发，被面是缎子的，当然也是潮的，但这已经不重要了。在这样仅仅高了十米便让人感到天壤之别，几乎可以称得上“豪华”的环境中，单立人立刻感到自己脏了。他打开皮箱，取出盥洗用品，在两个脸盆中挑了个比较干净的，换上拖鞋去水房洗漱。龙头流出的水很凉，他打消了冲澡的念头，把脸和脖子仔细、彻底地洗了一遍，水池上方的镜子里出现一个胖胖和善、容光焕发的脸，接着又出现了一张放荡邪恶的脸。单立人转过身，在他旁边的一个水池旁，一个穿皮夹克的中等个的青年男子在洗脸，他有一个高高的鹰钩鼻子和薄薄的嘴唇，黄里透白的面部过早地松弛了，他在自顾自地对着镜子微笑。

单立人端着脸盆回房间时，一对青年男女互相搂抱着拖着带轱辘的大号旅行箱嘻嘻哈哈走进对面房间。看上去那是两个新婚旅行的年轻人，男的穿着过于讲究的西服，打着领带，女的也是一身铁锈红的毛料西服和同样颜色的高跟皮鞋，他们的不般配给老单留下了印象，男的尽管穿着儒雅，眉宇间却透着自卑和愤世嫉俗，女的相貌平平，装束粗鄙，举止中却有一种悠闲的气度和从容不迫的自信。

这个城市是全国著名的旅游热点，作为古代中国最强盛的几个王朝的首都，它的四郊有许许多多皇帝后妃的陵墓，有许许多多壮观的场面和遗迹，抠开一个就足以使全世界的人目瞪口呆。随着世界各地的游客蜂拥而来，这座城市也日趋繁荣起来，出现了一些高级饭店和几条“惠食街”，各种风味小吃陆续得到发扬光大。单立人就是在这样一条有上百个饮食摊档的“惠食街”吃的晚饭。他吃的是著名的“酸汤饺子”，号称猪肉韭菜馅，但他连猪肉腥也没沾上，韭菜嗝却是一个接一个打。他步行回到旅馆已是深夜，他进楼后服务员就锁了门去睡觉了。

单立人脚步轻轻地沿楼梯拾级而上，大部分旅客都已就寝，除了一层二层还有些人声和灯火外泄，越往上走越黑越静，走廊的灯泡多数已经损坏。当他来到顶层，看到的是一条长长的空荡荡的走廊和十扇紧闭的房门，唯一的一盏走道灯发散着橙黄迷眼的光。外面起风了，树丛在黑暗中簌簌作响，没扣牢的窗扇“吧嗒”“吧嗒”来回撞击着窗框，一股风钻进楼道，在狭窄的空间打旋，走道灯摇曳着，使楼道更昏暗了。单立人无声无息地穿过鸦雀无声的走廊，蓦地，他发觉自己认不出哪扇乃是自己的房间门了，这些棕色油漆的木质门上的红色房号在昏暗中是那么模糊不清，非要凑上去才能看清，有几扇门上的房号甚至已经剥落，这时你只好掰着手指头数了。单立人幸亏视力尚好，到底找到自己的房门。他很响地开撞锁门时，似乎听到了一声别的房门锁响，他回头张望了一下，没人出来，所有门仍然紧闭着，一片肃静。他进了房，门在他身后关上，却在他背上留下了一种受到一双眼睛注视的异样感觉，他知道这不过是人在空旷地带行走时常会产生的错觉，是一种不安全感产生的影响。单立人不是那种疑神疑鬼、神经脆弱的人。

单立人睡得很累，在梦中他又在那个迷宫般的居民区“鬼撞墙”地走了很长时间，他似乎没有睡在昂贵的顶层，还睡在一楼的大车店里，走廊里总是有人在走路，还夹杂着女人的哭泣声，接着他被一阵巨大的声响震醒。房间一片漆黑，走廊上真的有女人在泣咽和男人激烈的话语，他的脑子还处于睡眠带来的麻木状态，随着又一阵巨响，他才完全清醒过来，意识到有人在猛烈敲击他的门。他迅速披衣下床，脑子里闪过的第一个念头是：一定是那个肥胖的女服务员把他的身份透露给了别人，而那些互相不睦的人将为一点无聊的纠纷叨扰他的清觉，这就是寻求特权的好处。

他气冲冲地打开门，门一开脸上就自然而然地换成公事公办的冷峻神情。站在他面前的是那对不般配的新婚夫妇，两口子都穿着睡衣，男的一脸怒气，女的哭哭啼啼。

“什么事？”单立人厌烦地问。

站在前面的新郎没有回答，反而掉脸问新娘："是他吗？"

新娘捂着脸点点头。

单立人刚察觉有点不对头，新郎因狂怒而走了形的脸便充满了整个视界，接着他头部重重地挨了一拳，向后仰倒，腹部跟着又挨了有力的一脚，他一阵眩晕，登时四仰八叉地摔倒在地，瞬间失去了知觉。

他醒过来时，屋里已挤满了人，有值班的服务员，闻声赶来的同楼层客人，人们一边咒骂他是"老流氓"，一边继续用脚踢他，新娘在羞辱地哭，新郎在愤愤地诉说，十分混乱。单立人知道现在最好的办法是继续装死，任何申辩反抗都将遭到更残酷、不由分说的殴打，而他肯定寡不敌众，受到煽动、处于狂热状态的群众有多么危险他很清楚，任何一个干过警察的人都有这种可怕的体会，此时纵有天大的冤枉也只有等民警或保卫人员赶来恢复了秩序后再说。他的脑袋又疼又晕，由于拳打和撞地受到了震荡，他已不能冷静、准确、合理地进行思维，他甚至都没弄清究竟出了什么事，但他肯定地意识到，这不是个误会，而是一个险恶的阴谋。

派出所的治安民警姗姗来迟，轰出去了所有充满着正义感、在大叫大嚷的房客，只在屋里留了新郎新娘和代表旅馆组织的服务员。他俯身看看躺在地上的老单，老单已睁开眼睛，艰难小声地对这个乳臭未干的同行说："我的证件在上衣兜里。"民警从挂在衣架上的衣服兜里取出老单的证件看了看，又合上放了回去，对新郎说："人是你打的？"

"他强奸了我老婆，我恨不能打死他，卑鄙下流的老流氓，我们是新婚……"

"行了行了。"年轻民警打断了新郎激动的诉说，"过会儿我再听取你的陈述，现在你把他抬到床上去，还有你。”年轻民警看了眼仍在哭泣的新娘，放过她，把手指向那个肥胖的女服务员。

女服务员不满地白了眼这个狐假虎威、官官相护的民警，极不情愿地慢腾腾地挪动着步子。新郎也只站着不动，还是老单自己挣扎着从地上爬起来，在一步赶将过来的年轻民警搀扶下躺到床上。

“现在都坐下，”年轻民警打开皮包，取出笔和纸，拧亮写字台上的台灯，坐在圈手椅上，他嫌椅子低，又从床上拽了个枕头，垫在屁股底下，新郎新娘服务员也依次坐下。

“谁先说事情经过？”他环视众人。

“我先说。”新郎说，“我和我爱人是昨晚刚到这儿的……”

“等等，等等，慢点说，一项项说，你叫什么名字？”

“刘志彬。”

“多大岁数？”

“三十。”

“什么职业？”

“仪表仪器研究所技术员。我和我爱人……”

“等一下。”

门外传来一阵喧嚣哄笑声，年轻民警疾步拉开门冲出去，只听他在走廊喊：“都走开，都走开，该睡觉都睡觉去，别在这儿起哄瞎闹。”片刻，走廊上的声音微弱、平息了，他走回来，把门关好，重又坐到圈手椅上。

“你说吧。”

“我和我爱人是昨晚刚到这儿的，我们是蜜月旅行……”

年轻民警笔尖沙沙地记录。

穿着一身剪裁合体的黑色西服的刘志彬一手搂着他的新娘，一手拖着有轱辘的大号旅行箱喜洋洋地穿过旅馆顶层的走廊，与端着脸盆回房的单立人擦肩而过，走进单立人旁边的一个房间。

这个房间的布局和摆设都和单立人的那个房间完全一样。

一直偎依在刘志彬臂围下的新娘白丽钻了出来，往那张铺着大花床单、摞着红缎子被、喜庆俗气的大床上一躺，试了试床垫的弹性，笑着说："还行，挺舒服。"

刘志彬把旅行箱的拽把折叠扣好，挑剔地打量着这间屋子。

"够简陋的，没有电视没有卫生间还收二十块钱，真宰人。"

"中国这条件你就凑合吧。"白丽好脾气地说，"哪能和外国比呢？这就不错了，比你在大学住的集体宿舍强多了。"

"可是咱有钱，凭什么大宾馆不接待咱们？"刘志彬怨气冲天地发牢骚，"他妈的，还是华人与狗不得入内，外国人不再拿咱不当人了，咱自己倒拿自己不当人。"

"得啦别说了，咱们这是高兴的事，别让那些洋狗弄得生一肚子气。"

刘志彬脸上仍没一点高兴的样儿，对白丽说："今儿要不是你拦着，我非跟他们闹一遍，我这人是个小人物，可就是不受别人气。"

"干吗呀，值当吗？我家就算有点地位的了，有的事不也得睁一只眼闭一只眼，得过且过？中国的事不必太认真，我就不在乎，你有本事你厉害，我不理你不就完了。"

"当然啦，"白丽的劝慰似乎没使刘志彬消气，反而激怒了他，"你是教授的女儿，名门之后，有教养，世事练达。而我，一个农村爬上来的野孩子，只懂得斤斤计较，心胸狭窄，心理变态，自尊心稍稍受到触动就要大发脾气，唯恐个人利益和尊严受到侵犯，我这样一个人当然没你看得透、想得开。”

“我并没有暗示你的出身的意思，也没想到会引起你的这一大套议论、感慨。”白丽委婉地说，“我自认不如你，也从未想过以我的家世自诩，要是我哪句话说得造次了，也是无意的，其实你自己也知道你是卓越非凡的人。”

“算了算了，我们不说这些了。”刘志彬被白丽说得不好意思了，忙把话岔开，坐到床上笑着说，“也不知这破床能不能承受住咱俩。”

“只要你悠着点就行。”

刘志彬伸臂搂过白丽，白丽温情脉脉地仰起脸，把嘴撅着凑上来。刘志彬把脸侧过来，用颊接受了白丽的一个吻。

“不干。”

“嘴臭，”刘志彬笑着说，“我嘴臭，吃了一路的鸡蛋，抽了两包烟，等晚上刷了牙的。”

“偏要现在。”

“等晚上。”刘志彬笑着松开白丽，站起来，“晚上我会让你的舌头长长一公分。”

“你回来。”白丽抓他，没抓着，刘志彬笑着躲到白丽够不着的地方，开了旅行箱，拿出牙具端着脸盆出去洗漱。

“等等我。”白丽喊着，也趿鞋下床，找出自己的牙具追了出去。

夜里，房间里黑得看不清人，只有家具的大致轮廓。风声在窗帘外呜响，伴随着风声可以听到长时间的窸窣声和低声的昵语，渐渐地室内变得静寂起来，接着一轻一重两个人的鼾声轮番出现。

长时间的静止状态和安宁气氛在室内弥漫。

一个黑影从床上坐起，侧身下床，向门口走来，拉开门的刹那走廊灯橙黄的光照在这个人的脸上，可以看清是睡眼惺忪、鬓发凌乱的白丽。白丽出去后关上了门，室内只有一个人重重的鼾声。

这鼾声持续不断地响着，表明床上的人睡得很沉稳。白丽的脚步声在走廊里远去，直到消失。不大工夫，这脚步声再次在走廊里响起，由远及近，走了过去，消失在另一扇门后，鼾声仍未停止。

又过了不短的时间，走廊里忽然传来一声门响和凌乱的脚步声及白丽带着哭腔的惊恐呼喊寻找："刘志彬、刘志彬你在哪儿？你快出来呀。"这呼喊开始在竭力控制着音量和音频，后来就变成了凄厉、不顾体面的哭泣和尖叫。鼾声停止了，一只手摸索着开了台灯，刘志彬听清了呼喊的内容，从床上一跃而起，冲向门口，把门猛地拉开。走廊上，正绝望地徘徊，挨门叩敲的白丽奔过来，一下子扑进他的怀抱。"怎么啦？出了什么事？"刘志彬抬起白丽的下颌急切地问道。白丽泪流满面，愧悔难当。"我上厕所回来走错了门，走到别人房间睡下了，被那个人……"刘志彬脸色顿时变得灰白了，接着泛起潮红，他狂怒地推开掩面哭泣的白丽，像头发情期的公牛，直扑旁边那扇紧闭的房门，又踢又踹，门开了，一脸不快的单立人不尴不尬地出现在门口……

"不错，我打了他。"刘志彬仍在滔滔不绝地说，"我一点都不讳言；后悔打得还不重，打死他我也没有责任，他是罪有应得。"

"换了别人行，这个人不行。"胖胖的女服务员看着年轻民警不阴不阳地说，"人家是警察的大官，你能随便打人家？"

刘志彬看看胖服务员，又看看躺在床上的老单，再看看那个年轻民警恍然大悟，旋即无畏地喊：

"我不怕，别说是个警察的官儿，就是……（他说了一个全国人民爱戴的名字，恕我不能引用）我也不怕，一样打他个半死。”

“不许胡说！”年轻警察一拍桌子，“你也太狂了，简直是冒天下之大不韪，那名字是你嘴边挂着拿来做比喻的吗？再说我们也是法律面前人人平等，难道我会徇私枉法？只要确实是他干的，我定会对他依法处理，可现在是不是他干的还不清楚，还没有得到证实。我还告诉你，就是确实认定了是他，你动手打坏了他也是错误的。这不是因为他是我的上级机关来的人，就是一个普通老百姓，犯了法，侵害了你的权益，你也不能私自处理，打死了照旧要负刑事责任，一切得由我，国家委派的执法人员来处理，记着点。”

年轻民警转向胖服务员：“至于你，我只能认为你刚才的那番话意在挑拨警民关系，败坏公安机关的信誉。”

“我说什么了？我说什么了？”胖服务员毫不示弱地伸着脸唾沫星子四溅地质问民警，“我不就说他是个‘警察的官儿’，他是不是呀？我多说了一句没有？”

“你用不着多说，谁也不是傻子。”

“是用不着她多说，”刘志彬插话，“我也看出来了，这件事你是不会秉公处理的，不管你说得多么好听！”

年轻民警的脸涨得通红：“你这是对我个人、我所从事的职业的侮辱。”

“你怎么说都可以，要不你就做出个样子来，立刻把他铐走。”

“是不是他干的还要看调查结果，我不能凭你一说就抓人。”

“还有屁查可调，我爱人指认他了，这就够了。”

“远远不够，这就是你不懂了。”年轻民警冷冷地反驳，“我看你不像一个具有法律常识的人，虽然你衣冠楚楚。认定一个案子的被告不是你想象的那么简单。”

“我当然不如你的法律知识丰富了，以致我都不能曲解它、钻它的空子。我学的是自然科学，那种绝对客观、由铁一般的法则组成的科学，比你们支配的那种纯粹人为的、可以伸缩变化无常是个东西就可以随意解释的玩意儿要不容置疑得多。”

年轻民警不再理疯癫癫的刘志彬，转向不再哭泣、愣愣坐着的白丽：

“现在你来讲述一遍事情的经过吧。”

白丽看了眼年轻民警，低下头缓缓地开了口：

“我上厕所回来，并没有察觉到自己走错了门，这儿的房门看上去都一样，室内摆设也大致相同，天又黑……”

穿着睡衣的白丽从厕所出来，沿着昏暗的走廊走过一扇扇紧闭的门径直走进一扇半开的门。这是一间同她出来的那个房间完全一样的房间（起码在黑暗中看上去是这样），床边放着只大号旅行箱，床上半边躺着一个人，发出微微的鼾声，旁边并排放着一只空枕头，被子掀开一角。白丽毫不怀疑地上床钻进被窝，片刻，发出均匀的呼吸声。另一个鼾声停止了，一个巨大的黑影从床上坐起来，俯视熟睡的白丽，并动手抚摸她，白丽只哼了一声没有醒，黑影动手脱白丽衣服，白丽翻了个身，嘟哝：“你还不累。”黑影一声不吭动作不停，白丽继续睡觉任其摆布，黑影俯到了白丽身上，白丽一声呻吟……

“我一下就感到了不对头，你知道自己丈夫的感觉是独特、不可比拟的。但我当时迷迷糊糊，没有马上抓住这个稍纵即逝的感觉，没有认真想，立即觉醒，因为这太令人难以置信了，几乎不敢相信这种事会真的发生，直到那种异物的感觉越来越强烈，越来越真实，越来越无可置疑地充满我全身的每一根神经，我才吓了一跳，突然明白过来，一下子浑身出了冷汗，但已经晚了。”

白丽霍地从床上滚下来，发出一声沉闷的钝响。她站起来，黑暗中可以看到一张惨白的脸，她趺趺撞撞向门口摸去。

出现在走廊的是一个恐惧、害怕、被意外遭遇完全打蒙了的女人。她慌乱、无目的地敲打所有门，而所有门都无情地紧锁着。孤独、无助和精神肉体两方面的打击使她开始啜泣，开始呼喊丈夫的名字，她有点歇斯底里了，声音也随之高亢起来，像一只落入陷阱走投无路的鹿在走廊里乱撞起来，每一扇门都被她撞得轰轰作响。各个房间陆续响起开锁声，人们纷纷探出头，刘志彬出现在她前面的一扇门前，一脸诧异。

“你能确认你当时进的就是这间房子，那个李代桃僵趁机奸污你的无耻之徒就是这个躺在床上的人吗？”

年轻民警指着单立人问白丽。单立人罩在台灯光圈中的脸显得苍老痛楚，但他的眼睛却是那么平静、问心无愧地正视着白丽。

“这是不会错的。”刘志彬不耐烦地说。

“不，我不能肯定。”白丽第一次正眼打量单立人，她细细地看了一遍单立人的脸庞，“当时黑着灯，我没看清那个人长得什么样。”

“你让她辨认这个人的面孔是毫无意义的。”刘志彬帮腔，“这是企图混淆事实的手法之一。你明知这个人给她留下印象，并足以使她认出他的并不是脸。”

“你同意用脸以外的部分让她辨认吗？”

刘志彬被噎得一下没说出话来，片刻，才又说，“可是这间屋子是无疑的。”

“是吗？”年轻民警问白丽。

“我……”白丽嗫嚅，“我想是。”

“你想是？可这儿的屋子都是一模一样的，你记住这间屋子的房号了吗？”

“没有。”白丽垂下头。

年轻民警转向女服务员：“如果不看房号，你能辨别出每间房子吗？在夜里不开灯的情况下。”

“不能。”女服务员不情愿地回答，“谁也不能，谁能辨出鸡蛋和鸡蛋的区别。”

“不要把调查引入歧路。”刘志彬指责年轻民警，“我爱人既然认为是这间屋子，那就肯定是这间屋子。她是学地质的，对方向和位置有绝对的识别力和绝对清晰的记忆。”

“那她怎么会走错了门？既然有一，我怎么能不认为还会有二？如果我说你现在正处于头脑混乱、思路不清的状态不过分吧？”

年轻民警问白丽，白丽点头承认。

“既是这样，她现在所作的陈述还能作为不可动摇的铁证吗？”

年轻民警转向刘志彬，刘志彬恼恨地瞪着白丽，一言不发。

“这件事我看算了吧，”女服务员懒洋洋地插嘴，“别在这儿浪费时间了，反正也查不出结果，当事人都糊涂了。”

“查是一定要查出结果来的。”年轻民警说，“但不能凭谁的一句话就草率地定案。”

“我懂你的意思，你不就是要开脱你的同伙吗。”刘志彬愤愤地说。

“我并不需要你所说的那种开脱。”一直沉默不语的单立人费力地支撑起半边身子开了口，“因为我在今天夜里受到你的殴打前始终都在单独地熟睡，对你们所说的一切一概不知，更不要说去干了，实际上，我是在你打我时第一次在这间房子里见到你和那位女同志，你们对我的指控是张冠李戴、毫无根据的。我的房门在夜里一直是上锁的，不管是有意还是无意，都不可能进来人。”

“谁能证明你的房门是锁着的？”刘志彬气势汹汹地说，“你自己那么一说罢了。你别想逃脱对你的惩罚。”

“你不要感情用事，放过真正的作案者。”单立人心平气和地说，“至于我，我证明我是无辜的很容易，我愿意接受精液检查。”

“你对这项建议有什么意见？”

年轻民警问刘志彬，刘志彬不说话。

屋里沉默了一会儿，白丽开了口：“这么做是合理、必要的，我同意。”

“那好。”年轻民警说道，“你们先回去吧，等会儿我去找你们，你们房间是……”

“509。”女服务员替他们回答，“这间房子的隔壁。”

“好的。”年轻民警用笔记了下来，对服务员说，“你也回去吧，有事我会找你。”

女服务员和那对倒霉的新婚夫妇出去了，屋里只剩下年轻民警和单立人。

年轻民警的目光遇到了单立人的目光。单立人严肃地问：

“你相信我说的是事实吗？”

“当然信，”年轻民警忙说，“应该信，我不信您会那么放纵、不计后果。不过，您该承认，您的处境并不好，这件事会很快传开的，您注意到那些人对咱们公安人员的成见了吧？我不得不依法办事，不偏不倚，否则，个人犯错误事小，党的威信受到损害事大。”

“我同意，我理解，我不会使你为难的。我们必须找出真正的作案者，才能使受害人和群众满意，才能使别有用心的人无法利用这件事。”

“您认为真正的作案者可能是谁？”

“不知道，我说过我对这件事一无所知，这简直是飞来横祸。不过你可以着手调查这层楼的其他房客，特别是我们这一排的其余房间，单身居住的男人自然是首先怀疑的对象，如果必要，就同时也对他们进行精液检查。我希望这层单身居住的男人不会太多，但看来是不少，我记得我躺在地上时有七八只男人的皮鞋踢过我。”

“您被打得要紧吗？要不要我送您去医院检查一下？”

“恐怕你得送我去医院。我现在感觉很不好，脑袋晕得厉害，我可能被那个刚结婚就戴上绿帽子的家伙打成了脑震荡。”

年轻民警扶着单立人下了床，挪到门口。年轻民警把门打开，刚往外看了一眼，便不由吸了口冷气：

“老天，我看我得请求增援了。”

整个楼道里站满了充满敌意的沉默的衣衫不整的人们，女服务员站在人堆中，幸灾乐祸地望着他们，退是肯定不能退了，这是个考验民警们是否心虚是否正直的时刻，年轻民警硬着头皮一手搀着单立人，一手推开那些故意横在路中间不让道的人，向人群走过去。

“你要带他上哪儿？”人群中有人问。

“上医院，还能上哪儿？”年轻民警冲那个看不见的人喝道，“你没看他给打成了什么样？”

“你不是要把他放了吧？”有人挑衅地问。

年轻民警勇敢地停住脚，在人群中寻找那个讲话的人：

“你要不放心你可以跟我一起去，谁要有什么怀疑都可以跟我走。”

人群中没人再说话，年轻民警搀着单立人下楼。

当他扶老单坐进他那辆停在楼门口的三轮摩托车的挎斗里时，借着路灯他看到老单布满皱纹的脸上有一滴清泪。

“我一定要把这件事搞个水落石出！”老单铁青着脸，声音嘶哑地说。

“昨晚发生的那件事，下面的同志已经向我们汇报了。我们很重视，已立了案，我亲自抓这件案子的侦破。”带着刑事技术人员来到医院的当地分局的一个副局长说。他在一次会议上和单立人有一面之交，因而讲话加倍地客气，并由衷地流露出同情。“我实在不愿采取这种对您身心健康极为不利的步骤，但问题很复杂、很棘手，我们又不得不如此，这几乎是我们唯一的选择。就我个人而言，我想做的第一件事就是立刻解除您的嫌疑。”

“不必有什么顾虑，按常规办吧。”

分局长点点头，示意技术人员趋前采样。他自己走出病房，抽了一支烟，估计里面事毕，又推门进来。单立人躺在床上，倍显衰弱和疲惫。

“我将尽快把检验结果通知您，您好好休息吧，需要什么营养品我叫人去给你买。”

“不，我立刻出院。”单立人强打精神坐起来，挣扎着下床，“我没事，大夫检查过了，除了轻微脑震荡没有其他内伤。”

“也好。”分局长略为斟酌了一会儿，表示同意，“我在市局招待所给你要个房间，旅馆就不要再去住了，房间我派人给你退掉，这样也方便、安全些。您此次来是来参观我们省厅办的反走私文物展览吗？”

“是的。”

“为什么要自己找地方住，不来找我们？应该来找我们，住在我们自己的招待所里就绝不会出这样的事情。”

“一念之差。”单立人叹口气，“怕惊动你们。”

“同志之间谈什么惊动，我们去你们那里不是也受到过你们很好的照顾？您太见外了。”

“我没想到我已经这么脆弱、不堪一击。”

分局长用自己的车把单立人载到市局招待所，安顿好后，向他告辞：

“我先回去，下午再来看您。您想干什么都可以，您的行动自由不受限制。”

“谢谢，这里要长途电话方便吗？”

“昨夜值班的同志已经给您局里打了电话，他们要我们保护好您，并说今天就派人乘飞机赶来。”

“谢谢，没什么要求了。”

“噢，我建议您还是照常去参观那个展览，”分局长出门前回头说，“我去看过，办得挺不错，你能看到一些真正的国宝……如果您身体允许的话。”

一架机身短粗的中型波音737客机在空中缓缓下降，轮子接触到地面后，又在跑道上滑行了一段距离，停了下来，舷梯车飞快地开了过去，机舱门打开，一个穿天蓝制服的空中小姐出现在舱门口，她闪到一边，黑压压的旅客鱼贯而出，人流中，穿着一身警服的曲强提着皮包挪动着步子。

下了舷梯，曲强迈开大步疾行，超过了所有人，第一个走出机场出口，他招手叫来一辆计程车，打开车门坐进去，计程车按照他的吩咐驶上快车道，高速向城里开去。

古老的城墙，巍峨的宝塔，熙攘的街市人群从车窗一一闪过，曲强无心浏览，只是注视着前方，寻找着市局招待所的大楼。

计程车左拐右拐最后停在一幢灰色、不显眼的大楼前。曲强付了车费钻出来，连走带跑地上台阶进了楼，他向服务台后面的服务员询问。

日光已斜，单立人一动不动地坐在室内最后的一道光线里，脸上半明半暗。敲门声“笃笃”响起，单立人似从沉思中惊醒：“进来。”门被推开了，曲强微笑着一步跨进屋里。

“你来了，小曲，太好了。”单立人高兴地伸出双手。

曲强放下皮包握住老单的手笑着说：“我一听说你在外地出了事，立刻向领导要求派我来。怎么啦？老头子，被人陷害了？”

“别提了，”老单松开手叹口气，“狼狈不堪。我这把岁数了，倒做了花前死的风流鬼，惨不忍睹。”

“嫌疑还没解除？”

“正在等检验结果——你知道是什么检验，强我所难。”

曲强嘿嘿乐：“您就当锻炼回身体吧。”

“你来了正好给我做个伴。”老单自顾自地说，“我现在心情很不好，你不要另找地方了，就在我这儿住，正好空一张床。”

“我来的时候，局长找我谈了，局长的意思是一旦您的嫌疑排除，就尽快和您一道回去。”

“尽快回去？不，”老单一摆手，“我不走，这件事没搞清楚前我不回去，我还没被人这么搞过！”老单发了脾气。

“我也这么想，”曲强说，“事情既然搞到咱们头上，那也该着作案的那个小子要倒霉。”

“检验结论出来了。”走得气喘吁吁的分局长一进屋就大声说，“不是您，您没事了，解脱了，可以回去了。”

他看到老单身旁的曲强，表示欢迎地伸出手和曲强握了握：

“你是来接老单的？刚到？我们的工作没做好，让老单受了委屈，我们的心里很不安，回去代我向你们领导致歉。你们打算坐火车还是乘飞机回去？还是乘飞机吧，老单身体没有恢复，飞机快，火车晃里晃荡受罪。”

“我暂时还不想马上走。”老单说。

“放心吧，”分局长带着种很能洞悉他人心理的口气说，“这件事交给我你就放心吧。我保证会把那个坏小子抓住，我已下令调查住在五层的全体房客，必要的话，我要采集其中所有男子的精液。”

一个瘦高个的侦查员在旅客服务台翻着旅客登记簿，翻完苦恼地抬头问那个盛气凌人、倨坐一旁的胖女服务员：

“怎么你们五层住的都是新婚夫妇？”

“那还有错。”女服务员爱答不理地说，“我们五层的单间就是专门为了租给旅行结婚的人住的，要不是你们那个当官的说他身上有文件，我还不给他开五层的房间呢。人家新郎打他不是没道理，五层就他一个单身男人，尽管老点。”

侦查员没理会女服务员话中夹着的骨头，问女服务员：

“这些人没有退房走的吧？”

“不是你们局长下令不许人家走的吗？现在五楼都闹翻天了，

人家都吵着不交房费，要是他们真都不交了，你们公安局替他们交吗？”

“我们不管，我们管得着吗？”

“我就猜到你们不会管，最后损失还得由我们旅馆兜着，扣我们的奖金。”

“这话你跟我们局长说去，跟我说没用，现在你带我到五楼去，我去看看那些新结的鸳鸯们。”

“你别以为我不敢当着你们头儿说，”女服务员从椅子上站起来，拎着叮当作响的大串钥匙一扭一扭走在前面，“我谁也不怕。”

还没到五楼，就听到五楼上一片喧嚣吵闹声，女服务员和瘦高个侦查员加快了脚步。

五楼走廊里，愤怒的新郎新娘们正围着旅馆经理倾泻火气。

“凭什么把人扣住不让走？我们又不会是强奸犯。”

“你们这是旅馆还是监狱？宪法上哪条规定了你们可以限制公民人身自由？”

“我们已经买了今天的火车票，再耽搁就超假了。”

“静一静，静一静同志们。”旅馆经理声嘶力竭又无可奈何地央告大家，“你们的心情我理解，我很理解。并不是我扣住你们不让走，而是公安局有命令，案情没有调查清楚前暂时不让你们离开，我也没办法……”

他一扭脸看见刚上来的女服务员和侦查员，马上说：“这不公安局的同志来了，你们有什么意见跟他说吧。”

他掏出手帕擦擦汗，挤出人群溜了，那些人一下又把侦查员围上。

“你们到底安的什么心？抓着的给放了，反倒把我们给扣住不让走。”

“我们要集体去检察院告你们践踏人权。”

“吵什么吵什么？”瘦高个侦查员对付这种局面很有经验，他拨拉开站得离他过近的人，声调不高却很强硬地说，“不让你们走是有道理的，因为昨晚发生了一件案子，而这个案子是你们住在五楼的人中的一个干的，你们自己说，能放你们走吗？”

“可这个案子不会是我们这些人干的。”人群中一个男青年说，“我们都是自带老婆的，而且昨夜都是跟老婆住在一起，没有可能也没有必要去顺手牵羊搞别人老婆。”

“同志同志，”一个模样忠厚、瘦小枯干的男青年悄悄拉侦查员袖子，指着旁边一个粗陋的女人，“我和我爱人火车票都买好了，今天要回去，她可以给我作证，我昨晚一直规规矩矩睡在她身边，你就放我走吧。”

“我也可以给我丈夫作证，”一个漂亮俗气的女人走向前指着一个脸色蜡黄的男青年对侦查员说，“他昨晚十点以后就睡得像死人一样，我怎么拨弄他他也不醒，一直睡到早晨，连夜里外面吵架打架那么大动静他也不知道，一切经过还都是听我讲的。”

“我也可以给我丈夫作证。”

“我也可以给我丈夫作证。”

女青年们纷纷拥上前，竞相向侦查员述说。

“不要吵了，谁作证也没用，都不许走！”侦查员被一片吱吱喳喳吵得耳朵都快聋了，女青年们失望地沉寂下来后，他缓和了语气说：

“你们要想早走，唯一的办法就是配合我们调查，尽快查出作案者。现在都各回各的房间里去，待会儿我要逐个向你们了解情况。”

走廊上聚集的人们逐渐散去，骂骂咧咧、小声嘟囔地回到各自房间。侦查员吁了口气，发觉走廊上只剩下他独自一人，那个胖胖的女服务员不知什么时候没影了。

楼梯上传来一阵杂沓的脚步声，分局长带着几个警察走上来。

“怎么样？调查出什么眉目了吗？”

瘦高个侦查员摘下帽子，抚抚头发，又戴上：“事情麻烦了。”

“怎么呢？”分局长瞪着圆圆的大眼睛诧异地问。

“这楼上的房客没有一个单身男人，除了咱们那位首长，全是新婚夫妇。”

“全他妈是新婚夫妇？”分局长难以置信地问，“你仔细调查过了？”

“我翻过旅客登记簿，刚才又在这儿和他们全体见了面，亲眼看着他们分成一对对进了各自的房间，确实是偶数。”

“你下去一趟帮我把旅客登记簿和那个女胖子找来。”分局长吩咐身边的一个警察，又问瘦高个侦查员，“你检查过他们的证件了吗？有没有鱼目混珠的？”

“我正要去检查。”

“好，我们一起去。”

民警们一齐向 501 号房间走去。

民警们连续检查了三个房间的新婚夫妇的证件，一无所获，三对男女的个人证件和结婚证毫无破绽。走到 507 房间门前，分局长推门没推开，瘦高个侦查员提醒他：

“这是那位首长的房间。”

“噢。”分局长环顾四周比较了一下这个房间的位置，向下一个房间走去，“这该是那对受害的夫妇的房间了吧？”

“正是。”瘦高侦查员忙说。

“进去看看。”

分局长率先推开了房门，正立在窗前抽烟的刘志彬倏地转过身，蒙着脸躺在床上的白丽见状也从床上坐起，看得出，她又哭过，眼睛又红又肿，泪水汪汪。

“嗯，这是我们分局长。”瘦高侦查员向他们介绍，“来看你们。”

“分局长请坐，”白丽从床上下来强打精神张罗，“也没什么招待你的。”

“不用不用，这样就很好。”分局长在床边坐下，“你们怎么样？还好吧？”

白丽苦笑了一下：“我们就想早点知道调查结果。”

“这个，”分局长沉吟片刻，“一旦有了结果会马上告诉你们的。”

“那个老头你们放了？”刘志彬语气生硬地问。

分局长抬头仰望他：“传得这么快，我们还没告诉你们你们就知道了？放了，排除嫌疑了，检验结果证明不是他。”

“哼。”刘志彬哼了一声，扭头继续看窗外的天空。

分局长看了他一眼，跟白丽说：

“我看了你的陈述记录，有几个问题还想问问你，噢，你不要紧张，这个不是正式询问，不作记录，随便问问。”

分局长找瘦高侦查员要了根烟，在他手里点着，吐出浓浓的一口：

“你当时没有看到那个流氓的脸？”

“是的。”

“可是你在和他接触时有没有获得什么大概的印象？能不能描述他的粗略轮廓？譬如身高、体重……这个应该有个大致感受。还有年龄，我们知道年轻人和上了年纪的人在皮肤的光滑度和力量的使用上有很大差别，你明白我的意思。”

“我明白，”白丽说，“虽然我极不情愿再回忆这些细节。”

“可它们还不是老在你脑子过电影，一遍又一遍？”

“我想他是个年轻人，身强体壮，个头在中等以上。”

“谢谢。第二个问题是：你对你究竟走进哪个房间有没有大体方位？譬如是在你们这排房间里还是对面那排房间，你认为那间房子离你们这间房子大约有多远？我想你不至于走到另一头去。”

“这个我可说不上，我也认为不该差得很远，实际上当时我是认为自己一点没差，走进的正是自己的房间。”

“我对你们这一套烦琐的盘问腻透了。”刘志彬忽然转过身爆发说，“说了半天还是等于什么也没说。你们要是实在找不着那个流氓就算了，用不着装模作样在细枝末节上转来转去好像挺认真。”

“我是不是可以把你这番话理解成你不想再把事情搞清楚了？”分局长问刘志彬。

刘志彬一怔：“不，我不是那个意思，我只是对你们的无能和延宕感到不耐烦。要是你们短时间内破不了这个案，难道我们还要永远在这儿奉陪下去吗？”

“这我就不懂了，”分局长又向瘦高侦查员要了根烟，点上，美美地吸了一口，“如果我不是这么面对面地看着你，光听话我还会以为你是个没有同情心、明哲保身的局外人，其他那些新郎这么说倒情有可原。”

白丽向刘志彬看去，刘志彬避开白丽的目光，瞪了分局长一眼，走到一边。

分局长微微一笑，站起来，其他民警也刷地随之站起来。

“告辞了。这才是开始，小伙子，以后我们还要不断叨扰你直至调查终结，会搞得你不胜其烦的，耐心点吧。”

“会很快查出作案者的，他跑不到哪儿去。”

瘦高个侦查员也回头补了一句，脚跟脚地跟着他的局长走出去。

走廊上，分局长问瘦高侦查员：“你这烟哪儿买的？蛮好抽。”

“街上到处都有，哪儿都能买到。”瘦高侦查员回答，偷偷跟那两个警察做个鬼脸。

510 房间是锁着的，分局长用力敲敲也没人来开。

“这间房子的人呢？”

“这间房子没人住。”瘦高侦查员忙回答，“这层楼只有九个房间住了人。”

警察们向别的房间走去。对其余四对夫妇的检查盘问也无收获，502 房间一个粗鲁的汉子还用极为不堪的语言羞辱了分局长一顿，使分局长从那个房间出来后心情十分恶劣。派去取旅客登记簿的警察从楼下上来，分局长把一肚子怒火都喷射到他头上：

“怎么去了这么长时间？那个胖女人呢？我不是要你把她一起带来。”

“她不肯来，说自己正在值班，有什么话到她那儿去问。”这个警察为自己辩护，“我耽搁了这么长工夫，就是在费尽口舌地说服她。那个胖娘儿们真是个铁打的，刀枪不入，说什么都白搭，我又不能硬拽她上来，万一她撒泼呢？”

分局长气哼哼地横了这个谨小慎微的笨蛋一眼，夺过旅客登记簿翻看起来。忽然，他指着一处冲着瘦高侦查员叫了起来：

“这个徐宝生不是住在 510 房间，你怎么刚才说 510 房间没人？”

瘦高侦查员一惊，急忙把头凑上去看。分局长点着这个名字责备说：

“徐宝生、男、三十岁，独自一人，正是我们要找的人，这么重要的线索你怎么给忽略了？”

“噢，是这么回事，”瘦高侦查员说，“这个人我注意到了。据旅馆服务员讲，他三天前就在这儿住了。前天说是去温泉办点事，房间没有退因而登记簿上虽有他的名字可他人这两天并不在。”

“我们去服务台。”分局长领着大家疾步下楼。

胖服务员说的和瘦高侦查员讲的完全一样，分局长还不甘心：

“有没有可能他在昨天夜里回来了，而你不知道？房间钥匙他手里有没有？”

“钥匙他手里是有，但绝不可能他回来我没看见。他从门厅走过我肯定会看见，昨晚关门前我一直坐在这里，眼睛瞪得比包子还大，就是一只猫溜过我也会看见，我工作时一向是负责的。我记得很清楚，昨晚最后一个回来的人是你们那个同志。”

分局长无话可说，出了门绕到楼后，仰头望望五层楼的高度，在草丛里东嗅嗅西踩踩。

“我认为他不会从窗户爬进爬出的。”瘦高侦查员小心翼翼地发表看法，“他难道会事先知道一定要有个女人在昨夜走错房间钻进他被窝？再说这也太不容易了，这么高，弄不好掉下来就会有生命危险，我想不出现在还有哪个年轻人会冒这么大风险去占那么个小便宜。”

分局长冷漠地凝视着瘦高侦查员，直看得他不自在起来，把眼睛移向别处。

“依你说,这件案子就没有作案者了。既然所有人都是清白的，那些白花花的液体怎么解释？”

“我没有说这件案子是无中生有，我只是说不可能是这个人，或者说怀疑他没根据。”

“那就只剩下那些新郎了。”分局长从草丛里走出来，跺跺脚，“作案者只能从他们中间去找。你们俩有什么看法？怎么光听不说话，没带嘴巴来？”分局长问那两个跟在他身后的警察。

“我同意您的看法。”一个脸粉嫩得像个姑娘的年轻警察腼腆地说，“只有再查那七个新郎了，他们之中必有一个人对您说了假话，那七个新娘中也必有一个作了伪证。”

“怎么才能判断出他们中谁说了假话，作了伪证？”分局长启发地问这个小警察。

小警察窘住了，结结巴巴地说，“这个我还没有想好……”

“很简单嘛，”分局长笑眯眯地说，“用科学的办法解决这个难题，对他们全体进行精液检查。”

分局长转向瘦高侦查员，“这个工作就交给你去做了，我过会儿给你派来技术人员。”

对刚才的骚乱记忆犹新的瘦高侦查员有些畏缩：

“这是个涉及面很广，政策性很强的工作，您知道那些新郎新娘们已经很不满了，再对他们宣布这个措施，我怕他们炸了窝，我控制不住局面。是不是您亲自出马好一点？”

“我绝对相信你的能力。”分局长满意地审视着瘦高侦查员，“你一定能干好，老同志了嘛。要多做说服解释工作，我还可以给你多派几个人来。”

“我想我还是不行，群众更相信领导。”

“不要推了，这是命令。”

分局长撇下瘦高侦查员，带着人大步走了。瘦高侦查员一脸苦相地向旅馆楼里慢吞吞走去。天色已暗，旅馆楼里和远近建筑物上都亮起了点点灯光。

分局长第二天一早淋浴着阳光，精神饱满地来到办公室，第一眼就看到了桌上刚送来的检验报告。他迫不及待地拿起来，连帽子没摘就站着看起来。看完他泄了气，出鬼了！检验报告上说，七个新郎的精液无一与那个作案者遗留下的精液同一。

瘦高侦查员没敲门就进来，由于通宵未眠，他眼里布满血丝，愁眉苦脸地往局长的转椅上一坐，转了半圈，望着局长诉起苦来。

“白忙一夜，昨晚我去采样，那些人连我的祖宗八代都骂遍了，反正今天我是不去通知他们检验结果，你说下大天来我也不去。”

分局长听着瘦高侦查员诉苦也不吭声，把帽子一摘，在另一张硬椅子上坐下，摸着谢了顶的头。电话铃响了，他伸手抓起话筒：

“是你，你还没走？嗯，说实话，我现在陷入了困境，调查工作已经停顿。我已经对涉及的所有人进行了精液检查，检验报告现在就放在我面前。您猜对了，都不是作案者，我几乎要怀疑检验设备不可靠或是人员操作出了错。当然，他们反复核实过，这是绝对不会错的。我现在是一筹莫展、焦头烂额，我派去负责采样的侦查员正坐在我的办公室埋怨我。什么？您要到我这儿来？您要愿意来您就来吧，我等您，再见，一会儿见。”

分局长放下电话，看着委靡的瘦高侦查员皱起眉头：

“打起点精神来，怎么这么经不起挫折？要想一点委屈不受，那你别当侦查员，去当售货员好啦。”

单立人和曲强在分局长办公室受到了相当殷勤的接待。瘦高个侦查员干巴巴地向他们介绍了调查获得的情况，介绍完毕，办公室内陷入一片沉默。单立人似乎尚未从脑震荡中恢复过来，他皱着眉头，眼神呆滞，神经质地按着自己松弛的双颊。

“我很困难，”分局长对老单说，“我受到了很大压力，我不能总是把人扣住不放，如果没有线索，我只好把那些新郎们放行，等他们告到检察院——还是得放——那太被动了。”

“对那个徐宝生不在现场的调查是否得到了确凿无疑的证实？”曲强问瘦高个侦查员。

分局长接过话头，“这个是我亲自取证的，值班女服务员做了毫不含糊的肯定，我们没理由怀疑她不诚实。她尽管胖得令人腻味，但是个对工作负责的人。”

“我也有这个印象。”瘦高侦查员附和自己的上司。

“那就只剩一个可能了。”单立人慢悠悠地说，语惊四座，“那个新娘没有走错房间。既然所有房间都不可能走进，她只有走回自己住的房间——509 房间！”

分局长和自己的侦查员面面相觑，他似乎有点不知所措，像看一个神经不正常的人那样盯着老单：

“这……太荒唐了，请原谅我一时找不出更好的措辞。不是我对您不尊重，可这个提法实在是太不可思议，简直是匪夷所思——我不知怎么表达好了。”

老单毫不难堪，岿然不动地说：

“这是唯一仅存的可能，当然听上去是有点不合情理。如果这件事存在——显然它是存在的——其他可能又被排除，我们就只能这样去想了。不是我们异想天开、痴人说梦，而是我们在三面筑起的围墙中被逼到了最后那条胡同里。”

“一条死胡同。”瘦高侦查员不客气地说道，“这似乎是逻辑发展的结果，但只能是陷入更深的自我矛盾和理不清的死结之中。

首先你忽视了一个前提：如果做如是说，置新郎于何地？他怎么可能不在这个房间旋即又出现在这个房间？藏在床底下？那个作案者也藏在屋里？如果是这样，新郎主观上就必须是故意，天哪！他是什么动机？性解放还是恶作剧？退一万步说，他真这么做了，他又怎么能保证他老婆对他在同一房间消失了又复出现不产生怀疑？那个新娘真是愚蠢到不分东南西北，刚受了强烈刺激从一个房间奔出又立刻把这个房间的位置忘了？她可是学地质的。”

“你的意思是说她应该对误入其中并在内受到侮辱的房间记忆犹新、印象深刻？那她为什么又误把我的房间当做那个房间？”

“这个……”

单立人对分局长说：“我并不是说我的假设就是必然事实。的确，正如你们这位同志所说，这里还牵涉到一个重要的动机问题，在未得到可靠佐证前，下任何结论都是轻率的。我想说的是，对我们来说，没有任何事情是不可想象的，只要有一线可能，不管是多么有悖常情，我们都要穷究其竟。因而，我要求再去现场看看，根据我是在场者之一的有利条件，也许还能发现什么重要遗漏和未被察觉的疑点。”

“如果你坚持要求，”分局长为难地看看瘦高侦查员，“那你就陪老单同志去一趟。”

“您不想再去看看吗？”曲强问分局长。

分局长“啊”了一声：“我去当然也可以，那我们就再去一趟。”

他拍拍瘦高侦查员的肩膀：“死马当活马治吧。要知道，老单同志经验是很丰富的。”

刘志彬对单立人的态度仍然是持有强烈的敌意。白丽见到单立人则相当难为情，她不住地向单立人道歉：

“真对不起，误打了您，您的医疗费和营养费我们负担了。”

“不要紧的。”单立人摆摆手，“我个人的事不要提了，我很好，不需要什么营养和治疗。”

“我们这次来，”瘦高个侦查员说，“有些问题还想再问问你。”

“我来问吧。”单立人和气地望着白丽说，“看上次的询问记录里提到你说你认为当时你是走进自己的房间。”

“还是作记录了。”白丽看分局长，分局长把眼睛移向别处，“是的，我是说过这样的话，但不是说我当时确实走进了自己的房间。”

“我是否可以这样认为：当时你之所以走错了房间是因为你睡眼蒙眬、意识不清、没有完全从睡眠中清醒过来的缘故，否则你是不会走错门的。诚如你丈夫说过的那样，你是学地质的，‘对方向和位置有绝对的识别力和绝对清晰的记忆’。”

白丽脸红了：“是这样。”

“好。”老单点点头，继续发问，“你受到侮辱后，从那个流氓的房间奔跑出来时，是否还有睡意？意识仍然不清？”

“当然已无睡意，怎么可能还有？”

“我是否可以认为彼时你已经恢复或基本恢复了对‘方向和位置的绝对识别力和清晰的记忆’？”

“……”

“你当时在走廊踯躅、徘徊了多长时间？”

“我觉得很长，也许不过几分钟。”

“这段时间不会长到使你丧失几分钟前还那么清晰、深刻的记忆吧？”

“我从不丧失记忆，需要几年几十年的时间才能使我记忆模糊。”

“很好！那么，当你丈夫出现在一个房间门口时你有没有感到意外、不解或是一下子搞糊涂了？”

“这是什么意思？”刘志彬疑惑地插嘴，“她为什么会意外、不解？她一下子感到的是：有救了。”

“是这样吗？”

“是这样。”白丽沉着地说，“我懂你的意思，尽管我不能确切地记住那扇门的位置。要知道，除了睡眠，恐惧和惊吓也能使人意识不清，但我可以明确无误地告诉你，他并没出现在我刚奔出来的那个房间门口。”

刘志彬明白过来，登时气得青筋毕露，他攥着拳头喊：

“这简直是诽谤，是恶毒、丧失理智的中伤，是卑鄙的报复！”

单立人没理睬这个丈夫愤怒的咆哮，坚持问白丽道：

“你敢肯定？”

“我敢肯定！”白丽正色道，“确切位置我是记不清了，但方向我还依稀辨得，刘志彬是在我奔出来的那个房间的对面那排房间里的一个出现的。”

“你的意思是说那个作案者的房间是在对面、双号房间那排里。”瘦高侦查员忙记下来，又责怪白丽，“这么重要的线索你为什么不早说？”

“当时我脑子太乱不敢肯定，这两天我反复想才认定。”

“可你当时为什么就能认定我的房间是作案者的房间？我的房间和你丈夫出现的房间是在同一方向或者说紧挨着的，也不应该在你怀疑范围之内呀？”

民警们的目光一齐落到白丽脸上，她瞪着眼睛想了半天，冷不丁说：

“我并没有指认你的房间是那个流氓住的房间。”

单立人迅即把目光炯炯地射到刘志彬脸上：“那么你，凭什么认定我的房间就是作案者住的房间？”

刘志彬脸腾地红了，他慌乱地说：

“是我搞错了，我一时冲动，头脑发热，我对无故冤枉了您表示歉意，我愿意赔偿。”

“老单，”分局长捅捅单立人，“个人恩怨以后再了结，我会狠狠罚他一笔钱的。”

“不是个人恩怨。”老单恼火地说，“我还不至于狭隘到这种地步。我想搞清你为什么一下扑向我的房间？为什么不等你爱人辨认一下？”

“我不冷静，怒不可遏。”刘志彬已经镇定下来，“我总要扑向一个房间，不是专门跟你过不去，只是因为你碰巧住在我隔壁，认为白丽走错房间进入隔壁不也是理所当然的吗？我事先知道您是警察，我还会砸你房门吗？我不是自找麻烦吗？”

“我不认为我们已经有了什么决定性的发现。”民警来到走廊上，瘦高侦查员边走边对老单说，“相反，您的假设和推论已经被那个新娘有力的证言推翻了。您只不过是再次证实、洗清了您自己的无辜。”

“但我们毕竟有了个重要发现。”曲强反驳说，“那个房间是双号房间的一间得到了认定，这使我们的调查范围缩小了一半。”

“既然整个调查都没有收获，缩小了一半又有什么意义？反正是不可能，双号房间也不存在作案者。”

“把徐宝生的房间打开看看。”单立人在 510 房间门口停了下来，对分局长说。

分局长转身命令一个警察：“去把服务员找来。”

稍顷，旅馆经理亲自带着一个瘦削的女服务员拎着钥匙串赶来，打开 510 房间，民警们拥了进去。

510 房间摆设整齐、床单平展，没有一般旅客居住带来的紊乱和零星物品。大家注意到床边放着只带轱辘的大号旅行箱。

“这个旅行箱我在哪儿还看见过一个？”老单按着脸颊思索。

“那对受害人的房间里也有一只。”曲强说。

旅馆经理说：“这个旅行箱是那个徐宝生留下的。这种旅行箱很时髦，很多人都有。”

“放上个旅行箱，”老单对曲强说，“这个房间就几乎和那个房间没什么区别了。”

他走过去一拎旅行箱，很轻。他试着打开旅行箱，可旅行箱是锁着的。他蹲膝观察了一下写字台的桌面，转身问经理：

“这个徐宝生走了几天？”

“嗯，差不多四天了，连今天算在内四天。”

“你们的房间是每天都打扫吗？”

“嗯，”经理挠挠头，“我们是这么规定的，可一般都是在旅客走后才打扫。我们服务员人手少，忙不过来，对这点，一般旅客都是谅解的。”

“那就是说这个房间起码有三天没打扫了。可是你看，”单立人招手叫分局长和曲强往写字台桌面看，“这个写字台上没有落多少灰，按这个城市的尘降速度应该厚厚落上一层，像那个床头。看来有人在这两天草草打扫过这个房间。”

“看床上有什么？”曲强叫起来，众人一齐俯身床上，在鲜艳的大花之间可以隐约看出一圈圈经过揩抹的淡淡水渍。

“枕头上有女人长发。”瘦高侦查员捏起一根卷曲的长发丝。

“立刻彻底勘查这个房间。”分局长对身后的警察下令，“将这根头发丝与白丽的头发检验对比；尽可能从床单提取精液遗痕，与已获得的作案者精液对比；立即彻查温泉一带的所有大小旅馆、招待所，发现徐宝生立即拘留。”

“等等，”单立人叫住那个奉命欲走的警察，对分局长说，“鉴于徐宝生若是作案人就必须在附近有落脚点，我建议对这个旅馆附近的其他旅馆也进行彻查。”

“对，”分局长说，“也许他就藏身于这个旅馆的其他房间也未可知，对这幢大楼也要进行彻底搜查，检查每个旅客的证件。”

“藏在我们旅馆不可能。”旅馆经理忙说，“我们的服务员认识徐宝生，他想另开房间不被察觉不可能。”

“对我们来说，”分局长傲慢地说，“不存在什么不可能，一切都是可能的。”

“我恳请您不要搜查整个旅馆。”经理打躬作揖地央求，“那样会闹得鸡飞狗跳，惊走所有旅客的，这件事已经传得相当耸人听闻，使本来要投宿我们这儿的不少旅客望而却步了。”

“你们是国营单位吧？”分局长问。

“是国营，”经理说，“可也得讲究……”

“国营单位讲究什么？”分局长义正词严地说。

“你们哪位服务员认识徐宝生？”单立人问。

“肯定是那个胖子。”分局长说，“她跟我说过徐宝生的情况，就是她担保的徐宝生不在现场。”分局长忽然来了气，冲瘦高侦查员吼：“我早就怀疑了徐宝生，可你却和那个胖子一唱一和担保不是他，还他妈的跟我说什么。你想不出现在还有哪个年轻人会冒这么大风险去占那么个小便宜，使侦查走了这么大个弯路。”

“那个胖子现在在哪儿？”瘦高侦查员转身冲经理吼，“马上把她找来！她胆敢欺哄我，是不是和徐宝生一伙的？为什么偏偏对他那么热情？我就从没受到过你们这些服务人员哪怕一个笑脸。”

经理吓得话也说不利索了，他结结巴巴地说：

“她……她不在，下班回家了，我以为没……没她事了。”

“打电话，派人叫，立刻把她弄来。”瘦高侦查员和分局长一起冲经理吼，“告诉我们她的住址，我们派警车去。”

“你还傻愣在这儿干吗？”经理冲那个瘦削的女服务员喊，“还不快去问问谁知道她的住址。”

肥胖的女服务员像只发怒的猫被两个警察从闪着警灯的警车上带下来，她的两只肉滚滚的胳膊上沾着干涸的肥皂泡沫，显然她是在辛勤的家务劳动中被不由分说拽走的。她被带到气势汹汹的一大群民警面前，毫无惧色地和他们互相怒视。分局长刚要张口，她就抢先连珠炮似的喷出一连串的叫喊：

“不知道不知道不知道——我什么也不知道。”

“冷静点，冷静点。”旅馆经理在一旁焦急地说。

“呸！”胖服务员啐了经理一口，“叛徒。”

“怎么？”分局长骇然问经理，“你也是他们一伙的？”

“不不，”经理紧张得汗都下来了，“她骂我是叛徒是指我把她的住址告诉了你们。”

“老实点。”分局长冲胖服务员喝道。

“就不老实就不老实。”胖服务员一跳老高，向分局长扑来，“你凭什么抓我？我犯了什么法，我要去告你。”

两个民警抓住胖服务员，用力按住她。

“电棍，用警棍电她。”分局长愤怒地喊。

“她姐夫认识市里的头儿。”经理小声对分局长说。

不知抓着胖服务员的民警怎么鼓捣了一下，她哇的一声哭了，鼻涕眼泪一齐往下流，服服帖帖站着不再闹了。

“你说你何苦找不自在？”分局长和缓下来说，“我们又不想怎么样你，只是问你几个问题，你闹什么？”

“你们问了多少次了，还问，问个没完。”胖服务员抽抽搭搭地说。

分局长示意旁边的警察松开她，走近她问：“你事发那天晚上看没看到过徐宝生回来？”

“没有。”

“好好想想，他有没有可能趁你不注意溜进来？”

“不可能，我说过我工作时是一丝不苟的。”

“你能保证吗？”

“能！不能！我干吗要替他保证？反正我没见过他，谁知道他会不会从其他地方钻进来，诸如一楼厕所的窗子。这该着我什么事？你们为什么这么粗暴地对待我？”

“你能不能给我们形容一下徐宝生长得什么样？有什么特征？”曲强问。

“什么特征？什么特征也没有。普通人，黄脸皮，鹰钩鼻子薄嘴唇，一副色迷迷的样儿，上身穿了件皮夹克。”

“他是不是看上去总好像是在笑？”单立人问，“中等个，比我略高一些？”

胖服务员看了单立人一眼，她刚发现单立人也在民警人群中：“有那么点，中等个，脸上有两道笑纹。”

“我见过这个人。”单立人对分局长和其他民警们说，“事发当天晚上，我在水房和他一起洗过脸。”

“就是说那天他在现场。”分局长大喜，脸上乐开了花。

“看来他是有可能在这个旅馆不引人注意地自由进出的。”单立人对胖服务员说，“也不一定非钻窗户。我见过你所谓一丝不苟工作的情景，那就是聊天、织毛衣和愣神儿，从你眼皮底下溜过去个把人很容易。”

“可他作完案想溜出去可不容易。”胖服务员不服地说，“我晚上是锁门的，他要溜只能早上溜。”

“早上当然可以溜，晚上同样也可以溜，你是那么热衷看热闹，你们门上的那把破锁又是那么陈旧，形同虚设，任何人都可以不用钥匙，一扭就开。”

单立人把等胖服员到来时便已拿在手里的旅馆门锁开合了几下，扔给经理：“换一把吧，花不了几个钱。”他又对分局长说，“我没什么要问的了。”

“你和徐宝生从前认不认识？”分局长问胖服务员。

“这可是冤枉，”胖服务员哭丧着脸说，“我工作疏忽，有责任，可并不是有意和谁串通一气作这个案，我从前压根儿没见过徐宝生，他在我们旅馆拢共也就住了不到两天。”

“他临走时说过哪天回来吗？”

“他说也就三两天回来……”

在510房间勘查完毕的刑事技术人员呼啦啦从楼上下来，一个警察提着那只大号旅行箱。单立人迎着他们问：

“可有什么发现？”

“又取到了几根男人短发，精液遗痕时间过久，恐怕已失去鉴定价值。”

“这只箱子里有什么？”单立人指那个大号旅行箱。

“空的。”提箱的警察说，弯腰把箱子打开给单立人和分局长看。

“看来这小子不会回来了。”分局长叹道。

“对头发的鉴别检验结果晚上就能出来，我们回去就做。”一个技术人员说。

分局长点点头，刑事技术人员们走了。

晚上，分局长、瘦高侦查员、单立人和曲强都在分局食堂吃的晚饭，然后四个人就坐在分局长办公室边抽烟边等检验结果。

检验结果出来了，510 房间发现的女人长发与白丽的头发对比认定同一，由此基本可以认定案发房间是 510 房间。对持有 510 房间钥匙，又在犯罪现场的重大嫌疑犯徐宝生的查找工作没有进展。去温泉调查的民警报告说，查遍所有大小旅社没有发现徐宝生曾经住过。对案发旅馆附近的大小旅馆的调查倒是发现一个外貌酷似徐宝生的人案发前住进案发旅馆百米远的一家个体旅店，案发后离去。因个体旅店登记制度不严，这个人登记的名字也不是徐宝生，一时也很难确认这人就是徐宝生。现在唯一的线索就是案发旅馆旅客登记簿上徐宝生留下的工作单位，十分巧，是位于单立人所住城市的一家油泵喷嘴厂，工作证号码 1452。但谁也不敢说这个工作单位和工作证号码不是假的。

“他这点事也够不上发全国通缉。”分局长苦恼地说，“只好先按这个线索查了。”

“这个好办。”单立人说，“我们回去顺手查了。”

“你们打算回去了？”

“是啊，”单立人说，“在这儿已经无所作为了。这个案子看来也只能先搞到这一步了，那些扣在旅馆的人你明天也可以把他们放行了。”

“那对受害人呢？”

“告诉他们案犯正在缉拿中，他们愿意继续旅行还是回家由他们去，留下地址，有消息再通知他们。”

“我不同意这事就这么完了，”瘦高侦查员说，“这案子还有很多疑点没搞清楚。从种种迹象看，徐宝生不是顺手牵羊，而是有预谋的行为。假装离开，又偷偷潜入；放置旅行箱使自己房间和509房间尽可能一样；事后清扫，抹去痕迹。目的性太强了，前后做得太小心了，简直是张网设阵、虚怀以待，就像他事先知道人家的新娘一准会在半夜走错门走进他的房间。难道他能掐会算、未卜先知？那一对又跟他配合得那么默契，其中肯定有鬼！”

“这是个令人费解的问题。”单立人说，“可不是我们坐在这儿空想能想出来的。就像你上次说过的一样，这牵涉到一个严重的动机问题。就目前的情况看，我们只能先抓住徐宝生，一切问题才能迎刃而解，舍此对任何方向的突击都将无功而返，所以我急着回去。”

从分局长办公室出来，曲强问单立人：

“你真的认为徐宝生现在正在那个油泵喷嘴厂吗？”

“不，”单立人说，“我感兴趣的是那对新郎新娘，我翻过旅客登记簿，他们凑巧也住在我市。”

华灯初上，马路上车流汹涌，路边一个公共汽车的站牌下黑压压地站着一片等车的乘客，小汽车流矢般地从他们面前一辆辆驰过。许久，公共汽车一列列接踵而至，站牌下喧嚣混乱不堪，随着公共汽车一列列笨重地启动，驶走，站牌下变得空荡了，只剩下一个苗条美丽的姑娘，她文静、亭亭玉立地站着，在路灯下显得分外楚楚动人。

又一辆很空的公共汽车进站，驶去，那个苗条的姑娘仍站在原地。

一个鹰鼻薄唇的小伙子从便道上走过来问她："你在等人吧？"

姑娘看了小伙子一眼，没搭腔，走开两步，小伙子又凑上去："别等了，他今天不来了。"

姑娘白了小伙子一眼，继续沉默着，小伙子嘻嘻笑：

"我要是你我就不那么傻，木桩子似的竖在马路边多尬哪，假装等车也瞒不过别人。"

姑娘嗔着脸，照旧不吭声。小伙子仍没完没了地絮叨：

"他是你朋友？噢，怪不得，他一定是个薄情的人，居然让你这么等，太不像话了。他很漂亮？很有钱？比我怎么样？你倒正眼看看我，吓不着你。噢，你怕一看我就会动心，不要紧，这是好事。我觉得你那么固执不聪明，你在白白错过机会，你大概不知道我是谁吧？知道了你就不会这样了——你干吗不笑？听不懂中国话？噢，日本人，或是柬埔寨人？你要以为你不笑才漂亮那就错了，实话告诉你，丑得很。"

姑娘忽然笑逐颜开，小伙子精神为之一振："这多好，多么令人欣慰。"

姑娘却越过他走向另一个正向这里走来的矮个男人。饶舌的小伙子扫兴地撇撇嘴，怏怏走开。

"你怎么才来？"姑娘抱怨矮个男人，"我还以为你不来了呢。"

"有点事耽误了。"矮个男人皱着眉头说，毫无歉意地表示，"我还没吃饭，这会儿这附近还有饭馆营业吗？"

"不知道，我对这一带也不熟。"

"那你干吗把我约到这儿来？"矮个男人生气地说，"算了，我们回去吃方便面吧。"

"你的事都办妥了？"姑娘赔着小心问。

"已经拿到了护照，签证也批了，就等着你那笔钱买机票了。

你那笔钱什么时候给我？”

“我说给你就一定给你，钱还不在我手里，过两天，那个人回来我就可以拿到了。”

“我真有点信不过你。”矮个男人冷冷地打量姑娘，“你那事我听着怎么那么悬。”

“一点都不悬，我已经接到了人家的信，说那边事已经办好了。”姑娘看看矮个男人的脸色，“我可为你什么都干了，咱们的事你是不是也该抓紧办了？”

“拿到钱再说。”矮个男人不耐烦地说，“这事着什么急，登个记还不简单？”

“得了吧，我问了，人家说现在登记也麻烦着呢，又要体检，又要照双人合影照片……”

“拿到钱再说。”矮个男人打断姑娘的话，“要不我出不成国，你和我结婚不也亏了。”

“我可不是图你什么才和你结婚的。”姑娘正色说，“你怎么这么看我？你把我当成庸俗的小市民了？”

“你当然不是为了图什么才要和我结婚的。”

“我们厂是有个叫徐宝生的青年工人。”

油泵喷嘴厂的保卫干部，一个愁眉苦脸的中年男人叼着烟说。在他对面，坐着单立人和曲强。

“这个徐宝生我没什么印象，光知道有这么个人，谈不出更多的情况。应该表现不错，我没印象嘛。”

“他长的什么样儿？”单立人问，“是不是中等个，鹰钩鼻子薄嘴唇？”

“嗯，对，是鹰钩鼻子中等个。”保卫干部想了想连连点头，“他犯什么事了？”

“他今天来没来厂里上班？”

“应该来，没特殊情况应该来。”

“你能不能把他找来我们跟他谈谈？”

“可以。”保卫干部站起来，“他犯了什么事？”

“有件案子牵涉到他，到底是不是他干的还不能定。”

“严重吗？”

“不不，不严重，一般的刑事案。劳驾。”

“我这就去。”保卫干部拔腿走了。

徐宝生穿着油渍的工作服跟着保卫干部迈进办公室，困惑地望着坐着的两个陌生人，这两个人也困惑地望着他。

“你是徐宝生？”单立人肘支在办公桌上，手按着胖脸问。

“是啊。”徐宝生点点头。

“你们厂还有没有别的人叫徐宝生的。”单立人转脸问保卫干部。

“没有，徐宝生是什么好名字吗？”

“怎么回事，你们搞错人了？”徐宝生问，“我就是徐宝生，名正言顺，绝不会错，当然跟小时候比变化很大，但只要一见面准能认出来。这么说终于找到我了，我也早怀疑现在这个不是亲爹，瞧我的鹰钩鼻子。我生身父亲是哪国人？美国？不会是孟加拉人吧？我妈也不会那么没眼力。”

“你误会了，”单立人开口说，“我们不是帮你的外国爸爸来找你的。”

“又空欢喜一场。”这个同样的鹰钩鼻子薄嘴唇，但绝不是单立人曾见过的那个徐宝生的徐宝生咕噜一句，一屁股坐下，“那你们找我干吗？你们不是公安局的吗？”

“对，可公安局不全是干失物招领的。”

“那你们还干什么？像他这样一天到晚闲得没事，躲在屋里算计别人？”徐宝生一指坐在另一边的保卫干部，保卫干部气得直翻白眼。

“别太相信自己的记忆力。”曲强小声对单立人说，单立人点点头。

“我们来是有几个问题想问你。”单立人说。

“噢，你们是搞民意测验的。我的确对现在的物价很有意见，还有那个足球，怎么老搞不上去。”

“别胡打岔，”保卫干部喝住徐宝生，“真傻假傻，也许你是做贼心虚吧？”

“我光明磊落……”

“一周前的那天你在哪里？”单立人打断了徐宝生的胡扯，飞快发问。

“一周前？七天前？”徐宝生眼珠子骨碌碌地转，脸色发白了。“这么说你们都知道了。”

“我们全知道了。”保卫干部吹胡子瞪眼睛地说，“我们早知道了，现在就看你的态度了，是走坦白从宽的路，还是走抗拒从严的路。”

“我是第一次干，”徐宝生害怕激动地替自己辩白，“一时冲动，觉得占点小便宜没什么，侵犯的是私人利益，又没有给国家和人民造成损失，应当属于既往不咎。”

“那事真是你干的？”曲强对徐宝生如此主动地招供感到纳闷。

“快说快说，怎么干的从头说起，一点也别漏。”保卫干部敲着桌子催促，一边偷偷冲单立人得意地眨眼。

“我没想到你们这么快就抓住了我，当时我干的时候没有别人在场，我以为不会有人知道，我以为自己干得神不知鬼不觉，结果还是让你们擒住，公安机关真是破案神速。”

“那还用你说，”保卫干部撇撇嘴，“你以为我们这些人真像你说那样是吃干饭的。”

“我说的是人家公安人员有本事，不包括你。你不行，这事你查了半天不也没查出来。”

“怎么，你已经在厂里开始查了。”单立人大为吃惊，“是那个分局长给你打电话了？”

“哪个分局长？”保卫干部茫然地问，“没有人给我打电话，我是自己主动秘密地进行调查，你们怎么知道的我还不明白呢。”

单立人和曲强开始意识到，这可能是一场误会，但也得问下去。曲强问徐宝生：“你干了什么？”

徐宝生十分地难为情：“那天我比别人早到食堂取加热的饭盒，当时食堂没人，我就掀开别人的饭盒看别人带的是什么菜，结果一看谁带的菜都比我好，肉啊、蛋哪，透着生活水平提高。我就带了俩馒头夹块臭豆腐，都怪我媳妇，攒钱要买钢琴教孩子出息，却苦了我这当爹的，成月见不着肉腥，都快忘了猪长的啥模样了。我是钳工，重体力劳动者，不像和尚天天坐着睡觉，吃素不顶劲。于是我就动了歹念，趁没人下了手，把一屉二十多个饭盒的肉都用手拣了吃了。实话说我当时思想斗争很激烈，明知这是不劳而获的资产阶级行为，可挡不住肉香啊，逗人馋虫啊。那肉是真香，不是假香，民以食为天嘛。”

徐宝生沉溺在对那瞬间的快感的回味中，十分陶醉。单立人和曲强则是又好气又好笑，曲强忍不住笑出了声。

“卑鄙！”保卫干部一声大喝，吓了单立人和曲强一跳，徐宝生也立刻变成一副恭顺相。保卫干部红着眼数落徐宝生：

“你还得意得很，振振有词得很，我叫你怎么吃进去的怎么给我吐出来。二十多个饭盒，那是多少肉，上了斤，全叫你小子一人吃了，亏你怎么咽得下，吃进肚里怎么不长癌！你快活了，我们惨了，那天我老婆给我烧的红烧肉我都没舍得吃，带到厂里来，他妈的就不翼而飞了，原来全落进你小子的肚子里去了。”

“我对不住您。”

曲强给单立人使了个眼色，单立人拦住了气哼哼的保卫干部的话头，问：

“他说的是事实吗？”

“是。”徐宝生喊了一声。

保卫干部瞪了徐宝生一眼，徐宝生缩回脖子。保卫干部对单立人说：

“他说的是事实，我现在想起来了，那天我们大家都愁眉不展、怨声载道，唯独他小子满嘴油亮，心满意足，当时我怎么就没想到是他干的。”

“这么说，这段时间你没有外出？”曲强问徐宝生。

“我去哪儿？”徐宝生反问，“我能去哪儿？疗养、参观有咱工人的份吗？”

“你就等着去监狱吧。”

“你的工作证带着没有？拿来看看。”

“你们真的要抓我？”徐宝生紧张了，“为这么点小事，我全吐出来不行吗？你们发发善心，千万别逮我进局子，我上有老下有小，儿子还是少先队员，得给我留点面子。”他苦苦哀求单立人。

“不，不是要抓你，”单立人说，“我想看看你的工作证号码。”

“工作证丢了，”徐宝生说，“早丢了，丢了有快一年了，新的还没补发下来。”

“工作证号码你还能想起来吗？”

“14……1452。”徐宝生满心欢喜地说，不住地对单立人重复：“1452，1452，我想起来了，这个号码很好记。”

“工作证丢在哪儿了，怎么丢的，你还想得起来吗？”曲强问。

“想不起来了，”徐宝生做思索状，“可能是什么时候换衣服、弯腰、掏东西掉了，现在人的觉悟都很低，捡着了也不交公。”

“在你认识的人里有没有一个跟你长得差不多，”曲强问，“也是鹰钩鼻薄嘴唇。”

“你以为是人就能长个鹰钩鼻哪？”徐宝生抚摸着自己的鼻子，不无感慨地说，“这可不是随随便便想长就能长的，得有外国血统。我认识的人里，嘁，还真没人有这福气，不是蒜头鼻就是扁鼻子，寒碜得要命。”

“那么你认识的人里有没有个叫刘志彬的？”单立人问。

“刘志彬？有哇。”徐宝生露出一脸不屑说，“你一说刘志彬，我还愣了一下，我就知道他叫刘金富，我们家的农村亲戚。过去穷着呢，动不动就由他妈领着上我们家来蹭，一住就是好几个月，临走还拿。您知道那些农村人奸着呢，城里有个亲戚，就变着法地组织代表团来登门拜访，明着来抢你。他现在抖起来了，上了大学，分了个挺不错的单位，把他那土名字换成了洋名字，听说最近还搞了个教授的女儿，也不来我家了，面也不照了。甭管他怎么改头换面，叫我看来，还是过去那个小土鳖，身上的虱子还没择干净。”

刘志彬身体厌恶地一哆嗦，把手里的杯子里的水洒在地毯上，暗红色的地毯吸收了水分变得殷红了。

白丽抚着刘志彬肩膀的手被灼了一般倏地缩回去。

刘志彬转过身冷冷地看着白丽："你别碰我。"

这是间陈设豪华的房间，家具、器皿都十分贵重，偏红的调子使这间房子尚有一些喜庆的余韵，而屋里两个人的表情已全然看不出一丝一毫的愉快了。

白丽走到沙发前无声地坐下，注视着脸色铁青的刘志彬。

"你老看我干什么？难道是我做了什么对不起你的事？"

"看看不行吗？"白丽轻轻地说，眼睛没有从刘志彬脸上移开，"难道我隔着这么远，仅仅看看你，也会使你不舒服，感到受了玷污？"

"你最好还是照着镜子看看你自己吧。"刘志彬掉脸走开，自己走到穿衣镜前端详起自己。

白丽的目光随着他的走动移动，仍然停在他脸上：

"要是过去，在你们村，我这样的女人是不是就得自己找根绳儿吊在门框上或是抱上块大石头跳进塘里？"

"对！"刘志彬回头说了一句，又转回头对着镜子挤起脸上一个新发现的粉刺。

"最后能给立个烈女牌坊吗？"白丽仍然慢声细语地问，"如果我死了，你的名声是完整无损了还是更高了？"

刘志彬挤出粉刺的脓头，吸了口凉气，离开镜子对白丽说：

"更高了。"

"懂了。"白丽点点头，"你把你们村那一套搬到城里来了，你爸你祖宗在你身上的全部遗传基因经过费尽心机的蛰伏和掩饰终于无法克制地显现和发作了，真是可悲。"

"我知道你从心底压根儿、从没去掉对我们农民和农民出身的人的蔑视。尽管你可以和我们睡觉，嫁给我们，那也不过是作出的某种姿态或出于什么目的——‘文化大革命’那会儿你这样的人很多，现在也不是凤毛麟角。”

“我说我可悲，你不要自揽。我干吗要和你结婚呢？真是昏了头。就因为你当时追我追得最顽固？就因为你在其他追求者中显得可怜？最令人酸鼻不忍？还是你有什么过人的才华？是的，我嫁给了你，和你睡了觉，你摸了底，明白了我也不过就是那么回事，和你们农村的女人在结构上没有什么区别，也许还不如她们茁实。十年了，用不着再和农民睡觉来标榜自己真正做到‘和工农相结合’了吧？作出这种姿态又有谁来看？何况正如你时常感觉到的那样，农民又变回农民，也再没有什么光环罩在头上了。像你这种平庸、上个大学差点上出个精神崩溃的农村孩子，你拍拍胸脯、扪心自问，你说别人能在你身上达到什么目的？你只能让别人受刺激！我要不跟你结婚还碰不上这种倒霉事！”

“你现在后悔并不晚。”刘志彬脸色苍白地说。

“当然不晚，我要求和你离婚。”

“这可是你提出要离婚的，不是我。”

“谁提出来的又有什么要紧？难道这不是咱们俩的一致想法吗？”

“当然不一样。”

白丽笑了，瞅着刘志彬嘿嘿乐了：“最愚昧、最封建、最狭隘的是你，最假仁假义、最爱面子、最工于算计的还是你——你真占全了！”

“你真的认为我们只要盯住刘志彬就能找着假徐宝生吗？”曲强开着车在幢幢高层楼群拐来拐去，问单立人。

“是的。”单立人简短地回答，透过前挡风玻璃睁大眼睛辨认每幢楼的楼号。

“我不是认为刘志彬和那个假徐宝生没关系，我只是担心刘志彬已经切断了和假徐宝生的联系。像他那么精明的人，不防咱们也要防白丽见到假徐宝生，也许他事先已经预付了钱关照了假徐宝生。”

“我也不认为刘志彬会再跟假徐宝生来往，我寄希望的是假徐宝生来找他。要是他真像咱们分析的那样是个游手好闲的无赖——我想不出哪个正派人会答应扮演这种角色——那他不会白白放过刘志彬，一有困难就会像基督徒想到上帝一样立刻想到他，向他伸出手。”

“可要是那个刘志彬给他的钱不少，够他花一阵子，暂时不想打扰刘志彬，我们要傻等到哪一天？”

“这办法是笨一点，总比大海捞针要稳当、有目的些。到了。”

汽车停在一幢每套单元房间很多（从窗户可以看出）的高级住宅楼前，单立人低头看看抄在纸条上的白家单元号，抬头注视那幢楼，数着层数：

“八层正数第三家，只有一个房间窗户开着的那家。”

“白教授和他的夫人不在家，去南方讲学了。家里大概只有同床异梦的小两口。”

“他们蜜月还没完吧？”

“按日子算没完，应该在家。”曲强熄了引擎，把头靠在座上，给自己点了根烟。

“我还是想不出刘志彬这样做的动机。”

“我也想不出。”单立人说，“我们先不必为这件事伤脑筋。”

“你不考虑正面接触一下刘志彬？”

“不考虑，我想让他产生安全感。”

“白丽呢？和她正面接触一下怎么样？也许她能提供点线索。”

“还要看，看他们俩的关系下一步怎么发展，只有出现了裂隙，我们才能从白丽那儿获得无顾忌、真正有价值的情况。给我支烟。”

曲强掏出烟盒让单立人抽出一支，递过自己的烟给他对上火，单立人吸了一口烟又立即全吐了出来，接着又吸了一口。两个人静静地吸着烟，透过缭绕的烟雾注视着楼门的出口。好一会儿，曲强又开了口：

“有一件事我始终想不明白，就算刘志彬和假徐宝生是有预谋的，刘志彬是在暗中配合的，可即便是他，也不应该具有能力使白丽准确地走错房间，走进510房间。莫非他使用了催眠术，我们中国的犯罪分子似乎还没达到这么高的水平。”

“我也在想这件事，”单立人皱起眉头，用手按捏自己的脸颊，“也是百思不得一解，我好像遗忘了一个情况想不起来，这个该死的刘金富，哦，刘志彬，把我的脑子打坏了，怎么想也想不起来，一想脑仁就疼。”

“你是不是脑袋又疼了？”曲强一拍自己的脑门，“我也真是不会办事！非拉着你在这儿蹲着干吗。您回家休息去吧，我带几个人在这儿盯着，一有情况就通知您。”

“不必不必，”单立人按住曲强欲发动车的手，“不必用车送，我自己走回去。”说着推开车门下了车，“那你就多辛苦了。”

“没事，听好儿吧您哪。”曲强在车里竖起大拇指。

单立人沿着青灰色的砖墙走着，走过一个个陈旧剥落、打扫得很干净的静谧的四合院宅门。早晨上班时间已过，胡同里空空荡荡，只有几个买菜归来的老太太拎着青翠的篮子蹒跚地在走着。

浓密的大槐树下一个老头儿看着个坐在儿童车里牙牙学语的婴孩不时晃晃手里的拨浪鼓，传来一阵阵不轻不重的“哗啷”声，朝东的房脊上已洒满均匀的阳光。

在自家院门口，单立人看见一个苗条的姑娘正仰头看着掉了釉的门牌，欲进不进，听到脚步声，姑娘转过脸，她就是前面在公共汽车站出现过的那个姑娘。

“请问您这院里是不是住着家姓单的？姑娘很有礼貌地问单立人。”

“是，”单立人倦怠地打量姑娘，“您找谁？”

“我找单立人同志。”

“你是哪儿的？找他有什么事？”单立人一脚门里一脚门外地问，“我好像没见过你嘛。”

“嗯，是他爱人叫我来的，我们是一个厂子的，求他点事。”

“求他办事？他好像没路子买什么新式皮鞋和毛衣。”

“您告我他住哪屋就得了。”

“跟我来吧，我就是单立人。”

单立人一路走进院里，那个姑娘连忙跟着进去。

进了屋，单立人的老伴儿迎出来，看到单立人身后的姑娘叫了一声：

“你来得正巧，我们家老单刚回来，喏，这就是老单。”她又对老单说，“这是我们厂的姚京，挺不错的一个姑娘，碰到难题了，想求你帮个忙。”

姚京冲单立人点头致意，眼中已不禁泪水盈盈。

“什么事还得我帮忙。”单立人问老伴儿，解开衣领扣，往椅子上一坐。

“唉，”单立人的老伴儿叹了口气，“找你还能有什么好事？

小姚被人坑了，谈恋爱碰上了个骗子，那家伙本来答应和小姚结婚，可忽然又变了，不认账了，撇下小姚跑了。”

“就这些？这种事也太屡见不鲜了。”单立人问姑娘，“他具体骗你什么啦？”

“什么都骗了。”姚京哽咽地说，“骗得我好苦。”

“坐下说吧，”单立人同情地对姑娘说，“慢慢说。”

“他是个研究生，我们是经人介绍认识的。开始我们互相都很满意，相处得也很好，本来打算最近结婚，可他托人办了自费留学，要出国，要说这也是好事，我也不算拖他后腿，结了婚再走不也很好？”

“可他不想结婚了，瞧不上你这个黄脸婆了？”

“是的，他想甩了我，去外国找个洋老婆，生个杂种。你倒对我负点责呀，既然不想和我结婚就明说，可他还假装和我好，口口声声带我出国陪读，花言巧语骗奸了我，然后一溜烟没影了，买了机票不辞而别了。”

“又是个现代的陈世美。”单立人感叹道，“不过这件事我恐怕要让你失望了，你说的这个情况最多只能上个道德法庭，我们公安局是无能为力，爱莫能助，尽管我听了你的述说很同情、很义愤，你有没有向他所在地或你所在地的公安机关检举？”

“检举了，可他们不管。”

“就是嘛，不是不管是没法管。”

“难道不能给他定个强奸罪或流氓罪吗？他是骗的我。”

“恐怕不能，姑娘。法律不能由你这么任意解释，这涉嫌未达目的挟私报复了，我们只能以你当时的意愿为准。”

“他出国就不回来了，他恨我们这个国家，这是他亲口跟我说的。”

“那也只好由他去了，这不能作为把他从飞机上拉下来的借口。”

“这么说，就没有办法惩治他了，他就逍遥法外了？”

“你得提出比这更有力的其他证据，证明他利用欺骗手段非法获得了利益，我们才能采取行动。”

“钱算不算？他骗了我钱算不算？”

“当然算，我指的就是钱、物。他骗过你钱？数额大不大？”

“五千。”姑娘低下头，“我给过他五千块钱，他买机票的钱就是用这其中的钱。”

“你还有这么多钱？”单立人老伴儿惊讶地望着姚京，“你可真傻。”

“这五千块钱是你给他的？”

“是他答应和我结婚我才给他、赞助他的，我不忍看他因没钱买机票丧失了出国留学的机会。”

“这事你检举时向公安机关讲了吗？”单立人严肃地问。

“没有。”姑娘嗫嚅。

“为什么不讲？”

“我怕人家会认为我为了追回钱才……”

“真是莫名其妙的道德观，你给他钱有什么人可以作证吗？”

“没有，我没有想到会有今天，但我发誓我说的是实话。你可以问他本人，可以调查他的经济状况。他是个穷学生，家里是农村的，既没养兔也没养泥鳅。”

“不要说了，”单立人站起来，“我们立即去机场。”

“他昨晚已经坐飞机走了。”姑娘哭道。

“那你还来找我干吗？我不是法力无边，不能到国外抓人。”

“不是说，有个国际刑警组织？”

单立人诧异地望着姚京："你可真是敢想，你是什么大人物，你以为你是什么大人物？要想让国际刑警组织出面，你还得至少再让他骗去五百万。我看这事这样吧，你也不要找警察了，找个小报记者，哭诉一番，让他给你写一篇'她为什么痛不欲生'，利用舆论揭露一下，鞭挞一下，搞臭他，你出出气完了。"

"看来也只能这样了，"单立人的老伴儿对姚京说，"你那五千块钱就听响吧。你也真是，有钱给他，你妈有病倒找厂里救济。"

曲强闷坐在车里正要打盹，忽然来了精神，坐直向车外望去——白丽、刘志彬穿戴整齐一前一后出了楼门，向前面走去，在一个路口拐弯不见了。

曲强发动车追上去，拐过路口发现上了一条繁华的马路，他急忙向路口附近的公共汽车站观望，没有两个人的踪影。他再往两边的便道上看，远远地，他看到两个人背对着他匆匆走着。他开车驶上快车道很快超过了他们，在前面可以停车的道边把车停下，开了车门出去，站在路边点上一支烟。两个人没有注意他，从他身边走过，他溜溜达达跟在后面。刘志彬和白丽进了一个挂了不少白牌子的大门，曲强赶过去，看到这个大门外挂的牌子里有一块是街道办事处的牌子。曲强问传达室的老头儿：

"刚才进去的一男一女是去哪儿的？"

传达室的老头儿问曲强："你是哪儿的？"

曲强掏出自己的工作证给老头儿看，老头儿回答他："民政科。"

民政科是间嘈杂的办公室，几个工作人员正忙着，好几对年轻人正在办理结婚登记手续。白丽和刘志彬则毫无表情地坐在另一头的一张办公桌前，一个梳短发的女工作人员正在向他们询问什么。曲强进来没有引起任何人注意，他站在那几对正在排队登记结婚的年轻人身后，竖起耳朵听那一头的谈话。

“你们是自主结婚吗？”

“是。”白丽回答。

“离婚也是双方自愿？”

“是。”白丽回答，“我先提出来的，他表示同意。”她看了眼刘志彬。

刘志彬张张嘴，“我同意。”

女工作人员翻看着他们两人的证件和结婚证，结婚证上三寸黑白照片上两个人头挨着微笑着。

“你们结婚还不到一个月就提出离婚，什么原因？”

“性格不合。”刘志彬说。

“就这一条？”

“就这一条还不够要人命的？有这一条还能过日子吗？”

女工作人员理解地点点头：“财产如何分割达成协议了吗？”

“这个按一分为二、公平分割的原则办好了，我没有什么过多要求。”

“你呢？”女工作人员问白丽。

“婚前带来的财产不属于这个一分为二的范围内吧？”

“当然，婚前各人的财产不参与分割。”

“可哪个是婚前带来的哪个是婚后共同添置已很难分清。”

“很容易，”白丽微笑着对刘志彬说，“因为你既婚前一分钱没带来，婚后也未掏过一分钱添置过东西。”

“你的意思是说家里的东西都是你的，要我光屁股滚出去？”

“你放心，你现在身上的内衣内裤及你穿过的其他衣服都会让你带走，这些可算是我父亲对你的馈赠，你可以理直气壮地拿走。”

“你想羞辱我，剥夺我，你休想，是你先提出离婚的，我有权要求赔偿。”

“啊，你的用意原来在这儿，不过我告诉你，你若试图利用这点攫取我和我家庭的财产得逞不了。那个年轻民警说得很对，你不太懂法律，因而不能干得更高明些。你对不属于你的财产的非分要求任何法庭也不会为你主张，哪怕你和财产所有人之一短暂地结过婚。”

“看来你们在如何分割财产上并没有达成协议。”

“因为双方共有财产是不存在的，分割没有对象，协议自然无从谈起，个别人有些一相情愿的天真想法那也只能是他个人的一相情愿。”

“如果你们不能在财产问题上达成协议，男方坚持不放弃自己的要求……”

“我不放弃自己的要求，我要捍卫自己的权益。”

“我只好不批准你们离婚。”

“你的意思是说我们只能提起离婚诉讼了？”

“是的，你们可以各自在法庭上捍卫自己的权益，由法庭裁决财产的归属问题和是否需要赔偿。你们愿意吗？”

“我无所谓。”

“我也无所谓。”

“那就请便吧，顺便问一句，你们的孩子由谁赡养达成协议了吗？”

“我们没孩子，你也不是不知道，我们结婚还不到一个月。”

“那不一定，有的人结婚一个月、不到一个月也有孩子，现在怎么能用老眼光、常规的认识去衡量事物？七个月以上的胎儿也要当做生命考虑在内。”

“谢谢，我们没有孩子，我也没有怀孕。”

“不客气，走好。”

“您有什么事？也是来登记的吗？怎么一个人？”

曲强光顾听那头谈话，没注意自己身旁已经没了人。负责登记的姑娘和蔼地问他。

“我想问问像我没工作没单位能不能登记？能不能不要介绍信？”

曲强顺口胡诌，低下头，不让正往外走的刘志彬和白丽看见自己的脸。

负责登记的姑娘慢悠悠地说：“您这个情况倒有些特殊。这样吧，你回去让你们家长写个条儿来，写上你的婚姻状况……”

曲强没等负责登记的姑娘讲完，已经跑了出去。他要看刘志彬和白丽往哪里走。

区人民法院民事庭的一间俭朴、只有一张长桌子和两排椅子的屋子内，坐在长桌一端的一个面包脸的女审判员正在向分坐在她两边的刘志彬和白丽问话：

“离婚理由？”

“性格不合。”刘志彬重复说道。

女审判员还想往下记，听到刘志彬没声了，抬头问：“没啦？”

“没啦。”

“就这一条？”女审判员放下手中的笔，“就这一条我们可要对你们进行调解。你们这有点像开玩笑嘛，你们以为婚姻是儿戏吗？随随便便想结就结，想离就离。噢，就为了想把钱重新分一下？”

“性格不合不能作为离婚理由吗？”刘志彬说，“婚姻难道不应该是最和谐、最完美的结合？天天打架，你瞧我别扭，我瞧你不顺眼能够幸福吗？能够促进整个社会的安定团结吗？”

“小伙子，你不要给我上课，我见得比你多，年纪比你大，对婚姻的理解比你深。你见过那不吵嘴不打架的家庭吗？结婚和谈恋爱是两个概念。谈的时候你是自由的，双方都是自由的，和则留，不和则去。一旦结了婚，有了这个证，这张纸片，你就不那么自由、不那么随心所欲了，除了权利，责任和义务也就随之产生了。斗个嘴、受点气那是免不了的或者说不可缺少的，哪有性格脾性完全一样的人？双胞胎还有饭量大饭量小的呢。不要唯我独尊，那么爱面子那么大男子主义，碰不得触不得什么都要听你的，自己老婆给点气受就受呗，那不也是一种乐趣，瞧人家大多数男同志。时代不同了，男女都一样，男同志耍了几千年威风，女同志这几年神气一点又有什么咽不下去的气？”

女审判员说着呵呵笑起来，看到两个当事人毫不为其所动，仍旧板着脸，自己也没趣地停住了笑，恢复公事公办的口吻：

“这么说你们同意调解了？”

“不，我们不同意调解，没有什么可调解的。”刘志彬说。

“不同意调解也要调解。”女审判员坚决地说，“我们还要找你们各人单位的领导和双方亲属调查了解，共同做你们的思想工作。”

“甭白费劲了，我们是决心已下，找谁也没有用。”

“就算你们离婚的决心有天大，我们调解你们的决心比天还大！一定要让你们破镜重圆！我见的多了，刚到这儿都是把话说得情断义绝、斩钉截铁，最后还不是抱头痛哭，你亲我我亲你。”

“你们不能强扭瓜儿、强把人家捆在一起，这简直是不讲理！”刘志彬喊起来。

“怎么不讲理，谁不讲理？”女审判员一字一板地说，“法院就是讲理的地方。不但要讲，还要掰开揉碎一点点给你们喂，直到把你们灌开了壶。再者说，调解是离婚诉讼中的一项必要的程序，婚姻法第 25 条有明文规定，我们必须依法办事。”

“这是谁定的法呀，”刘志彬绝望地呻吟，“怎么处处跟我为难？我敢跟你打赌，你调解不成！”

“那就是你们除了‘性格不合’还有其他的原因。”女审判员颇为自信地说，“光这一条要调解不成那才怪了呢。”

“那你就把离婚的真正原因跟审判员讲了吧。”白丽对刘志彬说，“省得这么着急这么窝火再憋出病来。”

“什么，难道真有其他原因吗？”女审判员严厉地盯着刘志彬，“为何对本庭隐瞒不报？”

“我不能说，我没脸说。”

“在本庭这里还有什么不能说的？对本庭来说没有任何事情是难于启齿和不可告人的。”

“我不能说。”

“那就我说吧，这也没有什么难为情的。”白丽对女审判员说道，“其实离婚的真正原因是我的失贞。”

“没有处女膜的女子是很多的，这不能作为确定是否失贞的标准。”

“不不，你没听懂我的话，我是婚后失贞。”

“是你没讲清楚，现在我明白了。”女审判员转向刘志彬，“这就是你不能谅解，坚决要求离婚的理由？”

“要是你呢？你能谅解吗？”

“我问的是你，你不能反问我。”女审判员声色俱厉地说。

“是的，我不能谅解。”

“这就不大一样了。”女审判员往椅背一靠，“这问题自然是严重多了，是非责任也清楚得多了。我想，你是被你丈夫亲手捉住的吧？”

“不不，不是这么回事，你搞错了。实际上我的失贞是在违背我本人的意愿、我不能预料的情况下发生的。”

“是强奸？”

“我不知该如何给这件事定性，我当时没有反抗，对方也没有使用暴力，准确地说我当时是处于不能辨认的不清醒状态。”

“我明白了，你有间发性癔病，当时正在发病。”

“不，不是，你什么也没明白，我没有精神病，除了脚气我什么病也没有。”

白丽很气愤，女审判员也很恼火：

“那到底是怎么回事？你总是含糊其辞、语焉不详我怎么能够听懂？请你简明、直截了当、用普通人的说话习惯、用我们常用的那些词汇把这件事讲明白。”

“我走错了房间，懂吗？住旅馆走错了房间。那儿的房间都是一样的，在夜里谁也别想分得清，我稀里糊涂上了别人的床。别打断我，我当时半睡半醒，错以为那人是我丈夫，就这样，我失了贞。”

女审判员听得目瞪口呆：“居然有这等事，我简直不能相信这是真的。”

“看来像您这样见多识广的人也不一定什么都见过，也有想象力达不到的时候。”

女审判员没理会白丽的挖苦，埋头飞快地在本上记录，嘴里自言自语："要是这样，那就大不一样了。"

"什么大不一样？"刘志彬不识趣地问。

女审判员抬起头严厉地望着他，"要是这样，你就别想离婚。"

"我……"

白丽欲讲话，被女审判员截住："你不要自惭形秽，不要害怕；这不是你的过失。对你丈夫的封建意识，我们——必要的时候还要请妇联的同志协助——共同对他进行批评教育。"

"但我也是坚持离婚的。"

"你不要自卑。"

"我一点不自卑，这不是自尊自卑的问题……"

白丽简直不知说什么好了。一个法院工作人员走进来小声附耳对女审判员说了些什么，女审判员边听边开始用机警的目光看这对男女。刘志彬不安起来，他对白丽说：

"我看我们还是撤诉吧，这一调解还不定调解到哪年哪月，我愿意在财产问题上让步。"

白丽未作表示，女审判员开了口：

"白丽同志请你跟这位同志走，他有些事想和你单独交换下看法。"

"我是不是先回去？"刘志彬也跟着站起来。

"不，你坐下，我还要好好跟你谈谈如何对待妻子失贞的问题。"

白丽跟着那位法院工作人员来到另一间接待室，屋里，单立人和曲强正在等她。

"是您二位。"白丽有些惊讶和意外，"你们来干吗？"

"找你。"单立人回答，停止按捏双颊，把手平放在桌上，"别老站着，坐下谈吧。”

白丽远远地在长桌另一头坐下，遥望着这两个在她看来十分不合时宜的警察。

“怎么知道我在这儿，跟踪了？”

“别问这些了，这并不重要。”单立人开门见山地问，“我想了解你丈夫在与你离婚后会获得多大好处。我们已经知道他向你提出了财产要求，而你父亲为你结婚给过你一大笔钱。”

“发现我丈夫参与那件事的迹象了？”

“是的，但还没有最后证实，这需要你的帮助，我们对他这样做的动机困惑不解。”

“如果你们认为他是试图制造借口和我离婚以获得我财产中的一份的话，那我告诉你们，他一个子儿也拿不到。”

“他以前知道吗——在你这次告诉他之前？”

“我想他应该知道，尽管他很蠢。在我父亲给我钱时我让他看过那些存折，由于存折期限大都没有到期，还是他提出的如果这时过户会损失利息，所以存折上的名字还仍然是我父亲，没有更改。”

“如此说来，他在离婚诉讼提出的分割财产的要求纯属明知不能为而为之的绝望努力了？”

“他这人一般不做无用功。我想这是他的策略，提出此项要求只是为了增加自己讨价还价的筹码，以期换得我在其他方面对他不作追究。不妨告诉你，他刚才已经向我提出放弃财产要求了。”

“你指的其他方面是什么？”

“也是钱，一笔现款，我们这次旅行结婚所带的一笔现款。”

“多少？”

“八千余元。”

"还在他的手里？"

"是的，他谎称已全部花光。但我粗略计算过，由于我们在第二站就出了那件事，接着北返，高估也不过只花了千元左右，他手里现在至少还有六七千元。"

"你以为这区区六七千元是否足以使他冒险？"

"应该说这笔钱对一个吃了二十年地瓜的人很有诱惑力，但我怀疑这不是他的主要动机，他不离婚岂不是可以照样、更从容地花这笔钱？为了不使他不自在，老想着他卑微的出身，我是主动把家庭财务大权交给他掌握的，他怎么花，花多少我从不干涉。我感觉，我的切身感受告诉我，他对我个人的憎恶超过对金钱的渴望，是这样，他并不爱我，从来没爱过。"

白丽平淡地说，显得十分冷漠。

"你的意思是他另有所爱？"单立人小心谨慎地措辞问道。

"我没有证据，但我相信是这么回事。"白丽显然不愿再谈这个话题，她岔开话问道，"我能知道一下你们发现了什么他参与陷害于我的迹象吗？"

"有线索表明他认识那个奸污你的流氓。"

白丽并不吃惊。

"这很像是串通好了的预谋作案，使我们不明白的是他们怎么能预料到你会走错房间走进 510 房间，这真有点神机妙算，你晚上有上厕所的习惯吗？"

"有，我有膀胱刺激症。"

"刘志彬知道？"

"知道，可这也不代表他就一定知道我会走错房间。"

"是啊，这真是怪事。"

"这倒不认为这里当真有什么预谋。"白丽平静地望着单立人，

“刘志彬没那么高智商。”

“我们谁也别低估谁。”单立人注视着白丽建议道，“也许你能帮我们个忙？刘志彬有没有记着熟人电话号码和地址的小本子？你能不能趁他不注意拿来给我们看看？”

“偷？”

“怎么叫偷，是工作需要。”

“不，不行，我不干，不管叫什么。如果是工作需要，你们开了搜查证去我家搜好啦，为什么不光明正大地去搜？”

“我们怕万一搜不出结果反而惊动了他。”

“我也怕万一找不到线索枉担了偷名。”

单立人凝视着白丽，不知她是真出于道德原因还是装模作样。从一个所谓有教养的人面上你几乎无法看出她的真实想法。

“你离婚的决心已下？”

“是的，不管事情还会发展到什么地步，我离婚的决心不会动摇。”

“有什么事需要我们帮助？”单立人主动问，“譬如那笔现款是否需要我们协助法院帮你追回？”

“不啦，谢谢。”白丽神情戚然地说，“对我来说多几千块钱也不会增添几分幸福；对他来说，这几千块钱也许是生死攸关的。我只想尽快和他离婚，哪怕必须对他网开一面。”

“你的意思不是说使罪有应得的人不受法律的制裁吧？”

“不！”白丽冷冷地说，“有罪者休想逃脱惩罚——谁也别想安然无恙地伤害我！”她抬起眼皮看单立人，“另外，我也希望不再见到你们，看到你们并不使我愉快，特别是想到你们是在盯我的梢儿。”

“你认得什么记者吗？”

从局里汇报完情况出来的路上，单立人一边看着流逝的街景一边问开着车的曲强。

“您在哪家商店受到慢待和侮辱了？”曲强在一个十字路口的红灯前把车停住，扭头对老单说，“我不认识什么晚报之流的小报记者，用不着。遇到受气事我有自己解决问题的方法，我在卫生防疫和工商税务方面有很多朋友，他们总是能不事声张地使任何商店低头，效果比登报还要好，来得快。”

“不是那种和服务系统的龃龉，这种不愉快我早已习以为常。是有一个人托我，我爱人单位的一个女孩子，她被一个道貌岸然的家伙骗了，又无法惩罚他，想在报上出口气。我想这种事情既有一定的可读性又具有某种警示作用，记者会感兴趣。”

“您说的那是几年前的形势，那时国家政治的混乱刚刚得到澄清和匡正，人们普遍渴求正义的伸张和传统道德的恢复，那是个复仇的年代。现在则不同了，人们关心的是自己的权利和自由，敢作敢为是时代的特征，很少人再去理会那些因为失算蒙受损失者的大声呻吟，恶毒的以牙还牙的意图只能让人厌恶和不以为然。我就不同情那些企图获得些什么结果什么也没捞到反而失去资本的经济上和感情上的小贩，在很多情况下他们不能指责社会环境不良，他们往往是咎由自取，我建议您少管这些闲事，否则这些人一辈子也不会汲取什么教训，栽几个跟头对某些人来说不是什么坏事。”

“真是时代不同了，”单立人叹口气，“连你这样正派的年轻人也没多少正义感了。”

“不能这么说。”

绿灯亮了，曲强轰动油门，驾车向前开去。

“正义感依然有，只是使用比较谨慎而已。应该说心肠硬了，那些大街上乞讨的乞丐也许有体会，一把鼻涕一把泪掰折胳膊踢断腿也得不到多少路人的施舍了，起码没过去多了。”

“停车停车。”单立人突然拍着曲强的胳膊喊起来，头使劲向后扭去。

“路口不能停车，那些六亲不认的交通警会罚钱的。”他也顺着老单的目光向后看去，“你发现了谁？”

“停车。”老单吼起来，一边用手在兜里乱摸，“让他罚去。”

“别摸了，我知道您兜里没钱，我停就是了。”曲强把车停在路边，再三问，“您发现了谁？”

“徐宝生。”单立人头也没回地说，伸手拧门要下车，“街口电话亭里那个人。”

曲强跟着单立人下了车，向街口玻璃亭里那个正在拨电话的人望去。交通警从岗亭探出身子冲曲强大声呵斥，曲强一瞪眼睛，对交通警做了个威胁性的手势，让他安静下来。路口行人的注意力已全都集中在曲强和单立人身上，正在打电话的那个人也向这边张望，单立人倏地转身背对那个人，曲强看清了那个人特征明显的鹰钩鼻子和闭得紧紧的薄嘴唇。那个人的目光在曲强的脸上停留了一下，又继续低头打电话。

“你去听听他在说些什么，我来对付交通警。”老单小声对曲强说。

交通警已爬下岗亭，绷着脸大步向这边走来。

曲强走到电话亭旁，像个等着打电话的人那样在门口站住，电话亭里那个人一边把听筒贴着耳朵等已挂通的电话那头来人接，一边用放肆的眼光看曲强，曲强把目光移向他处。道旁单立人背对着这边和交通警交涉解释，两个人说了会儿话，一齐钻进车里，曲强看着他们把车开出百米左右停住，交通警一人出来大步走回，目不斜视地路过曲强身旁爬上岗亭，重又威风凛凛地行使起他在这个路口至高无上的职权。

“我的电话不通，你有事你先打吧。”电话亭里的那个人忽然推开门出来对曲强说。

曲强冷不防，嗯嗯哼哼地走进电话亭，摸出硬币塞进投币口，发了会儿愣，随手拨了个号码，居然一下通了，对方一个男人接了电话“喂喂”地叫唤，曲强拿着电话不吭声，对方“喂”了半天没人答应，骂了一句把电话挂断。曲强若无其事又随便拨了个号码，另一个男人拿起电话：“找谁？”曲强依然不吭声。“儿子找吧？”那个男人无耻刻薄地问，“别害怕，想买什么粮跟爸爸说，爸爸有钱，别不吭声，不吭声爸爸怎么知道你想要什么？”曲强忍着气，对方大概闲极无聊，继续开着庸俗的玩笑还不住地咯咯乐：“儿子，好儿子，真出息了，会自个儿打电话了，爸爸没白养你，要是不再尿床那就是天底下第一号好儿子了。”

“操你妈。”曲强骂了一句把电话挂断，出了电话亭对那个人说，“你打吧，我的电话也没人接。”

“不不，你慢慢打吧。”那人点起支烟说，“我另找个电话。”

曲强无奈只得退回电话亭，装模作样地拨着号码盘，注视着那人走远，拐过街角，撂下电话冲出来，正与气喘吁吁跑过来的单立人撞个满怀。

“他拐到那边找电话去了。”

“你去开车，我盯着他。”老单匆匆交代，抓过曲强的减光镜戴上，向那人消逝的街角快步走去。

曲强在前面马路上把车掉了头，风驰电掣驶回来，左转弯后减速缓缓驶过这条街，发现那人正在对面另一个玻璃电话亭内打电话，他显然已与对方通了话，看表情和口型，他正在再三重复着某个请求。曲强驶过电话亭，靠路边停下，寻找单立人。马路上人群熙攘，商店的大幅橱窗在阳光下反着光，一时很难发现单立人的位置。一辆大型通道式公共汽车驶过，阻断了曲强的视线，待视界重新开阔后，曲强发现电话亭内已空了，他向前望去，那人在前面很远的人流中忽隐忽现。单立人不知从哪里钻出来拉开车门坐进来，曲强驱车赶上去，把那人牢牢控制在视界内。

“是徐宝生吗？”

“我越来越肯定是他，但我无法靠近听清他讲话的内容，他很谨慎，我们只有跟着他，先摸清他的住址，我想他是在和一个人定约会。”

“我可不希望他老这么不停地走下去。”由于曲强车速过慢，后面跟着蜗行的车辆已不耐烦地连连鸣笛。那人拐进一家食品店，曲强把车驶出快车道，停下。

“这会儿我宁肯要辆自行车。”曲强对老单说。

那人果然从食品店出来，手里拿着一瓶薄膜纸包装的高级葡萄酒和一大纸袋油腻已经浸过来的腌酱肉制品。

“真是个豪爽的人，”曲强嘟哝，“既然他打算体面地款待他的朋友，我希望他也会体面地打个‘的’。”

那人捧着食品不走了。站在马路边扬手叫住了一辆空计程车，坐了进去。曲强一面打着方向盘，斜刺里驶出跟上那辆计程车，一面兴奋地说：

“这人真对我口味，他手里拿的那些吃的，也都是我爱吃的，我真想和他交个朋友。”

“我会介绍你们认识的。”老单笑着说。

载着那人的计程车驶出市中心，连续拐了几个弯，驶入一片楼区，停在一幢十七层的塔式公寓楼前，曲强把车停在毗邻的一幢楼前。单立人戴上曲强的减光镜下了车，趁那人付计程车费的工夫，先走进计程车对着的那个门。楼内电梯间开着门，女司机正坐在狭窄的椅子上看书，见单立人走进来就问：“几楼？”单立人未及答话，曲强跑了进来：

“他没进这个门，是旁边那个门。”

单立人一步跨出电梯间，与曲强匆匆跑出去。

另一个门的电梯门已经关闭，电梯间正隆隆上升，标志楼层灯光数码隔三差五地亮着。

单立人和曲强耐心地等着下行箭头亮起，电梯间重又降回底层，电梯门开了，几个房客出来走后，向电梯间女司机询问拿着葡萄酒和肉制品的那个人在几层下的。

“你们是问邢邱林？”女司机说，“他住806。”

女司机把电梯门关了，按了八楼数码，电梯又开始上升。

单立人和曲强来到八楼，在806号门前停立片刻，屋内静悄悄的，一点动静也没有。两个人又回到电梯间往下乘，女司机好奇地问：

“他不在家吗？他刚刚上去。”

“不，我们找他爱人，他爱人不在。”曲强信口诌道。

女司机瞪大了眼睛：“他没爱人，他根本没结过婚，这儿就他一个人住，除非你说的是那些常来他这儿的不干不净的女孩子。”女司机看着这两个男人产生了怀疑：“你们是哪儿的？我看你们好像不认识他。”

曲强有点犹豫不决，单立人掏出证件给女司机看：

“我们是公安局的。”

“这就对了。”女司机一点不惊讶地说，“这么说他又要折进去了，这回是什么事？”

单立人避而不答，反问女司机：“你一年到头在这儿开电梯，常来找那姓邢的人你一定心里有数吧？”

“有什么数？”女司机警惕地说，“无非是些男男女女，每家都有常来的朋友和亲戚，我又不对邢邱林特别感兴趣。”

电梯已降到底层，单立人和曲强仍待在电梯间不走。

“起码你对那些常来的人大致有个印象吧？”单立人试图说服女司机，“如果我们请你辨认几个人，您不会拒绝帮忙吧？”

“我恐怕帮不上你们什么忙。”女司机掉脸眉开眼笑地和刚进电梯间的几个推着儿童车的老太太打招呼，转回头冷漠地对单立人说，“我这人记性不好，特别记不住人，每天接触的人太多，譬如您，就是您摘了这副茶镜，下回再见着我也不一定认得出您。”

单立人摘下减光镜，抬起眼皮凝视女司机。

“您甭这么看我，不是我这人各色。”女司机扬声说，“我们也有我们的职业道德，我们在这儿是为住户服务的，不是监视人家。要是谁家来过什么人，我们都给人家记下来，汇报上去，黑着人家，那谁还敢在这儿住？住着心里能痛快吗？那还不得满楼的恐怖气氛？您问这几位老太太，她们过去也干过小脚侦缉队，是现在这样谁也不管谁好呢？还是像过去那样互相紧盯着好？”

单立人和曲强看看身旁几位脸跟核桃皮儿似的老太太，老太太们也看着他俩，就像一群海豹和一群陆地的豹子互相凝视。

单立人用警车里的对讲机和局里沟通了联络，并调来大批刑警队的小伙子，把邢邱林住的这幢楼围个水泄不通。他坐在车里和曲强一起舒舒服服吃着从街上买来的盒饭，静等着那个赴约者的到来。

“只要他一上楼进了806，我们就可以动手抓人了。”

“这件事终于有了眉目，”曲强嚼着满嘴饭说，“终于可以从这件龌龊的事中脱身出来了。说实话，这件事不大，可是使我最恶心的案子之一。现场抓他们的时候你允许我揍这两个浑蛋几下吗？”

“这也是我的愿望，你不知道我在梦里把那个满脸粉刺的家伙打得惨成什么样——但我不允许！”

“唉，我们要不是民警多好。”

单立人把盒饭里剩下的米粒拢成一小堆，拨拉进嘴里，用力咀嚼着，把空纸盒和筷子扔出窗外，眼睛在目标附近扫了一圈，刑警队的小伙子们隐蔽得很好。蓦地，他愣住了。

“怎么啦？”曲强把吃剩的盒饭和筷子扔出车窗，向老单目光所及处望去，不由也僵住了。

——白丽由远及近走来。

她神态安详，目光漠然，步伐平稳，头发梳得一丝不苟。

她穿着一身深色的女式西服，庄严肃穆，手里捧着一瓶名牌外国酒。

她察看核实了一下楼号门号，在单立人和曲强惊愕的注视下，走进了邢邱林家所在的那个门，消逝了。

“怎么是她？”曲强缓过神儿，上气不接下气地说。

单立人的脸也由白变黑，声音沙哑地说：“不知道，我也被搞糊涂了，难道我们受了愚弄。”

“别是她接听了电话，来复仇的吧。”曲强一下从座位上跳起，开门要往外冲，“那要出人命的。”

“这不可能。”单立人一把拉住曲强，粗暴地说，“别瞎激动，如果不是默契在先，起码也该两个人先后都来，她也得把手里的酒换成刀。约会只能是邢邱林和白丽两个人之间的。”

“我不明白，我不懂她为什么要这么干？”

“会弄明白的。”单立人制止了曲强的叫喊，“按原计划行动，十分钟后，我们上去。”

单立人拿起对讲机呼唤出监视白丽住宅的警察。对方报告了自己的方位，他正沿与此地相反的另一方向跟踪刘志彬。单立人授权他相机采取果断措施。

单立人钻出车，做了个手势，隐蔽在各个角落的警察们陆续走出来，封锁了所有通道，聚集在白丽刚走进去的那个门。

单立人和曲强分别带着一些人乘电梯和爬楼上去，在806号单元门前会合，开始叫门。806号房门紧锁，没人答应。单立人用耳朵贴门听了听，听到里面有女人激动地低语。他敲门的手开始用力，并点白丽和邢邱林的名命令他们立即开门，向他们指出继续装聋作哑已没有用了，但仍然得不到反应，屋里女人的低语却愈发激动快速。一些年轻性急的警察开始踢门，高声威胁。这种式样的高层楼房的房门都是铁铸的，十分坚固，除非使用乙炔焊枪进行切割，否则甭想把门搞开。正当大家一筹莫展，单立人为屋内女人的低语戛然而止倍觉不安时，曲强在一个住户的指示下，找到了一扇属于806房间厨房的钢框玻璃窗。他打碎了玻璃伸手进去开了窗户，然后跳了进去，打开了门，警察们一拥而入挤满了806号单元的走廊和起居室，在一片嘈杂纷乱中谁也没听到守在楼下的警察及围观群众异口同声发出的一声响亮的惊叫。

单立人在卧室门口被一声尖锐的喊声止住了脚步。

“谁也别进来？”

白丽一脚窗外一脚窗里站在窗户上，身子探在窗外，手把窗框：

“谁也别进来，否则我就跳下去。”

单立人转身命令警察们后退，然后对白丽说：

“有话好说，你不要采取这种危险姿势，邢邱林呢？”

“他刚从这儿跳下去。”白丽凄惨一笑，“如果你们试图冲过来抓我，我也跳下去。”

“为什么要这样？为什么要采取这种极端步骤？”单立人悄悄挪动着步子。“选择很多，你为什么不试着和我谈谈？”

“别想趁机靠前。”白丽发现了单立人的企图，“你来不及，你需要一连串的动作，而我只要一下。你要真不想让我死，就待在原地别动。”

“我真的不想让你死。”单立人诚恳地请求，“请你下来，我保证会给你充分申辩的机会。你现在这种样子是我万万没有料到，从心里说也不愿看到的，这跟你本来的形象不符。”

“您不必对我另眼相待，即便是我也没有什么丑恶姿态作不出的。你真愿意倾听我的谈话吗？”

“愿意，哪怕仅仅出于挽救你生命的目的。”

“谢谢，那就请你坐下，让其他人出去，把门关上。”

“可不可以请他也参加我们的谈话？”单立人指指曲强，“他也是从始至终参与这件事的，并一直对你表示同情和关心。”

白丽冷冷地打量了一下曲强，拒绝道，“不行，任何年轻的公兽此刻都只能引起我的憎恶。”

曲强满脸通红，又不敢流露出气愤，低首退出，把门带上。

单立人在一张椅子上坐下，叹口气。

“您可以坐在沙发上，那样舒服些，我的话很长。”

“您呢？”单立人换到沙发上坐好，对白丽说，“你是否也使自己舒服些，那姿势坚持不了多久。”

“我就坐在这儿。”白丽骑在窗台上坐下，“我现在不考虑自己是否舒服，只考虑如何最大限度集中您的注意力倾听我的谈话。”

“说实话，你使我非常不愉快。”单立人在沙发上扭动了一下身子，“这种谈话方式使我有一种被要挟的感觉。另外我也无法集中注意力，时时都在担心您的生命安全。换一个场合对您有什么不便？那会更隐秘、从容、不受干扰，而现在您像个耍猴的惹来众目睽睽。”

白丽往楼下一看，除了手和臂，身子几乎腾空，她闭了下眼睛。

几十米下面，几百张脸仰着，指指戳戳，警察们束手无策地像陀螺般急得团团转。

“我不是有意要这么出风头的。”白丽严肃地对单立人说，“我知道您说的另一个场所是哪儿，我会去的，但不是现在，在那儿我不能像在这儿这样和你这么平等。”

单立人翻了翻眼睛。

“而且在那儿，我打个喷嚏都得被您记录下来，可有些话我是不想形成文字的。您别不满意，在那儿我不会像在这儿对您说那么多的。”

“这件事你在一开始是不是就骗了我们？”

“也是也不是。”白丽勇敢地迎着单立人咄咄逼人的目光，“你们的侦查方向没错，这件事并不是我一手策划的，我愿意打消你在这点上的怀疑。首先如果我想摆脱刘志彬我根本就不会跟他结婚，在结婚这件事上我没受到半点胁迫，完全是自愿的，不存在和邢邱林早已勾搭成奸，出于种种原因未成眷属，通过给刘志彬公开扣上绿帽子打击他的自尊心迫其离婚以便旧梦重温的企图。

邢邱林这个人我过去是不认识的，我和他那种阶层的人素无来往，他是刘志彬的酒肉朋友，即便刘志彬在婚后介绍我与他相识，我这种性格的女人也不会在短短几天内爱上一个人的，我早过了浪漫的年龄，实际上，在那个可怕的夜晚之前，我根本就不知道邢邱林的存在。是的，如你所想，这件事是刘志彬一手导演的卑鄙阴谋，他恨我，他摆脱不了自己卑贱出身的阴影，他想通过这件事玷辱我并谋得我的部分钱财，阔绰得意地另觅意中人。他的如意算盘打得很好，但无论是他还是你们都低估了我的智力和对伤害我的行为的迅速、毫不留情地报复的天性——我不是随便就能让人打蒙的人……”

“你是谁？”

当对方对自己身体的控制解除后，白丽从床上坐起，镇定地套上睡衣，从容发问。

躺在白丽身旁的黑魆魆的硕大身影一动不动，死尸一般地沉寂。

“不吭声和缩在被窝里是混不过去的。”白丽伸手把被子整个掀到地上。

那黑影蓦地坐起，黑暗中只见两对近在咫尺的瞳孔在灼灼发亮。

“如果你不想把全旅馆的人都惊动起来，就别蠢蠢欲动。”白丽警告对方，“强奸升级到强奸杀人只能使你罪上加罪。怎么到我房间里来的？”

“这是我的房间，你走错门了。”

“住口！”白丽一声怒喝，旋即又把声音压低，“你以为我是什么人？没有头脑的傻瓜吗？我能在几百吨岩石中发现与众不同的碎片，难道辨不清十间房子中哪间是我的？刘志彬在哪儿？你把他打昏塞到床底下了？”

“不不，我没有，我进来房间就是空的。”

“所以你就当仁不让了，你倒是自来熟。”

“我没有……我不是有意的，我向你道歉。你应该理解，人有时候是会不由自主的……”

“我懂，钟表有时也会自动上弦，同理。既如此，我们不妨熟个彻底，互相认识一下——让我看看你的脸。”

白丽跳下床，把灯一下拉亮，刺眼的光芒瞬时淋浴了整个房间，邢邱林不由蜷缩起来，他显得狼狈、惊恐。白丽逼近他，用刀子一样的目光盯了他一会儿，似乎要把他的面目深深镌刻在自己的脑海，然后她环视房间，流下了眼泪。她发现了精心设计的阴谋的迹象：若无刘志彬的参与合作，这间屋子在她上厕所的几分钟内不会变得如此面目全非。她裹紧睡衣在椅子上坐下，默默啜泣，不住地打着寒噤。邢邱林试图悄悄穿上衣服，被白丽飞来的一个茶杯狠狠击中。

“你不必遮羞——在我面前。”她脸上的泪水干涸了，眼中流露出冷酷的神情。

“刘志彬在哪儿？”她问。

邢邱林不说话。

“别打算蒙我说你不认识他。现在你面前有两条路，要么去公安局作为强奸犯坐十年牢，要么杀死我灭口。后一条要费点劲，而且还说不准谁杀死谁。”

“这两条路我都不想走。”

“好，那就走第三条路，跟我合作。”

“你想干什么？”

“搞清这件事，然后，处理它。”

“你想干吗？”

“你已经做了一次帮凶，何妨再做一次，我要是你我就答应，这是聪明和识时务的选择。”

“什么条件？如果我帮你。”

“条件？”白丽像个男人低声吼道，“现在不是你讲价钱的时候，条件仅仅是我将不向公安局检举你。”

邢邱林被白丽气势汹汹的样子慑住了，垂头想了想，无可奈何地说：“我同意。”

“刘志彬现在在哪儿？”

“509 房间。”

“那个人是谁？”

“哪个人？”

“废话，还有哪个人？他总不至于白白给自己扣上绿帽子戴着玩，那个他想与之结婚的女人。”

“他没跟我说过，他找我来时只是跟我说他对你的厌恶已经到了不能容忍的地步。你说话的腔调，你的派头，你的鼾声都使他像踩着只癞蛤蟆一样恶心，特别是你的身体和你的气味，你和他亲热时狎昵爱抚每次都令他需要极强的克制才不会呕吐出来——这都是他的原话，我没有一点添枝加叶，其实就我的感觉而言，您并没有他说的那么糟糕……”

“我不需要你对我来品头论足。”白丽声色俱厉地打断邢邱林，“不需要用你的恭维获得安慰，你接着往下说。”

“他说他受够了，他说他现在才体会到和一个毫无姿色毫无女人味的女人结婚是多么痛苦，特别是这个女人有钱有才，一个丑女人再具备这两点简直可以要天下所有男人的命。这是他的原话。他说他要像甩臭袜子一样把您甩得远远的，甩进大粪坑里，让您遍体污秽，他说那才是您的本来面目，那才是您应该待的地方。”

白丽脸色惨白，紧闭着嘴一言不发。

邢邱林一边察言观色一边说：“当时我曾劝过他。何必呢，你要不喜欢她，和她离婚好啦，我们是文明社会，法律提供了这种相当体面的机会。我发誓我这么劝过他。可他不听，坚持要采取这种不道德、侮辱人、叫我也很难堪的方式解决问题，没办法，谁让我们是朋友呢，我这人又一向不会拒绝朋友，哥们儿义气真是害死人。”

“你难道没问他，既然这么讨厌我干吗又要和我结婚？”

“问了，当然问了，第一个就问了这个问题：你既然不喜欢人家，干吗又赶着和人家结婚？他说你叫我怎么办？一个人爱上了一个年轻美丽的女孩子，爱得那么深沉热烈、如痴如醉，以致不与她结婚就不能偿其夙愿，可那姑娘……”

“那姑娘又不嫁穷光蛋，尽管那穷光蛋号称有才。”

“对。”邢邱林愣了一下，继续说，“那姑娘也有那姑娘的道理，不能责怪她。希望体面地出嫁，希望婚后生活较前有所改观是人之常情，无可厚非，尤其是像她那种长期生活在困窘家庭的没读过多少书的姑娘，美貌几乎是她唯一的资本。”

“这么说你对那姑娘的情况很清楚，并不像你刚才表白的那么一无所知。”

“……我承认，我了解一点。”

“知道多少就说多少。”

“她叫姚京，是个工人，哪个工厂不清楚，她和刘志彬是一年前在刘的一个同乡同学那里认识的。她曾答应和刘志彬结婚，但要他拿出一笔钱置办结婚用品，说是她母亲要求的，具体多少数不清楚。”

“去问问，打听清楚。”白丽尖声说，“顺便问问，刘志彬雇你干这个卑鄙勾当给了你多少钱？”

“我们是朋友……三百，很低廉是不是？”

“拿出来。”白丽伸出手，见邢邱林不情愿，瞪起眼：“拿出来！”

邢邱林磨磨蹭蹭从挂在衣架上的上衣口袋掏出钱，苦着脸递到白丽手中。

白丽掂掂这沓钞票的分量，扔回给邢邱林：“这钱就算我付给你的——本来也是我的钱，如果你办事利索，事成之后我再给你十倍于这个数的钱。”

“你想叫我干什么？违法乱纪的事我可不干，我已经错了，不能一错再错。”

“放心，不是叫你去杀刘志彬，我还要留着他。我叫你干的是件很轻松很有乐趣的事，看得出来，你勾引姑娘很有些本领吧？”

“嗯，比不上专业的，但也小有手段。”

“就是嘛，是个男人就该比刘志彬那号窝囊废强。我叫你办的事就是马上回去把姚京勾上手。”

“这个容易。”邢邱林眉开眼笑，“您要光叫我干这个我乐意。”

“弄清楚刘志彬答应给她多少钱，给了没有？他们打算什么时候结婚？别的就用不着你了。”

“可是，”邢邱林眼珠子骨碌一转，狡猾地说，“如果刘志彬已经从您那儿搬了大款给了她，我凭区区三百元可没招和她斗法。魅力固然重要，可对付这种姑娘，实力往往是取决胜负的关键。”

“你尽可以狮子大开口，在钱数上加码，这还用我教你吗？我想骗即便不是你的专业也是你的擅长，我是论功行赏，从不预支。另外，我也不相信那姑娘会真的爱上刘志彬。”

“您分析得对，这种姑娘都是机会主义者——我可以穿上衣服吗？”

“你还得把你的姓名住址电话号码留给我。你别耍滑头，如果我找不着你，我就立刻检举刘志彬，顺着他的藤总能摸着你的瓜。”

“不敢不敢。”邢邱林把姓名地址告诉了白丽。

“现在你可以穿上衣服滚了，记住，我给你的期限是一周。”

邢邱林穿上衣服溜走后，白丽独自坐在屋里哭了会儿，擦干眼泪站起来，揩抹了床铺，收拾了房间，在立柜的镜前端详了一下自己，拉灭灯开门出去。片刻，走廊响起揪人心腑的呼唤：

“刘志彬！刘志彬！”

“我很卑鄙是吗？”骑在窗台上的白丽问单立人。夕阳照在她的脸上，使她的脸一半晦暗一半耀眼，有着一种古怪的沉思神情。

“很卑鄙。”单立人点着支烟，目不转睛地看着白丽，“相当的卑鄙。”

“可是谁高尚？”白丽盯着单立人反问。

“我不想就事论事。”单立人回答。

“好吧，让我们继续叙述事实。关于刘志彬如何能料到我会走错房间的疑团解开了吧？”

“解开了。他在带着你刚进旅馆时就是进的510房间而不是你们登记的509房间，510房间的真正住客邢邱林当时却藏在509房间拎着只空旅行箱待机而动。当半夜你去上厕所时，刘志彬就立即起来与邢邱林对换了房间。我仍不明白的是他们在何时交换的房间钥匙，按理说不该有这样的机会，你和他一直是偎依而行。是的，我看见了，我亲眼看见你们进了我对面的房间，而半夜事发时你们却双双出现在我隔壁的房间，这一细节在那顿拳打脚踢中被遗忘了。”

“还有一个细节你也遗忘了或是没注意到，他们是在你鼻子底下交换的钥匙。路过五楼盥洗室时，刘志彬曾短暂地离开我去上厕所和洗手，当时盥洗室里有两个人，那个年轻的想必是邢邱林，而那个老一点的，自然是您大人无疑。”

“看来我是老了，老眼昏花到了视而不见的地步，请你往下说吧。”

“你的手段并没你说的那么过硬奏效嘛。”道边洋槐的阴影中，穿着深色西服的白丽冷冷地对垂头丧气的邢邱林说。

离他们咫尺之遥，处于路灯橘红光雾下的公共汽车站牌旁，苗条美丽的姚京正在和她矮小的男友说话。

“一点都不悬，我已经接到了人家的信，说那边事已办好了……”

“拿到钱再说……”

“这么说刘志彬还没把钱给这个‘脏喇’，你还来得及阻止他。”

“我为什么要阻止他？”白丽抢白邢邱林，“我并不想阻止他。”

“不是我无能。”邢邱林为自己辩解，“你也瞧见了，已经咬了钩的鱼，再投饵也吸引不过来了。”

“别吵，听他们说。”

“我可不是图你什么才和你结婚的。”

“你当然不是为了图什么才要和我结婚的。”

“多纯洁的感情，这个矬地炮怎么配有这样的艳福。”邢邱林对白丽发牢骚，“这种好事我永远也碰不上。”

“这个男人是谁？”白丽没理邢邱林，若有所思地问，“你不认识他？”

“没见过，”邢邱林看着那个被姚京挽着远去的矮个男人的背影，“谁知道这杆红缨枪是从哪儿冒出来的，我没想到这小丫头这么不正经，脚踩了足有八只船。”

“看来我不插手，刘志彬也是狗咬尿泡空欢喜，我倒有点可怜他了，总是枉费心机。”

两个人从阴影中走出来，白丽脸上挂着一丝微笑。

“我的使命完成了吧？已经有自告奋勇者冲在前面了。”

“你要想拿到钱，还得再辛苦一趟，跑过去，跟着他们，看看那个男的住在哪儿？”

“懂了，不用你怂恿，拆散不般配的婚姻是我义不容辞的责任。”

姚京挎着一只大而柔软的仿羊皮背包娉婷走进邮局长方形的大厅。大厅里虽然白天也开着日光灯，仍摆脱不了幽暗的氛围。这是个阴天的上午，邮局里人数寥寥，长途电话间外的座椅上坐着一个穿深色西服的少妇。姚京径直走向挂有汇款标志牌的柜台，从包里拿出一沓汇款单和自己的工作证递给营业员，然后矜持地倚着柜台，默默地等待。营业员核实了每一张汇款单的签名和姚京的工作证，取出每捆一千元的五摞人民币清点后逐一递给姚京，姚京把人民币悉数扫进大皮包里，拉上拉链，轻快地往外走。

“姚京。”一个低沉的女声叫她。

姚京停住脚，诧异地回头看。大厅里的人都在逡巡走动，忙着自己的事，没有她认识的人。她正在转身走，那个坐在长途电话亭间外座椅上的深色着装的少妇站起来，冲她颔首。

“于老师？”她不太自信地揣测，“您是于老师？”

“不，你认错人了。”白丽摇摇头，“我不姓于。”

“您刚才是叫我？”她把一个手指戳在自己胸前。

“是叫你，”白丽说，“我想和你谈谈。”

“在这儿？”姚京环顾大厅，又纳闷地看看白丽，“我实在想不起您是谁了。”

“你没见过我。”白丽请姚京坐下，自己也随即坐在她身边，赞赏地打量着姚京的脸庞和发式，“你的确很漂亮，我在你这个年龄也有过像你这样的气色，可惜消逝得太快了。”

“我不行，”姚京抿嘴笑，“也就是一般人吧。前几年我才是真漂亮呢。”

“你要结婚了是吧？”

“你怎么知道？”姚京顿时显得兴奋，眉飞色舞地说，“我们打算下个星期就登记，然后举行婚礼，然后他就去美国，然后我也跟着去——可是你怎么知道？姐姐，你是谁呀？我们见过吗？”

“见过一面。”白丽微笑地说。

“我怎么记不得了。”姚京皱着眉头回忆，抬起脸说，“我怎么也想不起来了。”

“想不起来就别想了。”白丽和蔼温存地抚着姚京的肩膀，“这不重要,重要的是你皮挎包里的这笔钱。告诉我,要是没有这笔钱,那个男人还会和你结婚吗？”

姚京闻言失色，她惊惧地望着脸色平静的白丽，小心地往外挪动着身子。

“你不必害怕。”白丽说，“你看我像抢劫犯吗？你是安全的，大厅里有这么多人。”

这的确不是抢劫作案的场所，姚京稍稍安下心来，但她马上又不安起来：

“你怎么知道我包里有一大笔钱？”

“我看见的，我坐在这儿看见的。”

“噢，”姚京恍然大悟，“您是搞社会调查的吧？青年报的还是妇女杂志的？”姚京又变得喜滋滋起来，“干你们这行的都特有眼力，一看我取钱就知道我要结婚了——可你怎么知道我的名字？”她又有点茫然了，“莫非我们真的见过？”

“真的见过。”

“噢，你已经去过我们单位了。”姚京完全信任了白丽，像小羊看着老羊那样看着白丽，“您刚才问我什么来着？”

“我问你要是没有这笔钱，你的男朋友还会跟你结婚吗？”

“当然，我们可不像有的年轻人，把感情建立在金钱的基础上。我们是真正、纯粹的爱情，没钱也一样，钱只不过是给我们的爱情锦上添花。不瞒您说，我图他什么呀，他其貌不扬，家境也不好，是农村的，就算是个研究生，可研究生里比他条件好的有的是，在别人看来，我真是傻透了。可我就是看中他人老实了。”

“还可以去美国。”

姚京脸红了，急急忙忙地说：“不，您不了解情况，我决定嫁给他时，他还没有获得去美国的那个机会呢。您把我看扁了，我真的没觉得美国有多好，没去过总想去看看，但我并没想在美国长期生活，等他学习一结束我们就回国。他也不喜欢美国，我们不是极左分子，但我们都觉得还是生活在祖国好。我知道你有点不信我的话，可我真是只看中了他人老实这一点。我觉得找丈夫，人老实是最重要的，找个花花公子还不够和他打架的，那怎么受得了。”

“是的，人老实是最重要的，只要这种老实不属于蔫坏——

我信你的话，我也深有同感。”

“真的？”姚京露出甜蜜的微笑，“我觉得与其高攀不如低就来得可靠。譬如我们那位，他能找上我够不易够有福气啦，他只能感到满足，我在他眼里就是天仙呀。我不是说，要是我现在离开他，他一天也活不下去，非得想疯了。”

姚京脸上飞起一片羞红，眼睛水汪汪地向着虚空脉脉含情。

“我怎么听说，他拿不到你这笔钱就不跟你结婚。”

“那是他跟我逗着玩儿说的。”姚京连忙为自己的男友辩护，“他才不会呢。他急需这笔钱买去美国的机票和办一些别的事，着急才跟我开这样的玩笑。我理解他的心情，我一点都没往心里去。”

“既然你这么爱他，这么理解他，干吗不早点把钱给他？何苦让他着急。”

姚京立刻耳热心跳，她警惕地看看白丽。在白丽脸上什么调侃、恶意的表情也看不出来。姚京低下头。

“我有我的原因，我不愿让他那么轻易地得到一切，那样他就不会珍惜了。再说这笔钱对我来说不是小数。不瞒你，为了凑齐这笔钱，我什么不要脸的事差不多都干了。”

姚京眼眶中涌出泪水，滴下来，晶莹玉珠般的一颗挂在小巧的鼻尖上。她掏出一方印有勤劳的胖娃娃的小手帕，擦去泪水，擤了擤鼻涕。“我本不是不要脸的人，干了不道德的事也不能心安理得，照样吃得香睡得着。我心里很苦恼，但想来想去没办法，为了获得幸福就要付出代价，就要牺牲一些无足轻重的人。我没有责任也没有能力做到面面俱到，我只能保住最主要的。”

“你感到幸福？”

“是的。”姚京快乐地说，“非常幸福。”当她看到白丽怀疑的表情就问，“您不相信？”

“相信。”白丽说，“如果你感到幸福你就加倍珍惜它吧。”

“是的，我也是这样想。”

“我希望你的男朋友、你的未婚夫也是这样想。”

“肯定。如果有时间，我给你好好讲讲他多么、怎么爱我的。”

“有时间我一定听，不过现在，小姑娘，”白丽亲切得微笑着，“你该走了，我也该走了。”

“可是我还不知道您叫什么呢？”姚京随着白丽站起来，有点依依不舍。

白丽望着小姑娘，没回答她的追问，关切地叮嘱：

“管好你的钱，别让人偷了去。”

“这么说你放弃了、改主意了，不再打算索回那笔本来属于你的钱？”

“你怎么能认为我会去破坏一个纯真小姑娘的幸福！”白丽严厉地说。

天已经黑了，室内也暗得人形模糊。单立人把电灯开关按了一下，日光灯闪了闪刷地大放光明。白丽仍坐在敞开的窗台上，单立人在屋里来回踱步，他有几次很好的机会可以趁白丽不备冲过去抓住她，但他权衡再三还是决定别莽撞。他珍视白丽对他的友好信任和开诚布公，另外，他也正为无意中洞悉了另一件事实的真相暗暗震惊。

“纯真的小姑娘！”他用鼻子哼了一声，“纯洁的爱情！你的高贵、无私的情怀并没有得到理应结出的硕果。如果我告诉你这个‘纯真的小姑娘’是在跟你演戏，说的是一派胡言，你会感到受到刺伤吗？我凑巧和这位姚京也有些接触，对她抱走你那五千块钱之后发生的事略知一二。她那老实得‘离了她一天也活不下去’的矮王子……”

“别说。”白丽做手势止住了单立人的话头，“我不想听。不管她的话里有多少虚假成分，我也宁愿相信她而不相信你！”

“我原以为你是个正视现实眼睛眨也不眨的硬骨头。”

“要是这样我早从这个窗台跳下去了。”白丽扭头看看黑洞洞的楼下，围观的人已渐渐散去，连警察似乎也感到危险过去了，松懈地三三两两站在一起聊天，不时抬头看上一眼，耐心等待着事情最后结束。

白丽把视线重新投向单立人，发现他正若有所思地凝视着自己，离她不过几步之遥。

“离我远点。”白丽叫，把两条腿都放至窗外，身子斜倾，取欲纵身一跳势。

单立人后退几步：“你刚说了那么多超脱豁达的话，又立刻摆出寻死觅活的姿态，不觉得滑稽吗？”

“你光了解了我的宽容，还没听到我的刻毒呢。”

黑色的电话机在雪白的桌布上喑哑地发出阵阵“咯嗒”声。

随着门锁响，刚从外面回来的白丽和刘志彬出现在门口。白丽抢先一步拿起听筒，听清对方是谁后，她抬眼瞟了下刘志彬，刘志彬也正向她这边望过来。接电话过程中，白丽听着对方谈话嗯嗯哼哼应着，不时抬眼瞟着刘志彬，使刘志彬受到了极强烈的暗示，认为谈话内容与他有关。他狐疑地看着白丽，明确无误地看到白丽脸上充满戏剧性的、有层次的情绪变化：一点点地阴沉下去，一点点地愤怒起来，最后相当激动、怒不可遏地说了句：“谢谢你，谢谢你的坦白，我马上就到你那儿和你见面。”放下听筒，以一种知道真相后的令人生畏的目光冷冷地看着他。

刘志彬感到了某种不祥和危险，以致不能再佯装无事和坦然。

“谁来的电话？”他克制不住地问。尽管他心里已胆怯了，但表面上的口气还维持着粗暴。

“你的朋友，”白丽故意延长这场神经战的时间，“那个你不愿让我知道，但已经和我有着同你不相上下交情的朋友。”

“什么朋友？”刘志彬还保持着镇定，甚至试图笑一下以示无所谓，“你又在故弄什么玄虚？”

“邢邱林。”白丽以无可挑剔的嫣然一笑回报刘志彬那最后尴尬的一笑，平淡地把这三个字念出来。

“邢……邱林。”刘志彬像被一个看不见的人猛击了一下，摇晃了一下，旋又站稳，汗却无法抑制地冒出来，使他瞬间变得湿津津的。

“你不必再故作坚强了。”白丽开始在他面前走来走去，“我什么都知道了，你完了，你的一生就此完了。”

她停下来，以一种施虐者的快慰注视着大汗淋漓的刘志彬。刘志彬用手掌撑在桌子上。

“你必须为你做的一切承担责任。你苦苦积累、精心钻营获得的一切都要丧失了，丧失得一干二净，不留一点痕迹，就像你从未爬上去过。还会更惨。我要把你抛回比你从前更深的深渊中去。我要剥夺你的一切，使你成为一名罪犯，在铁栅栏后面度过你余下的青春年华，没有自由，没有机会，粗衣粝食，满面尘埃，想起现在，恍若隔世；要么痛苦啮心，要么麻木不仁；让你的父母、家庭蒙受耻辱，成为全村人的笑柄，让你和你父母的梦想、希冀一齐破灭。你就在那无边的黑暗中去哭泣、去后悔吧，没人救得了你。真是一失足成千古恨啊！真是一着不慎满盘皆输啊！真是一生心血付诸东流啊！真是机关算尽反送了卿卿性命啊！真是心比天高命比纸薄啊！真是可怜可叹，欲哭无泪，欲悔难言，想疯了自家也无计可施。”

白丽嘿嘿乐起来。

“你是不肯原谅我了？”

“不肯！我决意要毁掉你，就像你当初决意要毁掉我一样——我现在决心一点不比你那时的决心小。”

“可我当时也没要完全置你于死地。”

“你何苦这会儿还要来表白你的温情，你明知道这是无用的。挺起胸来，擦掉恐惧的汗水，痛快淋漓地表达、宣泄一下你对我的憎恨，露出真面目吧，哪怕当一秒钟好汉，既然伪装已经褴褛不堪，遮不住屁股。”

“臭婊子！……”

“对，好样的，骂呀，怎么卡住了？没词了？就应当这样，像个真正的男子汉勇敢地迎着苦难走去……”

刘志彬哭了，大颗的泪珠汇成流冲下脸颊，使他的脸变得肮脏皱巴。他撑不住了，顺着桌沿瘫坐在地上，像个女人一样掩面抽泣。

白丽昂起头，轻蔑地垂视着脚下的这个可怜虫。

“你不要把前景想得太恐怖，我向你保证，我们的监狱和劳改农场近年来有了很大改观，吃饱肚子是没问题的。像你这种人也不会受到粗暴对待，没准儿还会受到重用，安排个抄抄写写的轻松活。当然没法跟度蜜月相比了，但比起你那个贫困愚昧的家乡不会差太远，我会设法要求司法当局给你挑个土地肥沃的农场。”

“狠毒的女人，”刘志彬在地上咒骂着，“我早就知道你是只一旦咬住人就不松嘴直到咬断的母乌龟。可我不承认，不承认你指控我的一切；我不认识什么邢邱林，从没见过他……”

“我还当你想出什么高明的对策。”白丽叹口气，“你的智力太低下了，竟想出这么个笨办法。好，你就这么办吧，去对公安局的预审员否认吧，但愿审你的是个单纯天真的小伙子。”

“其实你不会把事情做绝吧？你只是一时激愤，想吓唬吓唬我，促我回头。你是爱我的，我怎么想也不能对自己说你跟我结婚不是出于爱情，我怎么想也不能对自己说我们之间曾经存在过的一切在你情感中一点微波细澜不留。”

“闭嘴！你这个卑鄙无耻的家伙。”白丽脸气得苍白，她大睁着眼睛说，“你居然想在我身上寻找弱点，想利用你欺骗的遗产来打动我。你岂不知我现在已如铜浇铁铸，任何方向射来的矢石都不能裂穿我心灵的甲胄，你就断了这个想头吧。我从来就没爱过你，至多是短暂地以为爱上了你。的确，不可能一点痕迹不留，但效果恰恰相反，这些微波细澜的掀起只能使我随之涌出更多的愤怒。说到这儿，我想起了忘了告诉你的一件事，你前前后后的所作所为是个典型的利欲熏心、不择手段往上爬现世报的例子，我们的舆论工具正面临着一个扶正祛邪、净化社会气氛的艰巨任务，会对你的堕落感兴趣的，如果他们想把你的事例当做反面教材警戒世人我是不会有所顾忌而加阻拦的。你别想悄悄烂掉，我要把你和孕育你这种畸形儿的家庭推出去示众。我相信，你生长的那块浸透封建礼教毒汁的土壤和你那两个貌似忠厚的父母从小到大给你灌输的愚昧思想以及他们对你的影响是足以让一百个社会评论家挥挥洒洒发上一大通议论的。你也算出了个名。”

“我先干掉你。”

刘志彬从地上爬起来，向白丽冲去，被白丽一脚踢倒。旋即，他看到白丽手里握着一把大号水果折刀，锋刃寒光闪闪。

“你要不想在免不掉精神痛楚的同时再遭受肉体折磨，那你还是老实点。”

“你别想得逞。”刘志彬躺在地上咬牙切齿地骂，“我宁肯死也不会任你摆布糟蹋。”

“死？”白丽若有所思，玩味着这个词儿的含义，“你不怕死？这倒提醒了我。”她的脸色有所缓和，把折刀“嗖”地剁立在面前的桌上。

“你想说你是个看待名誉重于生命的人是吗？要是这样我愿意让步，成全你。”

白丽看着刘志彬，面无表情。

“我乐于给你一条体面的出路：如果你主动结束你那已一钱不值的性命，我将不对司法机关提出任何指控，并对任何嗅觉灵敏的记者的多嘴盘诘保持缄默，无论在我父母或是你父母面前我都将只字不提我们之间发生的一切。”

刘志彬一声不吭，毋宁说他被白丽的提议吓呆了。

白丽平静、丝毫不带感情色彩的声音继续在房间里回荡，极为响亮：

“我保证你将享受到恰如其分的追悼仪式，你的父母也将受到我以儿媳身份所能给予的始终如一的赡养和尊重。”

白丽变得丑陋、猥琐：

“如果你对生活还有什么眷恋，我可以再告诉你一件事实，你所钟爱的姚京，已经拿着你从我们蜜月开销中省下的五千元和你的那个同乡同学那个研究生结婚了。她压根儿就没打算和你结婚，是为了从你口袋中掏出钱就像你压根儿不愿意和我结婚只是为了从我口袋中掏出钱。钱掏出来，目的也就达到了，不同的是她不必像你那样挖空心思去离婚，她和你的关系没有受到任何义务和条文的约束，她可以干脆地甩了你。你已经人财两空了，又面临着身败名裂、坐穿牢底的迫在眉睫的威胁，你甚至都无法去惩罚她，像我惩罚你一样获得些聊以自慰的东西。你自己说，你不死更待何时？死是你最好的出路。丢掉侥幸心理吧，烂摊子已无从收拾。既然这局已经输定了，那就痛下决心，推倒重来，今生今世可以休矣，来世重打鼓另开张，挨个报仇，没准儿下次就该我犯在你手里了。风水轮流，不会总让一个人得意，何必苦苦挨受。人生如梦，俱是宇宙过客，朝生夕死，你先走一步，与我们又何尝不是五十步与百步之差？”

“别说了，我同意。”

“不必匆忙，你再慎重考虑考虑。”

“不用多考虑了，我决心已下。只希望你遵守你的诺言。”

“你怎么能认为我会背弃一个死者最后的请求。”

“这就好。”

“为了不至造成误会和引起麻烦以致妨碍我遵守我对你的诺言，我还有最后一个建议：你在死前最好写一份遗书，写明你是自愿结束生命的，与他人无涉。当然，你有别的遗言也尽可以写上，譬如对人生的慨叹以及自己未酬的夙愿等等，我允许你有充裕的时间把肚子里的话都倒出来，我不限制你。还有就是，你必须出去死，不能死在我家。这里没有别的狭隘的意思，仅仅出于一些技术上不能解决的困难。要知道人死后是会释放排泄一些气味和秽物的，这些东西往往很难清扫，我想你死后我一定没有心情去处理这些琐事。而且，人死后是很难看的，你一定也不想给我和我的亲属心目中最后留下的是那么一个不美好的印象。”

“你想让我到哪儿去死？”

“这是你的自由，我不想剥夺你最后的这点权利，人可以随意地去选择，譬如风景优美可以令人心旷神怡的野外；在你人生旅途上有着重要纪念意义，可以令你浮想联翩、勾起不少美好回忆的去处；或是某个你始终不能忘怀，希望最后再看上一眼的人的窗下……至于你采取什么死法儿我也不打算过多干涉，我建议你不要选择跳楼，临跳那一瞬间需要很大的勇气，我担心你没有，再说摔得粉身碎骨也不太好，会叫你父母太伤心的。用刀割手腕也不是上策，且不说割的时候会感到疼痛，万一割不深，血流得不快那也是很折磨人的，再说还有被救活的可能。上吊投河都是农村那些没文化的妇女干的事，和你身份不符。吃安眠药倒是知识分子的拿手戏，比较文明，既减少痛苦又可以保持尸首完整不变形和面目安详，可惜家里这点安眠药不够致死量。噢，对了，你可以喝敌敌畏，厕所正好有大半瓶，我想够了，敌敌畏的效果可以和安眠药媲美，如果你同时再喝点酒效果就更理想了。酒柜里的酒你可以任选，还有橙汁，要是你嫌敌敌畏难以下咽可以兑点……”

“你一点都不吃惊或者钦佩？”

“噢。”单立人平和地开了口，“我不会对你此举表示赞赏的。我认为你没有理由得意，你已触犯了法律，你对别人生命的轻蔑态度天理不容。”

“怎么你不同情我了？就凭刘志彬对我干的那些事，我怎么对待他也不过分。您是个阅历丰富、有感情的老人，难道不懂我受到的是什么样痛入心肺的伤害？难道我该宽恕他们吗？那才叫天理不容。”

“他……们？”

“对，他们，所有在这件事中起过作用的人都必须付出代价，我一个也不放过。”

“公安局吗？我找单立人同志。”白丽站在刘志彬走后显得十分空旷寂冷的房间里，手里攥着那黑色的电话听筒。

“单立人不在。”话筒里传来对方吱喳的声音，“您是哪里？什么事跟我说吧，我负责转告。”

“那好，你记下来，情况紧急。我叫白丽。”

“嗯嗯，我知道您。”

“我发现了邢邱林的住址，就是那个假徐宝生。他住在……请你们马上派人抓，我有可靠的消息说他正准备潜逃。”

“我记下来。”公安局的值班员说，“这个情况我们已经掌握了，他逃不了，我们已经在他住地布置了监视，老单正在现场指挥。”

“这么说我这是迟到消息了。”白丽抑制不住地喜悦和兴奋。

“没关系，我们还要谢谢你。”

“不，我要谢谢你们。”白丽狡黠地笑着。

白丽捧着一瓶名牌外国酒向邢邱林住的那栋楼走去，她看到了停在楼对面另一栋楼前的汽车里的单立人和曲强，佯作毫无察觉地走过来。

她走进楼门，跨进明亮的电梯间，在电梯女司机的注视下，庄重矜持地笔直站立，一层一层地上升，在八楼停住后，从容不迫地走出去。穿过八楼走廊时，她用手把梳得十分整齐的头发搞得略为凌乱。

邢邱林听到敲门声后，立刻把手里的画报扔到一边，从沙发跳起来，奔过去开门。

门开了，站在他面前的是头发凌乱、目光呆滞、精神恍惚的白丽。

“你怎么啦？”他把白丽让进来，谨慎地关好门。

白丽嘴一撇，似要笑眼泪却流了下来，“他死了，刘志彬死了，我把他杀了。”

邢邱林啊了一声，呆住，接着叫起来：

“你把他杀了，为什么？就为那件小事？天哪，你们这些小肚鸡肠的女人，为这么点无关痛痒的小事就可以杀人。天哪，这下糟了，事情搞大了，不想让公安局知道也不可能了。”

邢邱林痛苦地抱住头，倒在沙发上呻吟：

“这下我完了，你算是把我毁了，我真该把你也杀了。天哪，真是不让好人过日子，这下我又要回到那该死的劳改农场去了，我那已经被糟蹋的青春又要被糟蹋一次了。你知道不知道，再去蹲上十年，我出来就老了，就没有姑娘会看上我了，我活着还有什么意思？你等于从现在起就把我阉了，好狠心。”

白丽瞟了眼邢邱林，又作出神思恍惚的样儿，用疲倦麻木的口气说：

“给我倒杯酒。”

“喝酒？应该给你喝镪水。”

邢邱林站起来，把桌上已经盛好他买的酒的杯子倒干净，拔出白丽带来的酒瓶塞子咕咚咚地斟满一杯，递给白丽：

“本来我还打算好好招待你一次，庆祝我们的契约结束，庆祝新生活的开始，可现在我什么也不打算给你吃了，你就等着吃政府赏给你的黑枣吧。罪孽。”

邢邱林把自己杯里的葡萄酒也换成白丽带来的洋酒，看了看手握着的酒瓶商标：“倒是好酒。”呷了一口，品了品味，随即把一杯酒满饮入肚，又给自己斟上一杯。

“你是怎么把他弄死的？”

“毒死的。”白丽小口啜饮着杯中酒，“就用这瓶酒，我在里面放了老鼠药。”

“什么？”邢邱林一哆嗦，手里的酒洒了一多半，他看看手里的杯子，又看看桌上的酒瓶，再看看白丽，“哇”的一声吐开了。

他扔掉了酒杯，把两个手指伸进喉咙，弯腰拱背、瞪着眼睛、挂着流涎一个劲地干呕，难受地哎哟着、咳嗽着，像一条被叉住徒劳地乱蹦乱跳挣扎着的鱼。

“你他妈的这是故意谋杀我。”邢邱林吐完又盛了杯清水“咕噜噜”地漱着喉咙和口腔，红着眼睛对屏目凝神的白丽喊，“你这个毒辣的女人,你这是存心要置我于死地。”他撂下水杯,“噔噔”往屋外走。

“你去哪儿？”

“去医院。”邢邱林回过头来恶狠狠地说，“去找他们赶紧抢救我。”

“别白费劲了，你到不了医院就会倒在半道上死去。”

“你这个浑蛋娘儿们，我现在就掐死你。”邢邱林扑上来，一双大手箍住白丽的脖子使劲合拢，白丽像个断了筋的布娃娃，头在邢邱林的摇撼中晃荡。她闭着眼，逆来顺受地任其拨弄，用沙哑窒息的声音鼓励地说：

“再使点劲，反正我不想活了，这样更好。”

“你是不想活了，你也喝了那酒，可我想活，我又没有杀人。我还年轻，精力正好，有十多个姑娘爱着我，我还没留下个种儿，却冷不防让你给灭了，这叫什么事啊？早知道会这样，我要碰你一指头我是王八蛋。”

邢邱林松开白丽，颓唐地倒在一旁沙发上抽噎起来：

“我是个独子，父母也都老了，这不是要叫我们老邢家绝户？为三百块钱就把命送了，我也太不值了。你行行好吧，带着什么解药吗？我给你三千块钱。”

白丽轻轻喘息着，抚着自己红肿的脖子：

“你那么想活，就不该一而再、再而三地试图占小便宜。”

“这种时刻你还来嘲讽我，”邢邱林泪汪汪地抱怨，“我已经危在旦夕了。”

这时房外走廊传来一阵急促杂沓的脚步声，接着响起重重的敲门声伴随着粗声吆喝：

“开门，把门立刻打开。”

“他们来了。”白丽望着传来撞击声的房门方向说。

“公安局的？”

“是的，我想他们早已监视了你，就等着我们会面来个当场抓获。”

“反正也无所谓了。”邢邱林愁眉苦脸地说，“他们先当收尸队吧。”

“真抱歉，小邢，其实我不是有心害你，我不该带着那毒酒瓶到你这儿来。当时我慌了，六神无主了，刘志彬倒下后，我像疯子一样奔了出来。他在地上抽搐的样子实在太可怕了，口吐白沫，四肢痉挛，人像刺猬一样缩成一团。”

“别说了，我浑身难受。”邢邱林脸色苍白，大汗淋漓，“是不是药性开始发作了？”

“不知道，我也有点喘不上气，胃里开始折腾，你心里有没有一种灼疼感在蔓延？”

“有的，哎哟哟。”邢邱林哼哼起来，捂着肚子站起来在屋里来回走，“现在是不是就该算人们所说的那种苟延残喘过程了？”

“我想是。”白丽两手插进双鬓，捧着头大睁着眼睛说，“我头开始疼了。”

“我的头也开始疼了。”邢邱林也按住自己的双颊，“天哪，脑瓜要裂开了。”

房门方向传来愈加猛烈的敲击声，单立人在喊：“开门吧，白丽，我知道你在里头，再不开门我要砸了。”

白丽走到窗前，楼下站着一圈警察，她敞开窗户，爬上窗台。

“你想干吗？”邢邱林惊恐地问。

白丽缓缓回过头，那是张憔悴衰老、痛苦疲惫的脸。

“我不能这么静等着毒性一点点发作、扩大到全身，受尽折磨后死去，既然命已经注定要死，不如死得痛快点。”

“你是说吃了这药死前还要受折腾？”

“是的，吃老鼠药死是很痛苦的，现在刚刚是开始。你一定见过被药着的老鼠。这种药具有很强的神经麻痹作用和腐蚀性，它属于缓发、慢慢致死的毒药，一般都是先将内脏肝腑彻底烧烂洞穿，使胃肠容物流出，在腹腔造成大面积感染并致使血液中毒，然后继发全身高烧和炎症，使中毒者在丧失神志和不可遏制的巨大疼痛中全身衰竭死亡。即便有万分之一的成活希望，活下来的人也将因为脑功能和神经中枢被破坏、脏器黏膜剥脱而变成一个没有意识不能进食只能靠输液维持生命的植物人。”

“这还不如死了好，我可不想受这份罪。”邢邱林嘟哝着，笨拙地爬上窗台，站在白丽身旁。

楼下的警察睹状齐声喊：“下去，下去，别干蠢事。”

“我还是头一次看到警察这么疼我。”邢邱林凄惨地咧嘴一笑，“我可真不想死，和死比起来，十年劳改算得了什么。”

他愤愤地盯着白丽说，“咱们俩数一、二、三一齐跳下去。

算我倒霉，被你拉上当垫背，下辈子我可再也不想见到你了。”

“好吧，一、二……”

高空的风猛烈地吹打着两个人的脸颊，邢邱林胆怯了，几乎要把脖子缩进胸腔。

屋里传来一阵玻璃的破碎声，有人沉重地跳进来。

“你不行了？”白丽重重一拍邢邱林。

邢邱林一哆嗦，鼻涕眼泪流出来，糨糊一样涂了一脸，“再来。”

“一、二、……三！”

邢邱林像个动作失误的跳水运动员，一头扎了下去，呼啸生风，犹如一口袋土豆重重摔在细细的水泥道上，一动不动。人群涟漪般地四漾复又聚合。

白丽身体弓一样地向前弯出，旋又弹回站直，她的高伸的两手牢牢抓着上沿窗框，两脚稳稳地踩着窗台。

她脸色惨白地回过身，单立人已带着部下冲进屋。

“谁也别进来！”她喊。

“你为什么不跳下去！”单立人眼里喷着怒火，一步步向白丽逼去，“没人拦着你，我也不拦你，你应该跳下去，立刻跳下去跳呀！”

白丽紧张地从窗台上跳下来，跳回屋里，单立人一直走到和她身体挨上才停下来，目光咄咄地盯着她的眼睛。

“不敢跳？没打算跳？压根儿就没想过要跳？那你可就别怪我了。”他一把攥住白丽纤细的手腕子，“我会叫你后悔这会儿没跳下去的。”

“你弄疼了我。”白丽喊，甩了甩没能挣脱单立人铁钳一样的手，换了副高傲冷漠的神情迎视着单立人的目光。“就让你出出气吧，我想你也明白，你其实奈何不了我，所以这么动怒。你辜负了我对你的一片好意。我是看你在这件事中无故受了那么多冤枉的摧残，想让你和我共同分享报了仇的快乐，没想到你却这么古板、死心眼，那些伪善的旧道德和跛足的传统观念在您身上的影响也忒大了。看来，我的心肠还是太软了。”

那些留下来协助单立人、一直在门外静静谛听的警察拥了进来。单立人松开白丽，指示曲强将她铐起来。

白丽一边伸出双手顺从地让曲强给她戴铐，一边不无凄凉地对单立人说：

“下回在街上碰到我，您一定不会同我打招呼了吧？”

“你这辈子不会有机会出现在本市街头了。”

单立人从上衣口袋取出一只微型录音机，卸下磁带交给曲强，对白丽说：

“瞧，我奈何得了你。谁也捉弄不了我——你也一样，我这么耐心地听你讲了半天可不是为了让你讲完再推翻干瞪眼。”

一个警察满头是汗地进来，附耳对单立人嘀咕了几句。单立人听完对白丽说：

“我想这个消息应该让你知道，刘志彬并未如你所愿死去，他在去鬼门关路上被我们截获，现已收押我局看守所。”

“你怎么啦？老单，你看上去并不高兴。”

白丽被押上警车开走，曲强问单立人。

“我怎么高兴得起来，”单立人重重叹口气转脸对曲强说，“看到一个受害者反过来变成一个凶恶的害人者。她要是相信法律的力量该多好，我为她难过。”

（原载《啄木鸟》1987 年第 4 期）

枉然不供

韩健是个粗壮的矮个子，一张大嘴总是笑呵呵，每天下班甚至没下班——旷工也要和他的哥儿们、姐儿们一起去筒子河滑野冰。他嗜好滑冰，擅长滑冰，脚蹬细长锃亮的冰刀往冰上一站，总是那么感觉良好，身心舒畅。一旦两脚生风，高速驰行，泥鳅般穿梭于人群中，更有御风长啸、人莫予毒的快慰和自信。他的速滑是那样孔武有力、势不可当，以至当他突然矮了一截，迅即从冰上消失时，周围的人都没反应过来，仍然优哉游哉地滑着，不时用倾慕中略带些困惑的眼神注视着他消失的冰面。

——韩健的头露出来，水淋淋，脸上的笑容消失了，一副可怜无助的表情，他莽撞地一扑，随着“咔嚓”的巨响，冰层又一次坍塌，他再次沉入水中。

筒子河上一片惊叫，聚在一起的人们作鸟兽散，一些技高胆大、侠义心肠的小伙子则驰向冰窟窿，欲作援手。

韩健再次从冰水里冒出，沉重、绝望地扑向结实的冰层。冰层不再坍塌了，几个小伙子把呢大氅浸透水、比原来重了许多的韩健拖死狗似的拖出水面，撂在冰上，扶他站起来。

冷风吹来，韩健抖成一团，呢大氅上的水滴冻成冰凌，他嘴唇乌紫，牙齿打战，眼神惊恐。朋友们帮他卸去铠甲，一个朋友把自己的棉大衣给他披上，簇拥着他趔趔趄趄向岸边走去，脚下的冰鞋成了累赘，一走一歪，使他不得不依靠别人架着走。他的女友和其他女孩子在岸边迎接了他，关切地询问他，他仍然惊恐万状，说不出话。架着他的一个朋友笑着说："他冻傻了。"女友愤怒地瞪了眼这个幸灾乐祸的家伙，同时不满地看着韩健，期待着他重新豪迈、乐观起来，难道最恰如其分的不该是以幽默的态度对待这种从天而降、猝不及防、人人都有可能遇到的难堪局面吗？

可韩健仍然是有点跌份地恐惧和筛糠。

"水下有……"他哆哆嗦嗦地说，"一具女尸，无头女尸。"

单立人知道"筒子河无头女尸案"，已经是下午快下班的时候。刑警队的那帮小伙子兴冲冲地戴帽穿大衣，奔下楼去把警车开出来，在院子里就把警笛开得"呜哇呜哇"叫，一溜烟地驶上大街。

单立人则慢吞吞地穿上没有任何标志的蓝棉大衣，带上门回家了。

他早过"不惑"之年，离"知天命"不远了。三十年前从部队转业进入公安系统以来，他一步一个脚印地从派出所干到分局再到市局，户籍、治安、刑侦、预审无不涉足，威风也威风过了，厌烦也厌烦过了，现在就像一般国家机关资深的科员，精通本行，一丝不苟，上班来下班走，该干的干，该推的推，既无野心也不好奇，既不负责也不误事，像一部效率不高却十分可靠的老式机器，开起来运转自如，停下来一声不响。

从开始发胖他就不穿警服了，老是一身的确良蓝便装，一年四季不换。烟虽没戒掉，抽得也不多，有茶喝茶，没茶白开水也行。

跟谁都是和和气气，犯人也不例外。没事时，除了爱按自己的胖脸之外，其他什么嗜好也没有，完全是个地地道道的阔脸单眼皮扁鼻头，与世无争，安分守己，闷头闷脑过日子，放在人堆里就找不出来的普通市民形象。

他离了局机关，迎着北风费力地蹬着自行车，夹在蓝灰色的人流中往家骑，脑子里只有一个念头：早点到家，在暖和、热气腾腾的厨房掌勺烹调，然后坐在炉边美美地饱餐一顿，边吃边看电视（但愿今晚别四个台一齐放破案片）。

他路过一家菜场，忽然想起家里大葱没了，便停下车，推车上便道，一边对迎上来要给他的车挂牌的存车老太太说“我进去瞅瞅就出来”，一边锁上车走进菜市场。他在蔬菜柜台翻拣裹着泥、夹着冰碴的大葱捆，邋遢的女售货员冲他吼：“不许挑！”他不管不顾，照旧细致、内行地挑着大葱，终于挑了捆茁壮、没全冻坏的大葱扔到气呼呼地瞪着他的售货员的秤盘上，拍着手上的泥，斤斤计较地盯着秤盘星，掏出叠得整整齐齐的一沓毛票，一五一十地数给售货员，对售货员的白眼坦然自若。对一个每天触目皆是杀人放火、抢劫强奸的人来说，实在可以对一个售货员的侮辱漠然视之。

单立人当晚如愿以偿地吃了一大锅有肉片、白菜、土豆、粉条、大葱、大蒜的炖菜，看了两小时电视播放的京戏，便安然入睡了。

第二天，单立人踩着点到了办公室，刚沏了杯茶坐下，主管业务的副局长就打来电话，通知他局里决定让他参加“无头女尸案”的破案工作，他“嗯”了一声表示认可，放下电话又坐回自己的办公桌吸吸溜溜喝茶。

穿戴齐整的青年刑警曲强推门进来找他，说自己将在破案工作中担当他的助手。单立人望了望这个见过面，但不熟悉的小伙子，宽厚地笑笑。

“要不要陪您去看看尸体？”曲强恭敬地问。

“不必了。”单立人说，“我去不如法医去有用，等着看尸检报告吧。”

单立人对死尸的厌恶和恐惧不亚于初学解剖的医学院女学生，年轻时他的这种恐惧曾长期被同事们当做笑柄。他之所以宁肯弃分局局长的官职不当，在市局机关屈就当一个小科员可以不出现场也是一个小原因。

“小曲，”单立人对始终站着、一时有点手足无措的曲强倚老卖老地说，“我年龄大了，腿脚不利索，以后跑跑颠颠的事你就多干点，对你们年轻人也是个锻炼，有问题咱们再一起商量。”

“我多干点是应当的。”曲强满脸堆笑地回答，心想这位老先生真是典型的革命意志衰退，不让他退休留着干吗？

曲强接了案子本打算大干一场，现在的感觉是给窝囊住了，反倒无所事事了。尽管昨天已经参加了破冰打捞尸体的工作，他还是不甘心就这么待着，这会儿又驾车去了医院。

医院太平间负责人为他拉开了盛死尸的大抽屉，掀开盖在死尸身上的白布。死尸静静地躺着，因为没有头，显得无动于衷，毫不羞耻。尸体皮肤紧密细腻，乳房丰满而不下垂，一望可知是一个年轻、窈窕动人的女子；可缺了头，过去美丽珍贵的身体变成一堆冷冰冰的器官和肢体。法医昨夜解剖了尸体，纵贯胸腹部的切口胡乱用线缝了起来，更使得尸体丑陋、冷酷，令人惊心动魄。曲强戚首皱眉，长时间凝视着尸体沉默不语，最后示意把尸体盖上，垂头出了太平间。开车驶过树木光秃、行人稀少、寒风劲吹的大街回局时，他脑海里总闪着一个漂亮长发女人在阳光中左顾右盼、嫣然而笑的头，犹如电视里洗发精广告上的那个女人。

尸检报告午饭前就送到了单立人的办公桌上，可他一直到吃完午饭，睡好午觉，下午上班时间到了才开始看，然后匆匆去会议室参加有局领导、刑侦、法医各方面专家到场的案情分析会。

根据法医对尸体骨骼的X光透视和乳腺切片检验以及皮肤外观的观察，推断死者应是二十五至三十周岁的妇女，尚未生育；头颈部断面系死后伤，全身各部位完好无外力打击及脏器致命损坏；胃内容空虚，无药物中毒现象；尸体腐败程度属早期。综上所述，可以确认这是一起杀人分尸的恶性案件，很可能是先击打被害人头部致死，然后断头移尸灭迹。专家意见认为，考虑到现在正值隆冬，气温、水温均为全年最低期，且断头时大部分血液已流失，尸体不易腐败，不能按常规推断死亡时间为近期。相反，因尸体在封固的冰层下面飘浮，去冬上冻之际应视为杀人抛尸日期的最大可能。

关于杀人第一现场在哪儿的问题，专家认为，从尸体不易搬运等因素看，应假定为本市，不排除筒子河周围灌木地带，虽然刑警队对筒子河周围地带的勘查一无所获。

局领导问老单有什么看法，老单表示同意诸位专家的分析。

“没什么说的了，现在应该动员各区公安分局和派出所，在全市范围排查失踪女人，查明死者身份，同时继续组织人力在筒子河打捞死尸脑袋。”

“您怎么能断定死者就是本市失踪者。”曲强问，“死者一丝不挂，怎么能看出她是哪儿人？”

老单耷拉着眼皮儿说：“正因为无法断定她是哪里人，所以只能先从本市查起，总不能从海南岛查。”

散会回到办公室，老单对曲强说：“通报各分局、派出所的事就劳驾你去办了。”然后拎上包回家了。

其后几天，曲强没白天没黑夜地忙，跑遍了十个分局，一百个派出所，《日报》，《晚报》，腿遛细了，轮胎放了炮，抽烟抽紫了嘴唇，熬夜熬红了眼睛，终于搞出一份厚达数百页的列有一百多名一时去向不明的年轻女子的详细报告。他去办公室找老单的时间是十七点过五分，老单已经准时下班不在了。曲强到局值班室查出老单家所在胡同的传呼电话，打过去，那边一个大嗓门娘儿们接了电话，毫不客气地告诉曲强，她也到下班的点了，“不管传”。曲强说自己是公安局的，那娘儿们说：“政治局的也不行，到点了就是到点了，这是制度！”不由分说挂了电话。曲强奔出大楼，开上警车直杵老单家。到了胡同口，拉响警笛，横冲直撞开进去。

老单正在家喝酒，和女儿怄气。上高一的女儿期中考试不及格，用攒的零钱去了趟兴城，海边上逛了几天，海没跳又回来了。这时，她正一副受尽虐待为自己的民主权利斗争不顾一切的毅然决然相，同老单相持着。曲强进来看到的是脸红脖子粗、没好气的老单。曲强也没好气，特别是听到老单说：“什么急事还找到家里来，上班的时候怎么不办？”

曲强呼着气把那厚厚一沓报告从公文包拿出来，放到杯盘狼藉的桌上那还算干净的一角。

“这是您要的本市失踪女人的名单和情况简介。我五点整去办公室找您，您已经不在了。”

“你要五点整去找我，肯定会在办公室门口遇到我，也许你的表慢了五分钟。”

老单托起那份沉甸甸的名单，只看到第一页第一个人名就火了。这正是他的女儿。他斜眼看看旁边坐着、表情坚决地大口吃饭的女儿，把名单撂下。

“这名单范围太广，你再重新核实一遍，不要鱼龙混杂，泥沙俱下。”

寥寥数语，使曲强几天几夜的辛苦前功尽弃。

“您认为我这个名单搞得不好？”

“水分太大，要挤干，拧干，像拧手巾一样。这么广的面，我们怎么能有效地抓住重点？我、你都不是三头六臂。”

看到曲强不吭声，老单又说：“你也不要傻干，事必躬亲，打几个电话叫他们派出所去查，否则人没查出来，我们先累死了。”

老单把一脸不服的曲强送出门。暮色里，胡同里的闲人、孩子都聚在闪着灯的警车旁，默默、好奇地看着出来的曲强和老单。

“以后到我这儿来不要转灯拉笛摆阵势，唯恐别人不知道这儿住着个警察。”

“我觉得您用不着隐瞒自个儿的职业。”曲强边上车边说，“又不是什么不光明正大的职业。”

没等老单再开口，曲强一踩油门开车走了。

曲强又开始驱车往一个一个分局、一个一个派出所跑，甚至直接到失踪者家里调查，通宵达旦地坐在办公室里把那些失而复返、有了下落的年轻女子一一从名单上划掉。

这期间，东北发生了一起特大持枪杀人案，三名凶手潜逃本市，刑警队全部动员，在武警部队的配合下巡查全市大街小巷所有旅馆，拉网搜捕。看到同事们每天荷枪实弹、耀武扬威地挤满巡逻车出动，战果累累，擒获颇丰（一些鼠窃狗盗之徒纷纷落网），曲强暗暗羡慕，深为自己枯燥乏味的文牍工作苦恼。他当警察是想轰轰烈烈干一场，可不是为了每天坐在屋里演算加减法。

曲强桌上的名单薄了下去，最后只剩不到十页，被证明确有失踪可能的仅有五人，名列榜首的是川湘餐厅二十六岁的女服务员刘丽珠。

刘丽珠，女，二十六周岁，高中文化程度，已婚，家住东城豆芽胡同七号西屋。据其娘家、夫家人陈述：去年十一月二十日下午六时许，刘从娘家蚊香胡同68号吃完晚饭出去，声称回豆芽胡同丈夫家，结果一去不返。二日后，其夫任北海去刘娘家查询，不得要领，旋去川湘餐厅打听，川湘餐厅经理称刘已二日未来上班。至此，刘的家属感到惊慌，即向当地派出所和市局治安处作了报告，十一月二十七日又在日报登了寻人启事，并向所有亲朋处写信询问，然而一直杳无音信。

单立人仔细看了其余四人的简介，放下名单，看了看坐在对面的曲强，开口说：

“没有什么讨巧的办法了，走吧，咱们挨个拜访这几家人去吧。”

豆芽胡同位于老城区，房子还是前清时期的旧房，有些颓败，只是并不妨碍主人在屋里设置新式家具和各种电器，刘丽珠家就是这样一个外拙内秀、家具电器堆得转不开身、透着幸福富裕气氛的小屋。她丈夫任北海是市电讯局才华横溢、很有前程的年轻工程师，相貌英俊，举止潇洒，待客得体。但曲强仍对他印象不好，不能说是嫉妒他的得天独厚，应该说对他的脸上没有流露出一点理应流露的悲痛不满。

他们是在当地派出所民警的陪同下来到刘家的。任北海接到派出所的通知，专门请了假在家里等他们。

老单一进门就津津有味地看起墙上、写字台、床头柜——无处不在的一个漂亮女人的各个侧面、各种媚笑的彩色照片。

“这就是你媳妇？”

“是的。”任北海眼中悲戚顿生。

“长得不赖。”老单赞赏地冲小伙子点点头，“这样美丽的头颅简直可以当艺术品收藏了。”

任北海面如死灰：“您什么意思？”

老单同情地看看小伙子：“是的，她的头被人割走了，我们那儿只有一具身子。当然，不一定是你媳妇，最好不是，这需要我们核实——在你的帮助下。坐吧。”

大家坐下来，开始由曲强问了些任北海本人的一般情况，接着转入刘丽珠情况的询问。

“你们什么时候结的婚？”

“三年前。”

“怎么认识的？经人介绍？”

“不，自由恋爱，自己认识的，嗯，去餐厅吃饭认识的——她总是额外多给我上一道菜。”

“有意思，她对所有顾客都这么热情？”

“当然不，那样她们餐厅非破产不可，这种小恩小惠只施于她们喜欢、中意或者有用的人。”

“刘丽珠挺喜欢结识人？”

“这大概是她们的职业特点使然，我并不觉得孟浪、轻浮，实际上她给我的第一个印象是落落大方，温柔体贴。”

“可以意会，如果也有人让我花一份钱吃双份菜的话。”

任北海不吭声了，曲强再问，他也不作答，显然曲强的揶揄惹恼了他。

老单插嘴问：“你们婚后感情怎么样？”

任北海低着头，点着支烟，仰起脸："不错。"

"当然，"老单由衷地说，"基础牢固嘛。"

"是牢固，"任北海傲慢地说，"可不是建筑在一道块儿八毛的炒肉丝上。"

老单没理会任北海话里的挑衅味道，说："你能不能给我们形容一下刘丽珠什么样？具体一些。"

"我很难表达得准确、客观，我不是搞文学的，再说情人眼里出西施，最好你们自己看照片。"

"我不是指照片那样的，我是问不穿衣服、光身子的时候是什么样，您不会有裸体照片吧？"

"你打听她光身子什么样干吗？这跟你的工作，人民警察从事的高尚、光荣的工作有什么关系？"任北海已经不仅仅不愉快，几乎有些气愤了，"这话要从大林嘴里说出我倒不奇怪。"

"大林是谁？"老单好奇地问。

任北海鄙夷地一挥手："邻居的一个小流氓，专干扒女厕所、女澡堂的勾当。"

曲强闻言脸红了，正要驳斥任北海几句，老单用目光制止了他，严肃地对任北海说：

"小任同志，希望你不要有什么误解，我询问你这个问题并不是出于低级庸俗的好奇心，恰恰是因为这个问题和我们正在进行的工作密切相关。我们来是要核实一个无名尸体是否是你妻子，我们不认识你妻子，那具尸体又没有头，所以我们只能从体态寻求吻合；无论从哪个意义上讲，我们的问话都是无可非议、光明磊落的。"

"对不起。"

"我觉得我们之间不应该存在任何敌意、腼腆、羞于启齿之类的不健康情绪；可以告诉你，在座的（老单毫不犹豫地把尚未谈恋爱的小曲及那个一声不响、年轻得像个孩子的派出所民警包括进来）都是结婚多年的，对女人身体已没有多余的兴趣。”

任北海看看三个骤然庄严起来的民警，不由肃然起敬。

民警们终于得到了任北海详尽、形象、细致入微的陈述，经过曲强对无头女尸的追忆，结论是：“极为相似。”

“最后还有一个问题，”老单说，“你们婚后在家做饭吗？”

“是的。”任北海干巴巴地说，“实际上我们的关系确定并公开后，她也就无法再给我多上菜了，要知道每次我在餐厅出现，都会招致众目睽睽。”

他的话引起三位民警意外的笑容。老单笑着说：

“我并没有暗指你们会长期占公家便宜。我想问的是你做饭还是她做饭，抑或是分头、集体上各自的父母家蹭饭？”

任北海脸上也露出了笑容，掷地有声地说：“当然是她做！尽管我是支持妇女解放的，但我也不同意用把男的变成女的作为这种解放的代价。”

三个民警、三个男人都对任北海的见解表示理解，深有同感。

民警们在友好的气氛中与任北海分手。老单叮嘱他：

“这几天你不要动厨房的任何东西，我们很快派人来取指纹。”

刑事技术人员经过仔细搜索，终于在胡椒面瓶上取得一枚刘丽珠右手拇指指纹，经与女尸右手拇指指纹进行了比对鉴定，认定同一；又经多次复核，确认无误，无名女尸就是刘丽珠。

刑事技术人员同时对刘家地面进行了血痕预试，反应阴性，基本排除刘家为杀人现场。

曲强精神焕发地来到办公室，笑着和老单打招呼，老单却愁眉苦脸地边喝茶边用手按着胖脸。

“我弄不懂您是怎么回事，”小曲不满地说，“该高兴不高兴，该发愁却又没事人一样。”

“有什么可高兴的？”老单说，“你也别高兴得太早。烦琐讨厌的工作还在后面，该排查凶手了。这刘丽珠干吗不是个家庭妇女，是个工人也好，偏偏是个服务员，我真怕她认识个几百人。”

“您的意思是凶手是她认识的人？”

“假定，如同假定死者是本市人一样。我们只能从她认识的人查起；另外我不能想象一个临时见财起意见色起意的流窜犯会那么费事地割下她的头，剥去衣服，抛进水里。”

“您认为谁嫌疑最大？”

“当然是她丈夫。说来也怪没趣的，夫妻本是最亲密无间的，可一旦一方意外死亡，另一方就马上成为最大嫌疑，连过去那么疼姑爷的丈母娘也反目成仇。”

“我女儿就是让任北海那个挨千刀的杀的！”

刘丽珠的母亲，一个退休的餐厅服务员向毫无表情地坐在她对面的单立人和曲强哭诉。

“别看那小子装得五讲四美、人五人六的样儿，其实一肚子男盗女娼，背着人嘴脏着呢。喜新厌旧，满脑子资产阶级思想，只钻在他的专业里，从不学毛主席著作，不用毛泽东思想武装头脑的人怎么能不变坏？”

“您说他谋杀您女儿有什么证据吗？”曲强趁老太太抽泣的空当插话。

“他不肯要小孩。我早想抱外孙，可他却说趁年轻多玩玩，要个小孩多累赘，花言巧语，死活不肯让我女儿怀上，这不是憋着将来一脚蹬了她，无牵无挂另纳个小娼妇的坏？到底下了毒手。同志，咱们可千万不能让他得逞啊！咱们老辈人打下的江山可不能在他们手里和平演变，变得跟美国一样，美国不就可以随便乱搞嘛。谢天谢地，咱们生活在社会主义中国。”

“我问您的是您有没有您女婿谋害您女儿的具体证据？”曲强尽量客气地说，“譬如，他说过什么威胁性的话，实施过什么犯罪准备？”

“说过！”满脸鼻涕眼泪的老太太大声说，“我亲耳听到过他当面对我女儿说：‘小该死的，没人我再收拾你。’”

“他说过这样的话？”曲强身子往前一冲，几乎不相信自己的耳朵。

“他是在什么情况下说的这种话？”老单缓缓地问，“用什么语气说的？当时什么气氛？”

“当时他们小两口正在打闹，笑着说的。”老太太声音低了八度，旋又扬声，“他脸上笑着，谁知他心里包藏什么祸心？有文化的人有几个不是笑里藏刀、口蜜腹剑，脸上一盆火，脚下使绊子？”

“您还觉得有别的什么人可能谋害您女儿吗？”曲强明显有些不耐烦了。

“别人？”老太太收住泪想了想，接着振振有词地说，“别人干吗要害我女儿？我女儿脾性那么好，见人不笑不说话；尊敬领导，团结同志，爱护公物，干起活来又麻利又仔细，别人的便宜一点都不占。我从小就教导她，人最重要的是志气，人穷志不短，不是自己的东西给也不要，要好好学习，天天向上。别人全夸她，店里领导、同事、街坊四邻没有不夸她的——夸我教育得好。夸还来不及，怎么会害她？害她除了任北海没别人。”

老太太又哭起来：“同志，你们可得给我做主，不能让姓任的小子逍遥法外。”

老单送老太太往外走：“放心，我们一定会抓住凶手，现在凶手是谁还不知道，任北海有嫌疑，但在没最后弄清事实前，您不要一口咬定就是他杀的，四处张扬。这样一不利破案工作，二影响也不好，你们将来的关系也不好处……”

“我女儿一死，我跟他小子恩断义绝！”

“最重要的是，”老单接着被老太太打断的话说，“指控一个人犯有谋杀罪是要慎之又慎、证据确凿的，是要负责的！这关系到一个人的生命剥夺与否，我、你，每一个人都不能感情用事，妄加揣测或信口开河。我希望你节哀，相信司法机关的公正明断。”

老太太信赖地冲大义凛然的老单点点头，蹒跚走出几步，又转回来，对老单严肃地说：

“我女儿是共青团员，希望政府能记着这个，当成对罪犯加重处罚的事儿考虑。”

办公室里，曲强摘下帽子，擦着额头上的汗，笑着对老单说：“这老太太搅得我几乎要相信任北海是无辜的了。”

“我不能说他是有罪的，也不能说他是无辜的。”老单说。

“我知道你们怀疑我，我的岳母已经把我当凶手告发了，你现在看我的眼神就像猎人觊觎猎物一样。我知道我现在处境危险。英美法系是先假定一个人无辜，然后由检察官罗织有罪的证据。只要证据不充分，就仍然认为这个人是无罪的。而我们中国则是先假定一个人是有罪的，如果这个‘有罪’的人不能提出充分的证据洗清自己，那他就将是有罪的。尽管我是中国人，一个热爱祖国的人，我也绝不隐瞒自己的倾向：我认为英美法系的思维逻辑是公正的，而我们的习惯想法带有赤裸裸的偏见。”

“首先，”老单待任北海的侃侃而谈告一段落后，字斟句酌地开了口，“我看你的眼神是简单的、一个人倾听另一个人讲话并对这个人表示尊重所流露出的顺乎自然的关注，不包藏任何用心；如果没有什么异样，也只是因我老眼昏花，看人需要超出常人的聚瞳，并非说明我对你有什么先入为主的恶意，实际上我不妨告你，我倒乐意看到能最终证明你是清白的结果。‘罗织’与‘洗清’仅是措辞的不同，改变不了问题的实质，不管从哪个方向走下去，我们都必须接触到事实的真相，就是说完全客观、原始、未经过任何矫饰与偷梁换柱的证据。现在请你回答，去年十一月二十日下午六点以后你在哪里？在干什么？有什么人可以为你作证？”

“我在家，一个人待着，没接触任何人，自然，我家不够装电话的资格，也不可能有人在这段时间听到我在家讲话。”

“就是说除了你自述，没有任何旁证可以证明你在家？”

“可以这么说，没有任何旁证证明我在家——或不在家。”

“下面我给你念一下同样居住在豆芽胡同七号院的李翠花大妈的证词：“十一月二十日那天晚上我印象很深：那天我拉稀，一会儿跑一趟茅房……我看到西屋没人，黑着灯，锁着门，一点声音没有；半夜一点再次出去上茅房，在院门口遇到任北海，他刚从外边回来，穿着大衣戴着围巾，看见我低头装没看见过去。他这人总是这么傲慢，街里街坊住着，平时见了我也不打招呼，好像跟我说话会玷辱他身份似的。丽珠那孩子比他懂事多了，对人和气，热心肠，我觉得姓任的不配她。他们两口子这阵子关系不好，老吵架，有时还摔盘子摔碗……这都是离题话了，你对李大妈的证词有什么感想？”

“她说的全是事实，但是事实也不能证明我不在家。事实是我黑着灯，躺在床上，而且我家门是撞锁，从外面根本看不出屋内是否有人。她在院门口看见我正是我等丽珠等得心焦，放心不下，出去车站等她没等着回来，我当时没想到出门时也必须让拉稀的李大妈看到才稳妥。”

“你为什么要一个人黑着灯躺在床上？”曲强问，“六点，就是冬天也不是睡觉时间。”

“我累了，”任北海简慢地说，“干了一天‘四化’，累了。别说躺着，就是竖蜻蜓谁管得着？我是在自己家里。”

“这问题先问到这儿。”老单从容地说，“第二个问题：你和刘丽珠婚后感情到底如何？”

“一个字：好！就是吵架摔东西，也是透着好，透着恩爱，打是亲骂是爱。”

“我给念一下居住在豆芽胡同七号北屋的王春花大妈的证词：‘这小两口刚结婚的时候倒算和美，有几个刚结婚时不和美呢？新鲜劲儿嘛。打去年下半年起，这小两口开始别扭了，先是为鸡毛蒜皮的事拌嘴，接着越闹越欢，国庆节那会儿就大打出手了，整宿整宿地吵闹混打。不是我溜人墙根儿，爱听人家夫妻吵架，是他那话往咱耳朵里送，这么个小院，也不隔音，谁一吵架不出屋也听得清楚。我听到他们吵的起因好像是丽珠说小任在外面找了个，用老话说，破鞋。我信！男人都是禽兽！噢，我倒不是说您二位公安同志，你们跟凡人不一样。实话说吧，小任找这破鞋我还真见过，来过这儿，常来，开始我没介意，后来我就琢磨开了：为啥这小娘儿们总是趁丽珠不在家的时候来？为啥俩大活人一进屋就没了动静？可疑！丽珠这丫头可怜啊，寻了这么个坏枣。

别看那坏枣念过大学，可心术不正，他瞧不上我们这些百姓人家，跟我们住一起他嫌寒碜。有次我家来客，我揪了他窗台上两头蒜，他就背后骂我老帮子，说跟我住街坊‘算倒血霉了’。损不损？有本事住中南海去，那儿没人揪蒜。要说他把小刘宰了，我信。老话说：蔫狗咬人。’”

老单念完王大妈的证词，抬头看任北海，任北海脸上红一块，白一块，半天，苦笑说：

“没想到大妈们早跟我这房前屋后张下天罗地网了。”

“王大妈所说是不是事实？”

“不是！纯粹是他妈的造谣诽谤，挟嫌报复。”

“小任同志，”老单推心置腹地说，“我希望你冷静一些，先不要急于否认，分清主次，认清利害关系，不要因为某些小小不言的难堪，就置自己于更大的被动。你现在当务之急是要澄清自己有无杀妻嫌疑，其余一切顾虑、难言之隐统统都需让路。我们对你的私生活不感兴趣，我们不是妇联下来的偏执狂热的卫道士，你所说的一切将受到我们永久、万无一失的保密。平心而论，男人有时产生的见异思迁并不罕见，我就可以理解，并寄予最大限度的同情。我也是从年轻时候过来的，不要认为上了年纪的人就一定保守、封建顽固。我年轻的时候也对自己的婚姻状况产生过不满，当然我没有你们现在某些年轻人的胆量，但也不是完全无懈可击的，这不妨碍我忠诚老实地为党工作。”

曲强忍俊不禁，任北海无动于衷，坚定地声称：

“第一，我不在犯罪现场，去年十一月二十日整个晚上在家；第二，我没有任何值得一提的外遇，具备因奸杀人的动机。你是你，我是我。我没有杀刘丽珠，一指头也没碰她！”

“收审算了,让丫姓任的牛逼。”从任家出来后,曲强气愤地说。

“这小伙子在给自己找麻烦。”老单没表态,“大概他受到某种近似海誓山盟的重大承诺的约束,顾脸不顾命。作为一个中国人,我理解这种‘高贵’的情操;作为一个彻底的唯物主义者,我认为毫不可取。”

“我现在才发觉您不是个肉头。”小曲笑着说。

“我当然不是。”

“能不能给我讲讲你年轻时是怎么风流的?”

“不要胡猜,我刚才只不过是种策略:将心换心。不过,要是你请我喝顿酒,我可以向你披露一二。那是我当兵时驻地的一个渔家姑娘,民兵排长。”

老单陶醉地遐想,小曲哧哧笑着爬上警车。

“你开车慢点,坐你的车我的心脏病都得加重。”

警车载着小曲和老单,稳稳地行驶。

一个长发小伙子驾着摩托车从豆芽胡同出来,尾随而去。

“我叫大林,是来反映任北海的事。”长发小伙子正经八百地站在接待室,对老单说。

“坐吧,”老单和气地说,“有话请说。”

“任大哥去年十一月二十日的确在家,没去杀嫂子,我可以作证。”

“你目睹了?”

“是的。”

“那请把详细情况讲一遍。”老单摊开讯问记录纸,准备记录。

大林却局促不安起来。

“我跟您说可以,您别记下来,这事您知道就行了。”

“这不行。”老单说，“这都是有规定的，记完了你还要签字，否则怎么能证明你确曾说过这些话？”

“我这算不算将功抵过？能不能对我免于追究？”

“你怎么啦？这里有你什么事？”

“本来我不想管这事，一说出来非把自己抖搂出来。可现在瞅着，我要不说，就没人知道，任大哥就得让你们给冤枉了。我大林这人没别的，就是仗义，宁肯别人不仁，不能咱自己不义；宁可自己倒霉，不能见死不救。”

“你有什么话就放心说吧，如果牵扯到你的什么不法行为，只要不是法无可绾……你盗窃的数额大吗？”

“不，我从不偷东西，咱这人虽说不怎么地吧，偷可不沾。偷？不劳而获，那是人干的吗？咱大林这点原则性还是有的。我最恨小偷，每逢逮着就打个半死。”

“那你干了什么？”老单迷惑不解地问。

“我……”小伙子脸红了，羞羞答答的，“我有一个爱好，我自己也知道不太光彩，每回干了我都狠狠骂自个儿：真是畜类！可下回事到临头，又情不自禁，不去干就煎熬得受不了。您知道我没结婚，岁数也不小了，国家提倡晚婚，轻松一说，咱年轻人身体发育可不按国家号召等到二十七八才全乎，要说这也是通的。我早想给中央写信了，不就头疼咱中国人口多嘛，节育呗，大大的避孕套发下去，效果就有了，何必晚婚？瞎耽误工夫，毁我青春，社会上强奸发案率也降不下来。”

“你强奸人了？”老单吓了一跳，声音颤抖地问。

“没有，我知道那是犯罪，犯罪的事咱不干，咱没那能耐，咱这是有色心没色胆，光瞜瞜就能吓出一身汗。”

老单明白了，厌恶地说：“别兜圈子了，有话直说吧。我给你打保票，你这事算了，人民内部矛盾，不予追究。”

大林又欣慰又难为情，酝酿半天，鼓起勇气说：“那天，十一月二十日，我天一黑就上屋顶窥探任大哥了。我一准知道他今晚有节目，我们住同院都摸着规律了，只要他晚上不开灯，那就是拔火罐呢。果然我扒着房檐借月光那么一瞜，屋里两人正热火朝天干呢！任大哥劲大，足足俩时辰。我在房上都快冻成冰棍了还不见完，我得坚持啊。”

“那女的是谁？”老单公事公办地问，“你能认出来吗？”

“黑着灯我也就看个大概，脸哪儿认得出来？都挡着。男的是任大哥没错，反正那女的不是丽珠嫂，他们俩我熟。”

“你以后规矩点。”大林把他的丑事陈述完毕，签字按过手印，老单训诫他，“挺大的人啦，别老干这猪不吃狗不理的缺德事，找个媳妇，让家里人帮帮忙。老这样对你自个儿身心健康也不好，丢人不说管什么用啊。”

“我是打算痛改前非。”大林认真地说，“您要不信您盯着我，再干把我剁下来。”

“剁也没必要，盯你我也没那么大闲工夫，但你这事下回让人抓住，我非送你三年劳教不可。”

任北海的嫌疑排除后，侦查范围非但没缩小，反而扩大了，光是搜检来的刘丽珠的电话号码本上就有上百个熟人电话，五行八作，三教九流，党政工农兵学商无不囊括。单立人和曲强咒骂着逐个调查排队，奔波取证，分析推断，将关系一般的和关系密切的区分开来，又从关系密切的里面甄别出在刘失踪前与她频繁接触的三十个人，划掉其中十三个女的，将其余十七个男人中有劣迹的九个作为重点审查对象。经过反复核查，证明这九个人十一月二十日都没有犯罪时间，五个在牢里；一个正在偷东西；一个正在酗酒吵闹；一个正在向妻子忏悔；一个正在和哥儿们闲聊瞎侃。推而广之，剩下的八个“模范公民”经过调查也不具备犯罪时间：四个正在家里和妻儿父母怄气；两个正在和别人的老婆幽会；一个正在单位值班室闲得发呆；一个正在足球场起哄。

“你还坚持认为不是流窜作案？”小曲问老单。

“是的，要是这样认为就意味着我们只得放弃侦查努力，等该犯因他案就擒后主动吐实，我认为我们漏掉一个人。”

“谁？”

“不知道。以我的经验，这时我们只要再坚持五分钟，再耐心等待五分钟，就会有新的线索出现。”

新的线索出现了。

一、川湘餐厅服务员反映，去年十一月初至发案前，有一个文质彬彬、中等个头的年轻男人屡次来餐厅就餐，每次都坐在刘丽珠服务的八号桌上，与刘有说有笑，十分亲热，照例恬不知耻地享受了一份钱吃双份菜的待遇。刘曾对同事讲，该男人为某电影厂导演，正在为其《男人中的女人》一片选演员。公安人员将刘丽珠“联络图”上全部五十七名年轻男人的照片一一摆在桌上请女服务员们辨认，结果全部否定，一致认为：“没有一个像那个人那么潇洒的。”

二、刘丽珠的电话号码本末页发现一个无名的电话号码。

“什么人的电话号码才会不注名呢？”老单问小曲。

“容易引起他人注目带来麻烦的；意味着某种不可告人的秘密的；极为熟悉、密切、刻骨铭心并达到高度默契的。一句话：

一个关系特殊又特殊的朋友！”

老单和小曲对电影厂的调查是令人失望的。电影厂保卫部门介绍说，该厂从未拍过什么《男人中的女人》，去年年底倒是有一部片子名叫《男人上面的女人》，并把该片导演组的全体成员：两个导演，一个副导演，一个助理导演，两个场记统统找来请老单和小曲过目。导演们虽然都很年轻，也都很潇洒，遗憾的是：全是女的。这点本来早该从片名就领悟到的。

那个无名电话号码通过电话局查到了，也是非常令人莫名其妙的，是一个清洁车辆厂的传达室的电话。这个清洁车辆厂有职工近千人，百分之八十是年轻男人。

“您总不见得想把这千把人再从头捋一遍吧？”去清洁车辆厂的路上，小曲怀着侥幸心理问老单。

“不得已，只能如此。”老单冷冷地回答。

“老天，我怎么干上警察这一行？”小曲痛苦地呻吟，一打方向盘，车画了个大之字形，差点开上便道，路边的交通警扬手把他们拦下。

“我们是市局的，有任务。”小曲有气无力地向交通警解释。

“甭跟我说这个，甭跟我说这个，听见没？”交通警一脸不屑，一边刷刷撕着收据票，“就是局长他本人犯在我手里也得照章罚款。我不管你们有没有任务，全国人民都有任务。”

“这电话，是人就来打。”传达室的大爷说，“厂子里厂子外，我认都认不过来，都瞅着这儿不收费了，打起来那叫一个玩儿命，特别是那些小年轻，给对象打电话长聊，我是黑更半夜不得觉睡。什么话不说？什么叫寒碜——不知道！电影电视里的爱情片酸吧？酸不过我这电话。这不，我京戏也不听了，相声也不听了，全改听这电话了，倒是个乐子。”

“那么有没有女的往里打电话？您一般给传吗？”小曲问。

“我传得过来吗？”老头说，“八百多个小伙子就得有八百多个姑娘成天打这一个号码，还不算一个找俩的。除了领导、公事，别的不传，叫多好听也不传。有的姑娘嘴可甜了，我说：‘漫说叫大爷，叫亲爷爷我也不听那套。你这是用着我了，用不着，迎头撞上我，你也把我当老帮脆还不正眼眨的。”

“那么说，往里打是打不进来的——私事。”

“没错。除了我们传达室这老哥儿几个，别人只能往外打。”

“您这传达室里的人里有没有年轻的？”老单问。

“没有！”老头一梗脖子，“年轻的稀罕干这个？都开公司当经理去了。”

老单和小曲笑了，接着发起愁。

“不过，前一阵子我们这儿倒来过一个小伙子。”老头话又绕了回来，“年轻的，没干几天就走了。”

小曲精神大振，连珠炮地问：“去年什么时候？这小伙子长得什么样？叫什么？”

“去年下半年吧。”老头慢腾腾地说，“小伙子长得文质彬彬，中等个，叫李建平。”

李建平，绰号“大轴李”，三十二岁，未婚，居本市东城头发丝胡同六号，一九七三年高中毕业于本市十四中，因逃避上山下乡被街道取消分配资格，一直无业，夏天卖冰棍，冬天卖糖葫芦。自一九七七年起，到某文学出版社做临时工当收发；一九七八年在某电影厂当夜间警卫；一九七九年到某美术出版社当管子工；

一九八〇年到某音乐学院当木工。调查中发现，李建平利用上述文艺单位工作过熟悉情况的条件，常冒充文艺界人士在马路上骗取女青年好感，有轻微违警记录。一九七七年他在某文学出版社当收发时，曾冒充该社编辑约见投稿女作者和上门组稿，引起极大混乱；一九七八年在某电影厂当夜间警卫时，冒充导演去各歌舞团挑选女演员，曾在某歌舞团被识破扣留；一九七九年在某美术出版社当管子工期间，曾满大街纠缠女青年，找模特儿，口称："你可以拒绝我，但不能拒绝艺术。"多次被群众扭送派出所。

经川湘服务员辨认李建平的照片，确认其为常去找刘丽珠的"导演"。

李建平父母已去世多年，有胞弟一人，二人合住头发丝胡同六号南屋两间。两年前两人因家庭琐事争吵，堵死间壁门。今年元旦期间，李建平一反常态，主动提出把自己住的较大的一间换给其弟结婚，并于当月掉换就绪，其弟正在彻底粉刷李建平原住房间。据当地派出所同志提供的情况表明，李建平之弟有聚赌抽头、开黑灯舞会等不法行为。

老单和小曲又专门去头发丝胡同踏勘了地形，发现头发丝胡同毗邻筒子河，周围林木繁茂，若趁天黑无人，抛尸河内极为容易。六号院南屋为过去官宦人家所建，墙厚窗严，若在屋内杀人断头，邻居很难发现。

在局里召开的案情分析会上，大家一致认为，李建平与刘丽珠有近期交往，刘被害后又主动掉换住房，假定李是杀人凶手，其原住房间很可能是杀人现场；现李弟正对房子彻底粉刷，现场很可能要遭到破坏，对头发丝胡同六号南屋必须立即进行勘验检查。为不失时机又不致过早暴露侦查意图，经研究决定：抓住李弟聚赌等不法行为，对其进行传唤，同时搜查其住宅。

单立人和曲强在派出所的配合下传唤了李弟，他供认了聚赌抽头、开黑灯舞会等违法行为，还交代了一些盗窃某单位电化教研室录像设备的犯罪事实。

刑事技术人员首先对李建平原住房间地面进行了血痕预试，发现阳性反应明显，但因粉刷房屋，洒满泥水粉浆，已失掉鉴定价值。此时，李建平的家具和其他物品已搬至其弟原住房间，其弟的家具物品及盗窃所得录像设备也因粉刷房屋存放李建平现住房间，因此，同时搜查了李建平现住房间，除起出赃物，在李建平的写字台、书柜等白坯家具上还发现可疑血痕多处，有鉴定价值。

李弟供称，录像设备放在李建平房间是在其完全知悉内幕后明确首肯的。李建平还对搜查人员诡称录像设备是其个人所购，已构成窝赃罪。

局领导根据上述情况，同意进一步采取以下措施：一、立即将李氏兄弟收容审查；二、认真检验李建平家具上的血痕；三、查封他们的住宅，并进行彻底搜查。

市局的法医组成了专门的血痕检验小组，对从李建平的家具上提取的血痕进行了检验，判明均系 B 型人血，同时查明死者刘丽珠是 B 型血，而李建平本人为 O 型血，然后又将上述取得的血痕送请公安部某研究所鉴定，进一步判明为女性 B 型人血。

单立人坐在办公室里一手按捏胖脸，一手翻拣着从李建平家搜出的记有川湘餐厅店堂电话号码的笔记本和一张去年十一月二十七日载有刘丽珠失踪的寻人启事的报纸。

曲强推门进来：“李建平已经押进看守所，什么时候提审？”

“今天夜里。”老单闷闷不乐地说，“不能让他准备充分。”

“你情绪不高？”

“心里没底呀。”老单承认，“如果真是他作的案，那他对证据销毁得相当彻底。我们了解得太少，我们手头这点东西除了证明他的确认识刘丽珠以外，别的什么也不能证明。他和刘丽珠怎么认识的？他们之间发生了什么事？刘丽珠因何致死？我们一点都不知道，只有揣测推断，一句话说虚，他就会坚不吐实，回旋余地太小。你去抓他，他有什么反应？”

“装傻，一副茫然的样子，很顺从。”

“我就怕这种外表温顺的人。”

夜里，衣饰仍然很整洁的李建平被看守带进灯光雪亮的讯问室。他注意到讯问台后面坐着的主审是个慈眉善目、好好先生模样的胖子，一旁记录的是到过他家的那个英气逼人的小伙子。

“坐吧。”单立人和气地说，指指台子上放的一包烟，“要抽烟自便。”

“谢谢。”李建平坐下，态度冷漠地说，“我不会抽，从小没染上这个恶习。”

“知道为什么叫你到这儿来吗？”问完姓名职业、家庭情况后，老单把球踢向李建平。

“知道。”李建平也是一副坦荡的样子，“我被兄弟私情蒙住了眼睛，做了不该做的事情。”

“做了什么不该做的事情？”

“我弟弟粉刷房屋期间，同意他把盗窃来的录像设备临时放在我的房间，客观上起了窝藏赃物、包庇坏人的作用。这都是由于我不懂法、不学法造成的后果，给我的教训是很沉痛的，我愿意接受政府的处分。”

“愿意吸取教训这种态度很好，要求得到政府的宽大处理，就要彻底坦白交代，遮遮掩掩吞吞吐吐是没有用的。”

“我会合作的，有一说一，有二说二，不隐瞒，不妄言，请您问吧。”

“什么叫我问？既要争取个好的态度，你就主动说。”

“我弟弟他除了盗窃行为，还经常在家聚众赌博，甚至有时带一些不三不四的女人来家里举行舞会，夜里就都住在一起。为这事我说过要他注意影响，可他不听，我们还吵过一架。后来我见劝阻无效，就采取了消极的做法，把间壁门堵了起来，只是自己洁身自好，没有向派出所报告，客观上起了纵容他的作用。我当时的错误思想是：不管怎么说，弟弟总是弟弟，父母去世早，只有我们俩相依为命，能教育尽量教育，不能轻率走极端。”

“难兄难弟！”曲强冷笑一声，“你还挺有主见，干脆把我们公安局的牌子摘了挂你屋里吧。”

李建平低下头，半天没吭声，接着昂起头：“我希望主持讯问的同志不要用这种口气说话，你以为我听不出这是嘲讽吗？嘲讽人人都会，特别是处于您的地位。我是犯了错误，这点我不否认，但我仍是中华人民共和国的公民，我的公民权还没被剥夺，我有权要别人对我尊重。你们代表政府，更应该严肃认真，你们不能指望我听到拿我真挚的亲情关系开玩笑的话无动于衷。”

“对不起，”老单说，“我向你道歉，并向你保证，我们的讯问将是严肃认真的。但要向你指出，你刚才的回答是避重就轻、不着边际的。你的错误并不是对你弟弟教育不周，我们叫你来也不是你弟弟牵连了你，你心里应该清楚你有什么问题。我们想听的是这个，你弟弟的问题他自己会作交代的。”

“我没有什么问题，虽然我家境并不宽裕，生活也不顺心，但我自认为我是能在逆境中严格要求自己的。不义之财，分文不取；非分之念，从不萌生；虽无惊天地、泣鬼神、利国利民的大功德，也是乐天敬业，不越雷池一步。我的生活信条是：达则兼济天下，穷则独善其身。胸怀坦白，问心无愧，夜道遇鬼胆气壮，半夜敲门心不惊。”

“真是这么清白吗？”

“到阎王老子那里，三曹对案，也是这些话。”

“那么你最近又找什么女作者约稿了吗？”

李建平的脸腾地红了。

“还是去哪儿挑女演员了？”

老单这句话一出口就有些后悔了，这句重要暗示的话与前句同样涉及隐情的话迭问，冲淡了如雷轰顶的效果，甚至会使李建平重新找到立足点，合二为一，打马虎眼，继续使讯问停留在琐碎、微不足道的一般问题上。

李建平果然很快镇定下来，道貌岸然地开了口：

“我承认我年轻时候荒唐过，至今想起仍使我脸红，谁不是从年轻时候过来的？谁没有过充满浪漫想象的年龄？是啊，那时我很幼稚，又很自傲，狂热地认为自己没有办不成的事，认为自己将来必有大成就，天生我才必有用！认定一切机会都在等着我去利用，可事实与我的理想差距是那样大。我聪明、好学、富有才智，但我生活在社会底层，一个可怜、卑微、仰人鼻息的临时收发员，那种辉煌、具有丰盛精神享受的生活纤毫毕见地展现在我眼前，伸手可触，却又那么高不可攀，无径可寻。我渴望与人交流，进行充满智慧、哲理、风趣，能使双方获益匪浅、怦然心动、豁然开朗的媾谈。我孤独，胸中壅塞如坝横长河，可没人会注意我，没人会关心一个衣衫破旧的收发是否盈盈欲滴。人们趋炎附势，直奔簇拥最亮、最夺目的星座，灿烂的星又是那么多，如银河下泻，哪有我插足、亮相的余地？我实在是太渺小了，只有粉墨登场，拉大旗做虎皮，出此下下策，炉存似火，聊胜于无。当然，随着开头的一帆风顺，势必走向出乖露丑、活现眼前，终被人所不齿。”

李建平眼里闪动着从何种意义上说都是真诚的泪花，鼻腔堵住了。

老单蓦地发现自己开始同情他了，连忙克己，压下去这股油然而起、只会使自己理智受到干扰的感情潜流。

“社会的不公正，机会的不均等，命运的捉弄在任何时候都是存在的，这并不能作为使卑鄙的行为变得正当的理由，正如姚锦云十恶不赦的行为并未因其事出有因而受到法律和人们的宽恕一样。从这点上说，社会是无情的，它所制定的规范律条，所维系的秩序是铁一般不可动摇的。”

“我同意。”李建平说，“虽然我之所以摒弃那种生活，返璞归真，从冒险家变成一个淡泊自持、清心寡欲的人并不是出于对触犯法律的恐惧，而仅仅是出于道德上的自省和良知的发现——我明晰法律许可的范围，从未使自己的行为超越一定限度，就是说若以犯罪与否论处，我是无懈可击的。”

“未必，”老单加重语气，“未必！首先冒充国家工作人员招摇撞骗就是刑法所列罪行之一。刑法第一百六十六条并没以是否牟利或其他例如诱奸作为构成该罪的必需条件，仅招摇撞骗行为本身一实施即可视为犯罪，所以你并不是安全的，况且你也不是像自己所说那样幡然醒悟、洗手不干的。我们有证据证明，就在最近，你还故技重施，冒充过你很熟悉，但并无资格、从未干过、对年轻无知的女性有着莫大吸引力的某一种职业的人，从事该职业的人毫无疑问应被视为国家公职人员。”

“你指什么？”

“你自己清楚。你并不是你大肆渲染、描绘，想强加给我们的那种知书达理、有着高尚理想和追求，只是偶尔愤世嫉俗、行动出轨的下层小知识分子的形象。”

李建平此刻不再挑剔、反驳，只是正视老单和小曲，眉头微皱。

第二天，老单拿到李建平交上来的蒙骗过的女青年名单，发现上面没有刘丽珠，这正说明他对刘丽珠讳莫如深。他急急找到小曲，叫他带些人，把名单上的张丽、李萍、赵红、白玲调查一遍，重点了解李建平和她们的关系，特别注意有无诱奸、强奸及惯用手段等。他自己立即提审李建平之弟，从另一个侧面了解李建平日常生活习性及不法行为。

李建平之弟供称：其兄平时深居简出，对个人物品管理极严，凡抽屉箱柜均上锁，也很少与其弟谈论个人私事。二人合住期间未发现有留女人奸宿；分居后，二人来往更稀少，但有几次其弟早起，发现有女人自其兄屋内匆匆而出。对刘丽珠的照片感到陌生。问及去年十一月二十日其兄的动向，李弟自称那几天在别人家通宵达旦赌博，不知其详。

曲强对女青年的调查也无甚收获，多数女青年说李是个“神叨叨”的人，少数称已无印象，全体女青年均否认与李有肉体关系。给女青年们排队时发现一个有趣现象：李在一九八〇年前结识的女青年多为未婚年少者，而一九八〇年后结识的女青年全部是已婚少妇。

“你这几天考虑得怎么样了？”单立人和曲强再次提审李建平。

“我翻来覆去检讨了自己的一生，认定自己是清白的，除了为虚度光阴、老大无成而嗟叹，并无心惊肉跳、大奸大恶之事。”

“这么说我们抓你是抓错了？”

“你们自己清楚，应该有正视错误、修正错误的勇气，亡羊补牢，犹未为晚，我是不会计较的。”

老单和小曲都笑了。老单说：“你不觉得自己太天真、太笨拙了吗？这话应该我们对你说，当然，你的事不是什么错误了。早坦白早解脱，一意孤行，一条道走到黑，恐怕只能使自己抱憾终身。”

“你不要威胁我，我这人是早把生死置之度外，既不畏死，奈何以死惧之？”

“不要说大话，命如朝露，弃之亦不复来。这几天我们按你的交代做了些调查。”

“我相信您不是尸位素餐，占着茅坑不拉屎，终日只知吃干饭的人。”

“我们发觉你的态度不老实，交代的那些人都是不关痛痒的。”

“这不正说明我的清白无辜。我与那些女孩子的交往仅限于精神境界，难道还非要我杜撰出什么和我有不法关系的人吗？你们要是爱听，换个场合，譬如坐在酒馆里，你们付钱，我倒可以编编，现在我没心情。”

“你和那些女孩子一般都在什么地方交往？”

“她们的宿舍、公园、饭馆，当然都是高尚的场所。”

“带没带个别……情投意合的去过你家？”

“没有。我很在乎保持一己清静之地，不会让那些庸俗、势利的女人去玷污。实话说，向往艺术的女孩子没有几个不是低级浅薄、俗不可耐的。”

“你的意思是说，但凡带到你家里去的都是趣味高雅、才华过人的？”

“不，我的意思是我从未带人去过我家——女人。”

“那就不对了。”老单不满意地指出，“那些早上从你房里偷偷溜出去的有着长发和丰满身体的是何许人？嬉皮士？神仙？你的弟弟，与你仅一墙之隔，双眼视力均在1.5的亲弟弟白日见鬼了？还是你撒谎？”

李建平紧闭嘴垂下头。

“你还否认你和某些女人有不法的奸宿关系吗？”

李建平神色黯然，半晌长叹：“众叛亲离，落井下石，自古亦然。不，我不否认，君子之过，如日月之蚀。”

“是君子之过还是小人之罪，自有公论，现在你需要交代你和这些高雅的女士的关系及她们的姓名。”

“绝不！我有权保留自己私生活的秘密，我的爱情生活与对象神圣不可侵犯，绝不会讲出来让你们当笑料。”

“你必须讲！请你注意，我们是代表公安司法机关对你进行合法讯问；根据诉讼法第六十四条，你有义务如实供述涉及到你的一切。”

“正是根据该条款，我拒绝回答与本案无关的问题。”

“不，我所问及的恰恰是本案的关键所在。”

李建平拒不回答。

“我在等你。”老单说，“你在浪费时间。”

李建平仍不回答。

“你的态度将被视为抗拒讯问记录在案。我提醒你，你的抗拒是无济于事的，在我们扣押的物品中有你的笔记本，通过它我们可以找到所有与你关系暧昧的女人。”

“随你们调查好啦，她们若说是她们的责任，我不放弃自己的承诺。”

“你的缄默已作为抗拒讯问记录在案。下面我们问下一个问题，你是否认识刘丽珠？”

“刘丽珠？”李建平思索片刻，否认，“不，我不认识，我认识的人中没有叫这个名字的。”

老单出示刘丽珠的照片，李建平趋前端详，接着退回原处：“不认识。”

“再好好看看。”

“不用看了，不认识。”

“我们有一百个人可以证明你认识她，而且你的笔记本里也有她的电话号码，你白吃了那么多次饭，你不记得别人，别人可记得你。”

看到李建平不出声，老单又说：“怎么样，是你自己承认，还是我们请来证人迫你承认？我要是你，我就绝不否认不可否认的事实。”

“我承认，我认识这个女人。”李建平说，接着反问，“认识她又怎么啦？她出了什么事？”

“你心虚了？怎么想到她会出事，出什么事？”

“我怎么知道？我才不心虚，只是对你们苦苦逼我承认认识这个女人感到纳闷，我和她是一般认识。”

“怎么认识的？都有什么来往？”

“想不起来了，谁有工夫去想这些平凡庸碌、举目皆是的女人。”

老单看看手表：“现在是半夜十二点，给你两小时，好好想想。”

“你们不能不让人睡觉。”李建平蹿儿了，“还讲不讲人道主义？”

“怎么不讲？”老单慢条斯理地说，“我们讲的是革命的人道主义，没打你没骂你，给你饭吃，虽说睡得晚点，可我们两个人不都在陪着你？你要想早点回去睡觉，那就痛快讲嘛，主动权全在你手里。”

老单给自己和小曲各沏了杯酽茶，抽着烟，悠闲地低声议论起局里最近的人事变动。

“我实在记不清了，”李建平愁眉苦脸地说，“好像就是吃饭认识的，没有什么其他接触，这都是很早以前的事了。真的，我要记得我就说了。我有什么好瞒的？那么多人都告诉了你们，何苦这个不说，我跟她又没什么事。”

“我认为你恰恰这个不愿意说，这也正好证明了你跟她并不是‘没什么事’。这时间过得并不久，就在去年年底，你不是还经常去找她？”

“我哪是去找她，我是去吃饭，那个餐厅的服务员我认识多了，差不多一半。要是其中哪个出了点事都找我，我顾得过来吗？”

“不是出了点事，而是出大事了。”老单开宗明义，亮出底牌：“刘丽珠死了！”

令人意外的是，李建平竟没露出任何失态：“她死活跟我有什么关系？就因为我认识她？难道她只认识我一个人？”

“这事巧了，你认识的一个人死了被人谋杀了，还偏偏在你家发现了和死者血型相同的血痕。”

“胡扯，妄断！纯粹是天方夜谭。”李建平神经质地笑起来，“我会杀人？一个老实胆小、手无缚鸡之力的人会去杀另一个跟我毫无利害关系的人？这简直是笑话、丑闻，是你们这些迫害狂的异想天开。我为什么要杀她，葬送自己？这事说给谁谁也不信，这不符合我的性格，我的审美，我的价值观。我不是铤而走险的人，事实上我也不缺女人，尽管有些女人对我不公正，我也从不忌恨，更不会想到会去毁灭一个美丽的女性，毁灭美？那是天大的罪孽。我爱自己胜过一切，没有任何人的生命抵得上、值得我为之置自己的安危于不顾。你好好看看我，别带成见，平心静气地看看我，我像杀人犯吗？”

“没什么不像的。”老单冷漠地说，“杀人犯又不像白痴有特殊的、典型的外颅特征。”

“你是一个多么冷酷的人呀，没有任何感情。”李建平面露痛楚地说，“我为我的命运掌握在你这样的人手里不寒而栗。”

“关于我的为人，可以留待以后专题讨论，现在还是让我们继续来搞清你的为人吧。去年十一月二十日你在什么地方？在干什么？”

“记不得了。”李建平喃喃地说，“我现在脑子很乱，不能想事。”

“你静下来好好想想你那天都干了些什么，有何人可以作证，这对你来说是很重要的。”

“如果我回忆不起，又无人可以作证，那又怎么样？”

“怎么也不怎么，那就意味着假如你是凶手，你就有作案时间。”

“这么说刘丽珠是那天被杀了。太可怕了，一个人如果说不清他过去岁月中某一天的去向，就要被定为杀人凶手，这是什么逻辑？又是什么法则？公民的幸福保障安在？一个孤独、没有朋友、单身居住的人岂不是每时每刻都要沾上一桩莫名其妙杀人案的嫌疑？这么说，只有每天从早到晚待在熟人中间，不停地说话，连上厕所也要拉上个伴才是安全的啦？”

“你这种担忧大可不必，构成杀人嫌疑的因素不是单一的，司法机关也不会单凭一件孤立的证据给人定罪。你还是把关注的重点落回到自己身上吧。”

“我有个请求！”李建平说，“鉴于这件事的认定是如此事关重大，而我自己现在的精神状态又极为糟糕，恍惚紊乱，不能自主，我请求让我回牢房去写而不是现在就说，这同样是为了证据的准确有效，排除无辜，缉拿真凶。”

“可以。”老单同意，“你要实话实说，不要要滑头，那样对你不利。”

“这是不言而喻的。”李建平说，“我不会拿自己的性命开玩笑。”

“整个十一月的活动都要写，按日期列好。”

李建平被带下去后，老单和小曲立刻同时显出疲惫不堪的样子。

小曲说：“他不会实事求是、痛痛快快交代的。”

“当然，我对此根本不寄希望，这不是个省油的灯，也许我不该过早提到刘丽珠之死。”

“我看出来了，无所谓。如果我们不主动提到，这家伙会永远跟我们在枝节上兜来兜去。你真有涵养，能忍得住那家伙的胡说八道。瞧他那副故作正经、大发议论的样子，我真想四马攒蹄给他吊到房梁上，杀了人还跟咱们谈人道主义！”

“抓紧时间睡会儿吧。”老单闭着眼睛说，“我累坏了，烟抽得太多。”说着他咳嗽起来。

李建平交上第一份煞费苦心、工工整整、充满自我标榜的日程表。

“十一月一日，全天在清洁车辆厂值班，晚上回家，独自一人看斯大林著《列宁主义问题》至凌晨就寝。

十一月二日，全天在清洁车辆厂值班，晚上回家，独自一人看黑格尔著《哲学史演讲录》至凌晨就寝。

十一月三日，全天在清洁车辆厂值班，晚上回家，独自一人看毛泽东同志著作《论持久战》、《敦促杜聿明投降书》至十时就寝。

十一月四日，休息，全天在家看书，计有《资治通鉴》第九卷、《实用心脏病学》、《中国古代兵法选》、《一八七一年公社史》、《了解你的基因》、《食在广州》、《全国铁路列车时刻表》。晚上去‘群众影院’看电影《主犯就在你身边》。”

…………

“十一月二十日上午在清洁车辆厂上班，下午请假去‘美琪’浴池修脚，晚上去二百五十中学听吉他速成课，夜九时归家途中遇一迷路老人，状极可怜，生恻隐之心，主动护送其回善良路412号老人家，谢绝老人家挽留，愉快步行回家，到家12时半，上床安然入睡。”

经查，十一月二十日晚，在二百五十中学上吉他速成课的三十七人中，有四人是清洁车辆厂工人，与李认识，四人均表示那日上课没见到李。

善良路住户门牌到411号即截止，再过去只有一公共厕所。

李建平旋又提供第二份日程表，称自己十一月二十日晚在“光明电影院”看夜场电影《马可 · 波罗》至清晨。

经查：“光明电影院”放映《马可 · 波罗》为十一月十九日星期六夜里，二十日放映的是旧片《欢天喜地对亲家》，没有夜场。

在依据笔记本提供的线索核查李建平姘妇方面也取得一些进

展，共查明李建平曾与四名有夫之妇有奸宿关系。四名妇女在要求保密的前提下，都进行了较为详细的陈述，使办案人员对李的行为个性、惯用手段、心理状态都有了更加全面的了解。

女甲："我是被骗的，我与李是在前年夏天买啤酒加塞儿中认识的。李经常向我吹嘘他出身名门，家里有的是钱，就是没处花，说要送我串珍珠项链，说我的脖子、胸脯长得是那么科学，美中不足的就是略显光秃、呆板，'要是配上串珍珠项链就旖旎了'，这是他原话。也怪我理论水平低，没有辨别真假马列主义的能力，就信了他的，跟他到他家去取项链，结果遭了他的毒手。更可气的是那串项链，我戴回去给别人看，别人说是假的，是化学的。我恨死李建平这个言行不一的骗子了。我平生最恨的就是欺骗，我认为骗是最大的恶行。党中央不也号召我们实事求是吗？我们中国的事情搞不好不就是因为很多人不讲实话，有李建平这样的人存在。我对李建平受到应得的惩罚拍手称快，人民政府又为人民做了件好事。你们辛苦了，同志。"

女乙："我和李建平的爱情完全建立在双方自愿的基础上，这完全是我们两个人的事，跟别人，即便是公安局的，也毫无关系。我们从前就认识，当然我完全想不起来，是他有一天在马路上大方地提醒了我。今天我也不后悔我和他有过的那段关系，即便你们告诉我他不是导演，是清洁车辆厂的临时工，也不能动摇我的感情，也丝毫无损于他留给我的不可磨灭的印象。我认为你们怀疑他是流氓成性的杀人犯，纯属诬陷，是一起新的冤案。他是个了不起的人，才华横溢，气度非凡，就是今天我也认定他将有大出息，是我们国家百年不遇的天才人物，是我们'四化'建设中急需的那种人才，他将来要当了政府总理，我一点不会吃惊。你们应当爱惜他，保护他，可你们干了些什么？你们是在蓄意毁掉他的前程，我对你们的无耻行径感到气愤，你们休想从我这儿得到一点不利于他的证据。我绝不能同意你们把我和他之间发生的高尚、纯洁的情感和友谊说成流氓鬼混，就是对我丈夫我也敢这样说。你们别再费劲了，应当立即、毫无保留地释放他，并为他恢复名誉，否则我要到上级纪检部门控告你们徇私枉法，滥害无辜。”

女丙：“我和他的关系没什么好说的，就是一般互相满足纯生理需要的关系。不用你们告诉我，我也知道他跟我说过的话没一句是真的，我姑妄信，假装信，反正我又不想从他那儿得到什么，而身体是不会欺骗人的。我丈夫是个无能之辈，但我爱他，和他离婚我也未必能找到一个比他更强、更完善的人。哪有十全十美的人？一个人有一样擅长、具备特色就可以了，完美的感觉来自综合，应该善于调剂，取长补短。对李建平来说，与其说他迷惑了我，不如说我主动俯就他，各取所需，皆大欢喜，他没有也不应该负有罪责。对于他目前的处境我很同情，希望你们不要过分难为他，起码不要因我的缘故加重对他的处罚。”

女丁：“我觉得我应该算作被他强奸的。我是在舞会上和他认识的。那天他穿得像个正人君子，人也很风趣，很会恭维人，我明白他有点言过其实，我有自知之明，知道自己充其量也就有一二分姿色，可谁不爱听点好话呢？人非圣贤，孰能无过？我也不例外。但我发誓，那天我去他家完全是光明正大的串门，我根本没把他当一个男人，一个危险、欲火中烧的男人。我有个习惯，总是把熟识的男人当成中性，同事、领导、朋友都一样，因而和他们都是无拘无束、没遮没拦的。这不能说我轻浮，只能说我对人一片诚心，心眼实在。我们社会不就需要这种淳朴、人与人之间开诚相见的气氛吗？当他开始说疯话，动手动脚时，我吓了一跳，几乎不能相信这是真的。我反抗了，真的反抗了，我推他的肩膀，跟他说我不愿意，这样不好，这样会把我们的关系庸俗化。可他不听，让我‘少来这套’。我有什么办法？我总不能像泼妇那样大吵大嚷，又撕又咬，闹得沸反盈天，我做不出来，他倒做得出来。后来我哭了，骂他坏，说我永远不想再见他了。他满不在乎，嘻嘻笑，一副厚颜无耻的嘴脸，过后又老给我打电话叫我去。我每次去都想这次一定要跟他好好谈谈，让他改邪归正，既然我们都知道这是不光彩的事，何必去做呢？可我说不过他，每次倒让他说得我哑口无言。我很苦恼，想到了死，又一想为这事死岂不是轻于鸿毛？后来我们不再见面了，可能他觉得惭愧了，觉得对不起我，不好意思给我打电话了，我给他打电话他也没脸来接，就这么断了。我始终觉得当初要是我再坚决、顽强点就好了，他也就不至于犯错误，越滑越远，终于到了站在人民审判台前的这一天。”

“我不知道世界上还有多少这种自我感觉良好的蠢女人。”老单看完四个少妇的陈述材料对小曲发表自己的感慨。

“对这些傻娘儿们的鬼话、废话我一句也不想多听，只能让我恶心。”小曲说，“但至少一个人讲的情况我们可以利用，那就是我们这位风流倜傥、潇洒俊逸的李建平在女人不肯乖乖就范时会毫不犹豫地采取强制手段，他的性格中有暴烈、冲动、不计后果的一面。”

“是的，像他那样屡受挫折，到处遭受白眼，在大多数场合敢怒不敢言，弦已经绷得太紧的人会骤然因一点小小的不如意大发作的。”

单立人再度提审李建平时，用铁一般的事实迫使他承认了确曾“纳人之妻”，但没能使他承认这是一种犯罪。他说自己的所作所为符合“发生婚外性关系的双方或一方有配偶并具有感情色彩”这一“通奸”定义。而通奸我国刑法并未视为犯罪，仅是一种不道德行为，只应受到行政或纪律处分。这个能言善辩、巧舌如簧的家伙还矢口否认了自己会“害人之妻”。他说老单的推断是缺乏逻辑、一相情愿和站不住脚的：在对甲的强奸行为（且不论这种一面之词是否属实）和乙的被杀之间没有必然、因果的联系。推理和想象只能存在于文学，不能移植于司法实践，“不管哪个，多么偏袒的法庭也不会接受推理结果为定罪证据的。”

事后小曲责怪老单没有使用最有力、最致命、最难以申辩的证据：出现在李家的 B 型女人血的事实，穷究其竟。

老单回答：“对这样一个狡猾、顽固的对手，我不得不谨慎，不能把所有牌同时打出，我要保留最后一招杀手锏。况且仅仅孤立地发现 B 型女人血，并不能就此断定这血就是刘丽珠的，就是致她命的，要和其他证据结合起来看才有效力。我在等其他证据，我不信我们搞不到其他证据了。让李建平先得意去吧，一旦证据充足，我就要在他头上投下一颗重磅炸弹。一颗无法回避、威力无比的炸弹。我要把网编得结实一些，密一些。”

春天到了，冰消雪解，大小湖泊无不柳浪翻飞，碧波粼粼，油漆一新的游船也都下了水，四处徜徉。

一个夜晚去筒子河偷捕鱼的人一网下去，捞上来两尾大草鱼和一个帆布书包。书包鼓鼓囊囊，打鱼人解开书包扣，倒出包内物品，从一个张口的塑料袋里骨碌碌滚出一个烂得发臭的离体人头，停在草地上，在朦胧的月光下狰狞地望着打鱼人。那天晚上，筒子河周围的住户都听到了一声惨绝人寰的悸叫。

市局刑侦处接到报告赶到现场，勘验检查发现：一、装人头的书包为本市帆布制品厂生产的大号帆布书包，塑料袋为“青松”

时装店制作出售的“青松”牌法兰绒西装上衣的包装袋。二、离体人头有烫发，发长十五公分，一触即脱落，脸面表皮全部剥落，五官塌陷变形，断面有皂化现象，颈部自第六颈椎处断离，有锯齿状切痕。牙齿二十八枚，齿缝较宽，上颌两门牙内倾，头颅的前额正中、项后正中、左右顶部有多处钝性创口，两侧颞肌有出血现象，左颌顶骨有粉碎性脱落性骨折。三、口腔内塞有军用袜子一双。四、包内有白薯六个及普通红砖半截和若干碎石子。

法医勘验检查：综观头颅主要特征：性别、年龄、发型、脸形、牙齿、血型等，均与刘丽珠相似或一致；头颅颈部左侧断离边缘的锯齿状切痕，与刘丽珠尸体躯干上相应部位的切痕吻合，由此认定，离体头颅是刘丽珠的。头颅上多处钝性伤口，显然是致命伤。

除对离体人头进行勘验外，同时对所有有关物品进行了检验，其中较有价值的是白薯、袜子和“青松”牌西装包装袋。

白薯经专业人员鉴别，认定是“胜利八号”品种。查证发现，李建平家有十一月上旬从农贸市场购买的“胜利八号”白薯一袋。

袜子是中国人民解放军士兵制式装备。经讯问李建平之弟得知，他一九八〇年从部队复员时带回大量该式袜子，并赠送其兄数双。因该式尼龙加底袜子厚重保暖，李建平数年来冬天一贯穿着此袜。

“青松”牌法兰绒西装此刻就穿在李建平身上。

由于天热，李建平头发全被剃去，秃头秃脑，已不复见当初那副温文尔雅、有板有眼的矜持，白里透黄的脸上透着委靡与悲哀，眼神深沉滞重，一见到依旧精神很好的单立人，不免抱怨起来：

“刑事诉讼法规定被告人在侦查中羁押的期限不得超过两个月，我已经被关了两个多月，你们既不放又不移交检察院，难道执法机关可以这样践踏法律吗？”

“这点你挑不出我们的刺儿，你的案子属于案情复杂、期限界满不能终结的一类，我们已经上报人民检察院批准延长了你的羁押期一个月，如果这个月内仍不能终结，那我们还要依法延期。你要想早点结束，就要和我们合作。”

“我在看守所里受到了虐待，每天都是窝头，什么菜便宜吃什么菜，我已经营养不良了。我要求起码和‘四人帮’吃一样的伙食，另外我还要求能看到每天的《人民日报》。”

“关于你这一级人犯的囚粮标准，国家有统一规定，我们公安机关并未克扣补助到自己的干部食堂里，当然是不会如川湘餐厅的菜那么好吃，富于营养，但保证你的健康还是足够的。《人民日报》暂时不要看了，关心国家大事每天晚上八点听‘各地人民广播电台联播节目’也就够了，我向你保证《人民日报》也没有更多的消息。”

老单点起烟，舒舒服服地坐好。这段时间他已染上了烟瘾，不抽就六神无主，这给他带来了额外的开支和对呼吸系统的损害。

“怎么样？这段时间考虑得怎么样？还坚持自己是无辜的吗？”

“坚持，到死也坚持，就是我不珍惜自己的生命，也不能不珍惜公安机关的信誉。你心里也明白我是无辜的，干吗不敢把我放了呢？早放早主动，不但损害不了反而能提高公安机关的威望，何必非在明知错了的事情上坚持到底呢？”

“你认定是我错了，应该立即将你释放？”

“是的。”

“好吧，我把继续羁押你的依据摆出来，你来替我分析一下，是把你无罪释放名正言顺呢，还是指控你犯了故意杀人罪更有道理？你认识刘丽珠？”

“认识。”

“去年十一月期间你们还有过接触？”

“可以这么说。”

“她在十一月二十日失踪了，被人谋杀了，而你不能证明十一月二十日那天你没有时间去杀害她，那天晚上你去向不明。”

“我承认。但单凭这一点什么也不能说明，我完全可以说那天晚上我独自一人在街上逛了一夜，一个熟人也没遇到。”

“可她偏偏在那天晚上出现在你家，在那里被人把头砍了下来，血喷在你的家具上。”

“你有什么根据说她是在我家被人把头砍下来的？”李建平大声叫起来，“就凭那些血迹？同一血型的人成千上万，割破手指也会流血。”

“当然不是光凭那些血迹，尽管那些血迹就足够令人怀疑的，那么多血，就是一头牛也不能安然无恙地流那么多血。她的尸体被扔在你家附近的河里，她的头被装在曾经装过你身上这件西装的塑料袋里，嘴里塞着你穿过的军用袜子，夹杂在你十分爱吃的‘胜利八号’白薯之间扔进了同一条河。这么多偶然，看上去平常却都和你有着直接关系的现象如此一致、集中地出现，你还能说它是偶然的吗？你还能否认这事与你无关吗？”

“从现象上看，我似乎是凶手。”

“不是似乎，而是只能。你认识被害人，有作案时间，有作案动机——从你那些姘妇的供述中可以看出，你为了满足你的兽欲，是多么不择手段。更重要的是你家是杀人现场，被害人的血流在你家，包裹被害人头颅的一切物品取自你家，而你家只有你一人居住，只能你是凶手。”

李建平笑了，是的，他笑了。

“你笑什么？”单立人对李建平的玩世不恭又恼火又困惑。

“好笑。”李建平傲慢地说，“我觉得你执拗、形而上学的态度好笑。你的推论无疑很严谨，很有说服力，一环扣一环，但它是建立在一个不牢靠、虚假的前提上，因而再严谨也不免误入歧途，导出错误的结论。”

“我的推论是有充分证据的。”

“好吧，”李建平很快地说，显得很活跃。“让我们来看看这些证据，血迹也好，塑料袋、袜子、‘胜利八号’白薯也好，都证明了我家是杀人现场，也只证明了杀人是在我家进行的！除了作案时间、作案动机、认识被害人这些共性条件，我之所以只能是杀人凶手的独特条件是‘我家只有我一个居住’，而杀人必须是住在我家的人干的，如果我家居住的不仅仅是我一个人呢？”

“什么？”单立人和担任记录的曲强都大吃一惊，“你不要嫁祸你弟弟，他进不了你的房间，而且他不具备作案时间。”

“我并不是指我弟弟。”李建平狡黠地微笑，“要是的确有那么个人住在我家里，又具备作案时间，你还认为只能我是凶手吗？”

“你说话必须有事实做根据。”单立人不安地说。

“我当然有事实。”李建平说，“事实上你们忽略了一个人，那段时间，去年十一月我是和一个人同住的。”

“谁？”

“张大雷。”

“他是谁？”单立人强压怒火，“为什么从没听你说过？”

“他是我的朋友，河北保定人，每次来都住在我家，我给过他我家的钥匙。去年十一月他一直住在我家，后来就走了，没再来，不知去哪儿啦。”李建平洋洋得意地说，“瞧，现在有三种可能了，

一、我杀的人；二、张大雷杀的人；三、我们共同杀的人。世界上的事就是这么错综复杂，变化万千，看似绝对的事，实际上不那么绝对。”

单立人终于按捺不住了，他懊丧、痛悔自己没能更周到更细致更多一千倍地耐心做调查工作，以致精心准备的、满以为不可动摇的论点被对方不费吹灰之力，一下子推翻了，前功尽弃。

他阴沉着脸对李建平说：“我送你副对联：巧舌如簧亦枉然，水落石出终有日，横批：及早回头。”

李建平说：“我也送您副对联：办案不像炖豆腐，看事须长三只眼，横批：还得再练。”

“浑蛋？”老单一拍桌子。

经过对李建平之弟的讯问，证实了张大雷其人的存在，因其一贯行动诡秘，早出晚归，所以以往派出所和街道居委会提供的情况都漏掉了他。据李建平之弟供述，该张大雷系靠卖尼龙服装、假首饰、瓷盆瓦罐为生，每年都要来本市数次，因李建平爱买些前朝的饭碗、掸子瓶以充风雅与其结识，每次张来便接引至家，提供膳宿，好在张大雷也在交易中让李建平些微小利。张大雷特征明显，身高一米九，糙黑如陶器。市局立刻向各车站派出所发出通报，并派员至各自由市场、摊贩聚集处查询，同时在头发丝胡同六号设点蹲坑，布置了周密的查找措施。

二十余日内，共扣留身高黧黑者四十余人，终将张大雷查获。

张大雷是个极不易对付的家伙，先冒名李建宁，后又改说叫张云，自称是国家安全部的特工人员；在受审时态度蛮横，指责公安机关妨碍了他“执行任务”，要让公安机关“吃不了，兜着走”；并装腔作势要给自己的上级打电话，得到公安人员允许后，他把电话打到火葬场，说了一大通莫名其妙的话，被公安人员揭穿后，方才罢休。但仍公然挑衅说：“我的名字都是假的，你们公安局有本事去调查好了。”曲强在保定市公安局的协助下，跑遍了保定周围所有县区，发现高阳县五柳乡六指大队常年外流的张大雷，情形酷似该张大雷。曲强及侦破组其他同志又迅即查对了晋冀鲁豫四省的十指指纹档案，在山西省公安厅刑侦处技术科查到张大雷的十指指纹，经比对认定同一。由此查明：张大雷，男，四十五岁，原籍河北高阳，后迁居山西榆次。早在一九六三年，因扒窃罪被判刑五年，服刑期间脱逃，直至一九六四年七月，被山西省公安厅二次查获，一九六五年被榆次中级人民法院判刑十三年，投入青海省都兰县香日德农场一大队二中队劳改，至一九七八年刑满留场就业，同年请假回榆次探亲，后一直不回农场。一九七九年冒充北京市政二公司十八级科长行骗及奸污妇女，被北京市公安局收容审查，释放后又于一九八〇年七月一日上午偷开北京起重机械厂大型货车肇事，致死一人，重伤致残一人，伤三人，从此畏罪潜逃，北京市公安局已通缉在案。

为了统一对本案的认识，市公、检、法三长召集了三家办案经验比较丰富的若干同志举行联席会议。大家听了介绍，看了材料，看了现场，然后进行了讨论。与会同志一致充分肯定了本案的专案侦查工作，同时认为，认定李建平是杀害刘丽珠的凶手是有根据的，但是，张大雷是否本案同伙，尚无有力证据可资佐证。要定这个案子，必须查明张大雷与本案是否有关。据此，会议决定，由市公安局刑侦处、预审处抽调力量，市法院和检察院派人参加，共同组成联合办案组，负责查明这个问题。联合办案组经过研究，认为关键是要查明去年十一月二十日晚上张大雷是否在李建平家。对此，李建平供称：张大雷在他家住至十一月三十日才离去。张大雷辩解说：去年小雪前三四天，他同一个湖州人从本市乘飞机抵杭州，同日从杭州出发经宁波去温州，头一天在宁波灵桥附近一家浴室投宿，住宿证明是李建平给的一张四川华能公司的介绍信。第二天上午，他同那个湖州人在宁波预购了去温州的轮船票。这天傍晚，他同那个湖州人在宁波新江桥自由市场，向一对好像是夫妻的男女买了一批线裤，并向男的索讨了一张填有两个名字的慈溪县白河公社的介绍信。晚上，他同那个湖州人是在宁波轮船码头门前的过道里过的夜。第三天下午二时，乘上去温州的轮船，第四天下午抵达温州，并用慈溪县白河公社的介绍信作证明，在温州市解放北路山脚下一个坑道招待所住下。十一月二十五日才又返回本市李建平家，五天后离去。针对张大雷的辩解，联合办案组兵分两路，分头前往宁波和温州调查。经过一个多月艰难曲折、反复细致的工作，查明以下事实：(1) 去年小雪是十一月二十二日。(2) 小雪前的三天即去年十一月十九日晚上，张大雷等曾在宁波市延安路立新浴室投宿，次日即二十日下午三时四十分以后，张大雷等在宁波市新江桥自由市场套购线裤一百多条。卖线裤的是慈溪县白河公社屺东大队回纺塑料制品厂供销员李阿根和其妻蒋花妹。买卖线裤成交后，张向李讨得介绍信一张，填有王志成、刘敏二人名字。(3) 十一月二十二日下午，张大雷等冒名王志成、刘敏住进温州市坑道招待所。

上述事实证明，张大雷在去年十一月二十日不可能到李建平家参与杀害刘丽珠。据此，本案对张大雷的嫌疑被正式否定了。张大雷遂被押送北京市公安局另案处理。

张大雷的嫌疑被否定后，联合办案组专门讨论了预审计划，大家对李建平的态度做了如下估计：1. 不可能轻易缴械；2. 很有可能继续把赌注下在“公安机关拿不到否定张大雷的有力证据”这点上，固守“非我即他”这道防线。据此，研究确定了如下对策：不急于使用否定张大雷的证据，促其明确重申“非我即他”之说，然后使用证据断然否定张大雷，迫使其无路可退，争取突破口供。对李建平的审讯仍由单立人主持。

“调查得怎么样了？”李建平一见单立人就高声问，“又是这么长时间没见，我还以为你把我忘了呢。忙得够戗吧？注意点身体，您这么大岁数了，天又热，慢慢来，我不着急。”

“难为你还挺关心我。”老单笑着说，“谢谢，我身体很好。”

“给支烟抽。”李建平走上前来从老单的烟盒里拿出支烟，划火点上。

“你不是不抽？”

“闲得没事，在牢里学会的。”李建平吐出烟圈，颇为老练。

“看守所里有烟？”老单难以置信地问，“狱规不是禁止的吗？”

“咳。”李建平轻描淡写地说，“他禁他的，底下还不是照抽，办法有的是，办法是人想出来的。张大雷找到了吗？他住没住过我家调查清楚了吗？”

“查清了，他去年十一月前后的确在你家住过。”

“好啦，我的嫌疑洗去一半了。”

“且慢吧，人死在你家仍是确凿无疑的。”

“这点我不想否认，谁叫我引狼入室的呢，教训哪。实话说，我对以后出去怎么生活感到茫然：一人独居，招致嫌疑；与人共居，亦受牵连。我自认是个有些眼力、洞悉力、对人事沧桑有些心得的人，交友也很谨慎，明哲保身，但仍无法彻底了解一个人的优劣良莠，上了张大雷的当，没看出他这个披着羊皮的大尾巴狼，吃了亏。这次进来对我的自信心是个打击，我再也不敢相信人了。您说，为什么我们人与人之间的沟通这样难？为什么大家都戴着面具生活？真正令人感慨万千。”

“恐怕是各有各的鬼，欲盖弥彰。”

“您看没看出我这人其实是个很坦白、很诚实的人？”

“但愿你是。”

“人与人之间的不信任是多么根深蒂固。”

“咱们还是回到本题上来吧。”老单留神不让李建平胡扯开来，“你能不能给我描述一下张大雷的为人，是否具有杀人的可能？”

“张大雷的为人自然是有很多欠缺之处，但我不能就因此说他是个天生的杀人坯子。你的问话有毛病，是否具有杀人的可能与他的为人没有关系，好好先生一时性起也有可能涂炭生灵，兔子急了也咬人，全看斯时斯地光景，特殊情况按常规是导不出合理解释的；人的行为怕是最无逻辑可循，从这点上说，人是兽性未泯的。张大雷之所以被我们怀疑杀人完全是因为他当时在我家，有作案时间，并非因为他是个社会渣滓，品行恶劣。要是当时你，审讯官大人在我家，也难逃干系，我这么说是不是唯物主义的科学态度呀？”

李建平面露得意之色，单立人也不禁再次微笑起来：

“我该承认你看问题很准确，态度是公正无私的。我同意你的观点。虽然你使用‘我们’属于用词不当，相反，如果你和张大雷合称‘我们’倒是再恰当也没有，因为当时确是‘你们’在一起，而我却有幸不在场。”

“咱们不是在共同分析张大雷其人吗？”李建平不满地说，“不是你这样请求我的吗？尽管我们现在位置悬殊，一个在堂上，一个在阶下，但我觉得就是称一下‘我们’也并没玷辱你的祖宗八代。

我对你，一个社会主义中国的公安人员头脑里居然有这种封建的等级思想感到痛心。”

“我只不过是提醒你别把自己置身事外，你大可不必耿耿于怀，唠唠叨叨，我本来认为你是个坦荡君子，不念一言之恶。”

“我当然是。我并没往心里去，我不会往心里去的，你不必改变对我的本来看法。”

“我喜欢你这种爽快作风，让我们推心置腹谈谈吧。你似乎也同意，确定谁是本案凶手，必须以去年十一月二十日晚上谁在你家为依据，其他尽可略去；换句话说，凶手只能在当时在你家的人中去找。”

“可以这么说。”李建平警觉起来，又实在无法不承认这经他首肯、论证过的钢铁逻辑，犹犹豫豫地说，“看来只能是这样。”

“那天在你家的只有你和张大雷，并无他人了吧？”

“是的。”

“也就是说杀人凶手只能是你或他，二者必居其一。”

“是的。”李建平无可奈何地说，“二者必居其一。”

“如果你有确凿证据证明那天你没作案时间，那张大雷就是杀人凶手无疑了？”

“是的，”李建平大为兴奋，“我想我应该找得出确凿证据证明我不在现场。”

“反之，如果张大雷有确凿证据证明他不在现场，那你……”

“那我就是杀人凶手，那我就承认我是凶手，当然这只能是他真有无可辩驳的证据。他有吗？”

“非常遗憾，他有。”老单平静刻板地说，“经过我们缜密无误的调查，他在去年十一月十九日已离开你家，二十日那天远在宁波，不可能返回北京作案。”单立人脸色一变，严厉肃威地说：

“你还有什么可说的？”

李建平的脸由红变黄、变白，他强作镇静，双手仍不由自主地颤抖起来。

“看来我中了你的圈套，只好自食其言了。”

“你必须毫不隐瞒地交代你杀害刘丽珠的罪行，以求一线生机。”

“不！”李建平眼里涌出泪水，“我没有干过那样的事，诌也诌不出来，我真的没干过！”他喊，“这里一定出了什么差错，一定有个什么重要事实你们遗漏了，否则就出了鬼。我没有杀人，我发誓没有杀人！”

“你杀了人，所有事实都指向你，证明你杀了人，不要不正视现实了！”老单铿锵无情的话使李建平所有幻想都破灭了，“你不要抱任何侥幸心理了，不要捞稻草了，谁也救不了你，你只有走彻底坦白这一条路！”

“我多么希望这是一场噩梦呀。”李建平脸色犹如死人一样灰白，“我说不清楚了，算我抗拒吧，随政府处理，我只有听天由命了。”

“你不要以为你不承认就能抹杀事实，逃避惩罚；你也清楚，如此充分的证据，没有你的口供，法庭也能定你的罪。”

“你们凭什么认定刘丽珠失踪之日就是被杀之时？”李建平绝望地挣扎，以期再找到一个、哪怕十分狭小的立足点。

单立人的回答是简洁有力的：“尸体是在冰层下发现的，而去年的封冻日正是十一月二十一日。”

李建平不再争辩了，颤抖由双手蔓延到全身。他最后提出两个问题：一要求查一下去年十一月二十日他是否在朋友王宇家喝喜酒；二是要求查一下“豆花饭庄”组织职工去北京毛主席纪念堂瞻仰遗容的日期是不是十一月二十一日？如果是这个日期，那他十一月二十日晚上就是在该饭庄聊了一夜的天，有该饭店经理刘则智，助理经理乐方、王丽玲可以证明。

“如果查明同你所讲的一样，说明什么？”单立人问。

“那说明二十日晚上杀人不是我干的。”

“如果调查证明同你讲的不一样呢？”

“你们不用查了。”李建平低下头。

尽管李建平提出要求调查的问题，自己又说“不用查了”，联合办案组还是调集了几乎全部预审力量，进行了细致的调查。首先查明，李友王宇办喜事的日期是十一月十三日，与发案日期相距一周。同时，通过走访刘则智、乐方及其他十余人，查明：“豆花饭庄”组织职工去北京毛主席纪念堂瞻仰遗容的日期确是去年十一月二十一日。在这前一天，即十一月二十日，李建平先后在“豆花饭庄”出现三次：第一次是在十七时左右，李建平与刘则智、乐方等一起在餐厅吃晚饭并谈及第二天“拜望老人家”事宜，十八时离去；第二次是二十时许，李建平在刘则智房间出现，聊了会儿生意上的事，说上厕所一去不返；再次出现已是二十三时半，说已无末班车，索性在这儿聊一夜，刘、乐等也无睡意，陪他聊到次晨。

另据乐方反映，李建平十八时离去时，她曾问他“匆匆忙忙去哪儿？”李对此回答说：“回家等个‘喇’。”

单立人最后一次审讯了李建平。

“豆花饭庄组织职工去北京毛主席纪念堂的日期确是去年十一月二十一日。”单立人首先告知李建平。

“那就好了，真相大白了。”

“不要萝卜、土豆一锅煮。你十一月二十日去过豆花饭庄，但不能说明你没有杀人，相反，证明你原先说这天上吉他课、学雷锋、看电影《马可·波罗》纯属捏造。其次说明你具备杀害刘丽珠的时间：这天晚上十八点至二十点，二十点半至二十三点半，这两段时间共计五个多小时，恰好是杀人抛尸的作案时间。你不要再说什么‘一泡尿撒了五个多小时’之类的无稽之谈，有证人证明你是回家等‘喇’去了。据我所知，这‘喇’一般是指有诱奸其可能的年轻妇女。”

“一个贪得无厌的人是不会放弃任何一个可以到手、哪怕他已有的很多东西，譬如钱……还有女人。正因为你以往干得太顺手了，这方面的满足已经成了你那黯淡、不如意的生活中唯一可以聊以自慰、获得强者感觉的精神支柱，以至你已不能容忍一次、即便是仅仅一次的失败。你的虚荣不能容忍，你的自卑同样不能容忍。我想刘丽珠当时一定说了你一些很难听的话，也许她发现了你不是什么导演，只是个清洁车辆厂的临时工；我想象得出她那种女人会对你作出什么样的轻蔑表情。”

李建平脸色苍白，似听非听，眼神呆滞，单立人的话似乎把他带回了那个可怕、梦魇般的夜晚。

“我看得出你后悔了。”单立人继续句句击中要害地说，“你悔不该那天不稍稍控制一下自己，不在制伏刘丽珠时力量更适度一点，悔不该毁尸灭迹时没做得更彻底、更不留痕迹一点；晚了，现在说什么都晚了，想什么都晚了。明白告诉你，我对你一点不生恻隐之心，如果需要，我会一千次把你送上刑场，眼睛眨也不眨。”

李建平哭了，哽咽地说：“这个世界我也没有什么可留恋的，我孑然一身，死了也不会给任何人带来痛苦，你们把我的命拿去好了。我只想请你记住，我是冤死的，我干了很多坏事，但从没有杀人。”

“杀掉你我是不会良心不安的。”单立人冷漠地说，“你的所作所为只能说明你咎由自取。”

他啪地合上卷宗。

川湘餐厅门前冷落车马稀，生意与以前相比十分萧条了。倒不是因为它最漂亮的女招待被人砍了脑袋，使它蒙上了某种不吉利气氛，而是由于它用瓷砖和壁纸将餐厅重新装修得像间豪华厕所后，菜价翻了两番，使大部分顾客感到这幽暗俗气的餐厅像个专门宰人的黑店。那些不苟言笑、举止有如大亨的男女服务员们对营业情况的不景气似乎并不关心，乐得清闲，他们本身像官仓里的老鼠肥硕起来，新制作的毛料西服油渍斑斑。

这天傍晚，餐厅来了个邋遢的胖老头和一个年轻的小伙子。负责照料他们所坐餐桌的女服务员怠慢地让他们干坐了四十分钟，才懒懒地拎着肮脏的菜单走过去。果不出其所料，做东的胖老头只点了两个便宜的令人几乎怀疑他想白蹭的菜，服务员夺过他们看个没完的菜单，相当尊严地走了。

老头惶惑地对小伙子说：“这地方不是咱们老百姓来的地方。”

（原载《啄木鸟》1987 年第 1 期）

无情的雨夜

单立人坐在剧场前排的座位上看着花一角钱买来的节目单，舞剧《浣纱女》的女主角是周妫，这是个单立人年轻时便已熟悉的著名舞蹈演员。当年他去看单位包场的歌舞旬会，初瞻年轻美貌的周妫的风采，便立刻为之倾倒。他不懂舞蹈，对一个演员的优劣很大程度是凭印象评价，那时的周妫可称是千娇百媚。后来政治局势动荡，歌舞团大都解散，周妫也销声匿迹了很多年，直到粉碎“四人帮”后才复出，领衔跳了一些很受好评的舞剧，声噪一时。单立人久欲再睹这位当年他的青春偶像的妙姿，今天蒙曲强赠票好歹糊弄了老伴儿溜出来终于如愿以偿。他有点暗自嘲讽，这么一把年龄了居然还有些紧张。

剧场暗下来，舞台亮起来，随着锣鼓器乐声，穿古典喇叭裤，长纱裙和披甲执钺光着大腿的男女演员从两侧条幕涌出来，簇拥着一位君王跳起欢乐胜利的舞蹈，战败国的君王跪拜呈贡，做种种俯首帖耳屈辱状。旌旗飘扬，号角齐鸣，一支由十余名男演员扮成大军齐步走过，顿戟瞪眼，向各个方向变着队形，极尽耀武扬威之能事。音乐渐缓渐抒情，锣鼓停敲，君臣后妃武士掩旗退场，天幕换成一副动人的田园风光，清澈的溪水在流溅，水中石点点。一个村姑笑盈盈奔出，伸脚探水，对溪理妆，左摇右摆踮脚踩石过溪，很臭美了一阵儿，掀肩伸臂向幕侧召唤……一队同样装束的村姑比肩扭捏而出，一个个两肩披着长长的白纱，一模一样地咧嘴笑着，飘然而至，布满舞台，左旋右舞，甩袖抛纱，种种轻盈优美欢愉之态连绵不绝。这都是些年轻漂亮、光彩照人的姑娘，美艳至极令台下观众瞠目结舌、目不暇接。单立人知道周妫不在这样姑娘中，欣赏之余他愈发迫切地盼着周妫出场，他相信那将是一个令众芳褪色登峰造极的亮相。

周妫姗姗出场了，一个衣着与众村姑迥然不同的粉色衣裙，托着一个美人出场了，纤步款移，昂首挺胸，笑得庄重，舞得矜持，立刻与台上众姑娘形成众星捧月之势——那情景真是令人惨不忍睹。这位“角儿”已经是老太太了。尽管煞费苦心地保持着身段儿，但腰已经粗笨得无可救药，一张大脸圆硕肥厚，全无滋润弹性，脂粉也掩不住松弛下垂的双颊。还能叉着腿平地跳起，但相当笨重，砸得舞台地板“咚咚”响。众少女对她的艳羡和喜爱几乎像是一种恶意的嘲弄，而她自己所作的羞涩以及种种天真烂漫，简直令人不能容忍。台下的单立人按捺着自己的感情，尽可能以一种怀旧和怜悯的心情宽容地去看她，但越看越沮丧，他简直不能相信眼前这个丑陋的半老徐娘就是当年那个撩动了无数人情愫的少女。剧情在发展，战败国君臣召见了这个民间“美女”，恭维奉承了一遍，委以其复国惑敌的重任，“浣纱女”慷慨激昂了一番，握拳绷“块儿”大义凛然地在众女友依依不舍地舞送下昂首上路。“美女”到了敌国，敌国锦衣玉食，姬妾成群的君王一见就晕了，似乎得了什么“宝贝”，下座屈膝围着老太太色迷迷地转，老太太也毫不自惭，搔首弄姿。接下来舞蹈全是表现老太太如何美艳绝伦，上上下下如何着迷之类的玩意儿。应该说演员是很卖力气的，相当传神地表现了在“美”面前的陶醉和欣喜,但由于活生生的现实（摆在观众面前的那堆肉）和虚拟假托的那种意境相去太远，远得毫无一点联系，演员越是卖力，观众越是作呕。单立人几乎感到愤怒了，他周围的观众也是一片冷漠的沉默。周妫如此不知趣和没完了的出丑活像是成心向明辨是非的观众挑衅，是可忍，孰不可忍！单立人闭上了眼，他不忍公然退场，采取了两全之策，在愈来愈呈悲剧性的音乐中用力入睡。

单立人醒来时，幕布已经拉上，剧场亮了灯，多数观众已经退场，服务员挨排叫着睡着的观众。

他出了剧场门，外面落着霏霏细雨，门前的车辆和人群都已散去，只有一两盏路灯往空场上投着昏黄的光晕。停车场还有一辆大客车，那是歌舞团演员乘坐的车，乐队人员已经坐在里面，演员们卸完妆洗了披散着潮湿的长发三三两两从后台出来向大客车走去。

存车处的老太太正扛着单立人的自行车往剧场后面走，单立人追上去，拉住车后架，被老太太训斥了一遍，骑上车抄一条近路，向剧场旁的一条黑暗小巷骑去。小巷很窄，有人迎面都必须互相侧让，没有灯，居民房里的灯被屋外杂物挡着几乎照不到小路上，屋里有人在看电视，窗上荧光闪闪。单立人小心翼翼地骑着车，瞪眼看着黑暗的前方。他不止一次被黑巷中横拉的晾衣铁丝连人带车勒倒在地，有一次差点没吊死在一根铁丝上，因而在漆黑小巷骑车总条件反射地提心吊胆。

小巷太黑了，伸手不见五指，只见雨丝在闪亮，当单立人的自行车猛一颠簸，他还是吃了一惊，猝不及防地摔倒了。他知道这不是铁丝干的坏事，他的车轧着什么，一个软东西，他爬起来扶起车，用脚踢了踢，随即脚僵住了，这是个人。

他蹲下身来用手摸，摸着人的衣服、头发和黏糊糊的脸，他把手伸到鼻前一摸，闻到一股血腥气。他立刻直起腰奔向最近的人家，砸开门，对一个满脸怒气的男人大声命令："拿手电来！"

他用几乎是抢来的手电照这个蜷伏在地的人的脸，光束下，满脸血污的周妫毫无知觉地紧闭着双眼。

曲强正在局里值班，当晚全城较为平静，只发生了几起小案子，一个下夜班的女工差点被强奸；一对串门回来的新婚夫妇刚进门迎头冲出一个贼，打倒男的逃之夭夭；最严重的是一个正蹲在公共厕所茅坑上拉屎的小伙子被一个素不相识的小伙子无端殴打了一顿，由于他当时受到姿势限制，几乎无还手之力，被打得比较惨，用报案的路人的话说，"几乎给塞进茅坑里了"。

单立人打来电话时，曲强正打算去看看那个正在医院冲洗治疗的小伙子，接到单立人电话便和技术勘验人员一起驱车去了现场。

小胡同里被汽车灯照得雪亮，围着很多人，一息尚存的周妫已被抬送医院急救，单立人和曲强向住在这里的居民了解情况。那个借单立人手电的男人和他蓬着头抱着孩子的胖媳妇异口同声地说：

"什么也没看到，什么也没听到，当时电视里和尚和姑娘正拳脚相加打得热闹。"

其他居民也都说没听到动静，只顾看电视。当单立人问到谁曾在巷子里看到可疑的人时，一个爱在路灯下打扑克的退休老工人说他玩完牌回来看到巷口有个人晃悠。

"什么模样？多大年龄？"

“不知道。”老工人说，“谁注意他？”

“穿什么衣服？有多高？”

“不知道。”

“是男是女？”

“不知道。”

“是男是女也不知道？”曲强有点火，这老头儿太糊涂了，“您眼睛亮得跟小灯泡似的，男女怎么会分不清？”

“我眼睛就是亮得跟小太阳似的也白搭。”老头振振有词地说，“眼下男的女的不脱了裤子谁也分不清，一水的齐耳发前面有开口的裤子，男的细皮嫩肉大屁股，女的满脸疙瘩宽肩膀，神仙看着也晕。”

曲强白了老头一眼走开，单立人又继续盘问了会儿居民们，一无所获。

“凶手是从左侧执棍打击受害人的。”曲强站在办公室里比画着对单立人说，“因而在受害人额顶造成一横向条形镶边挫裂创。凶手很强壮，很自信，只打了一棍，似乎是埋伏以待，突然袭击，令受害人猝不及防，没有搏斗痕迹，当然猝不及防没有搏斗也可能是因为受害人与凶手熟识没有提防。”

“这点不必过多考虑。”单立人说，“那条胡同很黑，两人正面相遇也很难辨认相貌，就是亲生父母走来也会小心提防。”

“好，是不是熟人先不管。”曲强接着说，“凶手打击被害人的目的似乎不是为了劫财，被害人手提包里的钱物未被搜掠，补充一句，经翻拣，被害人钱包内只有不到二十元，现金很少，化妆品倒很高级——我没想到她会这么穷，她不是个很有钱的演员吗？”

“舞蹈演员不能和歌星笑星相比，她们收入不高，一般有名的也不会太富。”

“是啊，她们不该成为抢劫的目标。但凶手似乎也无意劫色，除了照面部兜头打了一棍，她浑身上下可说是毫发无损。”

“她差不多快有五十岁了吧。”单立人怅惘地说，“怕是到了连她丈夫也敬而远之的年龄。”

“可那些色狼有时连尸体也会去奸，”曲强说，“何况那巷子黑得昏天暗地。如果案犯没去碰她，那说明他压根儿没打算去碰她。”

“你的意思是仇杀了？”

“似乎只有这么推断才符合逻辑，我不能设想一个人无缘无故，什么也不图就为痛快便埋伏起来冲第一个走过来的人猛打一闷棍，中国人好像还没有发达到精神变态，享受虐待他人带来的快感的程度。”

“是的，那得吃饱饭后，苦闷无聊几个世纪才行。”

“如果报复行凶成立，那我们只能认为凶手与被害人是熟识的。”曲强委婉地指出。

“或是受与被害人熟识、有隙的人指使。”单立人补充说，“我仍然认为企望受害人苏醒指认凶手是无意义的。”

“我也没把宝押在这儿上，”曲强反驳说，“我只是想先通过某种假定大致确定一下侦查范围。先从近处着手不是你一贯遵循的原则吗？”

“你还假定了什么？”单立人眼睛眨也不眨地望着曲强说。

“假定凶手是个左撇子。”曲强忍着气说，“假定凶手是个男人。站在被害人左侧如果用右手打那伤口就应该在后脑勺而不是前额顶。力量如此之大，凶手需要一条粗壮的胳膊。”

“很多女人也有一条粗壮的胳膊，譬如舞蹈演员、杂技演员、体操运动员、武术运动员……”

“女农民、女清洁工、女搬运工……你这不是和我抬杠吗，老单？”曲强问老单，“你怎么啦？你干吗跟我过不去？”

“对不起，我不是对你。”单立人道歉，“我只是有点生气，周妫是我一直，嗯，尊敬的演员，居然被人如此丧心病狂地打了。就按你说的办，我们着手从她身边查起。”

“周妫哪会有什么仇人。”周妫的丈夫，一个白发苍苍的前舞蹈演员哭丧着脸说，“她这人一心扑在事业上，除了练功、演出，和团里的一群人接触，在家里和我都没一句整话，新搬来的邻居干脆不认识她是谁。有个好管闲事的老太太甚至向我孩子打听过：‘那个老天黑偷偷去你家找你爸爸的女人是谁？’我想不出她会得罪谁，一个谁都不认识的人会得罪谁？她这个人走在大街上也是目不斜视，脚步匆匆像是后边有人撵她。别人是哪儿人多往哪儿凑，她是哪儿人多就躲开哪儿。有一次在她面前汽车轧死一个人她都没看见，直着眼往前走，一脚踩进血里。不不，没有那种可能性，尽管我们之间谈不上有什么炽热的感情，但我们互相也早已习惯得像一个人习惯他总穿的那双鞋。她年轻时对这种事很冷淡，敷衍了事，不能想象闭经后二度梅开，什么四十如虎，五十坐在地上直吸土对她不适用。要说她有什么仇人，她自己就是自己最大的仇人。我总劝她，那么大岁数干吗还老跟自己过不去，跟小姑娘摽着劲练功，早晚有一天扭了大筋正不过来。她偏不听，那股狂热劲简直像是去赴死。当然我理解她，舞蹈不像中医，越老越香，最好的时光耽误了，干一天少一天，每次演出也许都是告别演出。唉，学了一辈子，只能干半辈子，我们这样的不跳舞了也就废了。说实在的，像她这样，就难听点，垂死挣扎的舞蹈演员根本没空去和他人结仇，自顾不暇。”

“周妫同志是我见过的品德最为高尚的同志。”歌舞团团长，一个养尊处优的放牛娃出身的白胖官僚肃穆地说，“一贯勤勤恳恳，忠诚老实，从不给领导出难题、闹待遇，既是业务上的尖子，又是政治上的骨干。好党员啊，能起到表率作用的好党员！分房子，长工资没有她，领导怕她有意见，找她谈，她说：‘什么没我都可以，我都不争，只要给我节目演，排节目没我不行！’多可爱的同志！吃苦，肯吃苦，每回练完功能接一盆汗。我常对年轻演员说：‘学学人家周妫，人家为什么能长盛不衰？关键在于人家苦练，天才是百分之百的汗水。’我就这么认为，一百个聪明取巧的人不如一个笨脚苦练的人。周妫练起功来真是惊心动魄，不亚于女排姑娘，从早到晚，摸爬滚打，说练疯了一点都不过分。‘疯’得好，‘疯’在了正点儿上，要大家都这么‘疯’一下，‘四化’怕是要提前几年喽。其实这也就是中央提倡的‘拼搏’精神，但我觉得我这个‘疯’字更传神、更形象，哈哈。没听说她和同志们有什么摩擦。我们这个团女孩子不少，有女孩子的地方小是小非就多，有些女孩子很庸俗，但从没听说周妫掺和到她们的是非之中，当然她也不是什么女孩子了。这个同志相当光明磊落，从不在背后议论人，别人说她什么她也从不计较，好话坏话都一笑置之，我给她总结过一句话：‘宰相肚里能撑船，周妫肚里能跑火车。’”

“他妈的我们简直碰上一个圣人了。”曲强骂骂咧咧地对单立人说，他们正向剧场后台走去，“我真不明白他们还留着这个处女一样纯洁的老太婆干吗？早该献出来，题两句辞，供亿万人民瞻仰，到哪儿再去找这么个铁打的人？”

“我也觉得这人好得可疑了。”单立人承认，“但你也不能说世界上就真没有可敬可佩的人。”

“她哪还算个人？”

“嗯，她还是个人，要不怎么会有人抡她一闷棍，只不过目前还很难说她是什么人。”

剧场后台一片忙碌，演员在各化装间化装，乐队成员在“吱吱呀呀”地校音，舞美人员在安置布景、换灯片。禁声铃打过后，化好装的男女演员陆续走出化装间。在侧幕条后场，单立人和曲强混在人群中颇觉不自在，使他们诧异的是周妫被击丝毫没有影响演出进行，一切仍是那么从容，有条理。单立人注意到那身女主角的粉色服装穿在一个明眸皓齿，充满青春活力的女孩身上，她压腿伸腰，做着上台前的准备工作，像一枝柔软坚韧的柳条。如果说演出丝毫没有因少了周妫受到影响，那全团演员的情绪丝毫也没有因同事的不幸蒙一层阴影。要硬说有什么变化的话，那就是更高涨、更轻松了。

候场的演员的确都在三三两两地议论周妫挨黑棍的事，但都是笑嘻嘻的，特别是那些年轻女演员几乎毫不掩饰她们的幸灾乐祸喊喊喳喳像传桃色新闻似的兴奋传说着经过夸张歪曲的事情经过。

单立人看到一个穿村姑服饰披白纱的年轻女演员不说不笑地独自靠在墙上，便和曲强走过去，对她说明了自己的身份，问她可知道团里谁比较恨周妫。这个名叫吴姣的女孩子懒洋洋地半睁着眼睛说：“恨周妫的人多了，我就恨周妫。”

“为什么？”单立人大为吃惊。

“还能为什么？那么老了，还赖在台上现眼，化起装来笔跟着皮儿走，绷脸皮子贴眼睛，嘴里还含着鸡蛋假装腮帮子有肉；扑两斤白面上台僵尸似的不敢笑，一笑就掉渣；屁股掉得能砸脚后跟，跳起来直砸夯。就这副德行了还霸着台子，一有角色就缠着领导鼻涕一把泪一把地发嗲。口口声声‘四人帮’耽误了她，要找回青春，不让演就能当场晕在领导面前。噢，‘四人帮’耽误了你，你就得耽误我们？演个A组，吐了血也场场上，生怕B组露次脸把她比下去。”

吴姣厌烦地撇撇嘴：“她的事甭提了，说起来就让人恶心。领导也偏偏就喜欢这号的。哪个年轻演员不比她强，非用老牛耕地，这根本不是服老不服老的事。她早该挨闷棍了，要再没人动手我也想闷她了。”

“你是不是说，要是查出是你打的闷棍也没什么可奇怪的？”

“对。”吴姣从容地点点头，“可惜我没作案时间，演出完我是坐团里车走的，全车人都可以给我作证。”

“那么，和你抱有同样想法，憋着要打周妫闷棍的人在团里还有哪些？”

“有的是，我随便就可以给你叫来一个。郑娥。”吴姣叫另一个穿村姑服饰披白纱从她们面前走过的年轻女演员，“过来，你是不是也早想打老太太？”

郑娥走过来笑着说：“没错，老太太欠打，不打刹不住车。这两位是警察吗？”

“是啊，抓你来了。”吴姣笑着说。

“我早想打老太太棍子或在她小跑时绊她一跤。”郑娥笑嘻嘻地对单立人和曲强说，“老太太也太可恶了，上回演《蝶恋花》，演二十场老蝴蝶就飞了二十场，我这个组就白排了。好容易盼到一回老太太拉肚子，心想这回该我了，可人家老太太真行，宁肯拉裤子也绝不下台，屎汤子都流出来了还‘挥鞭转’呢。你们别这么瞪着我，老太太不是我打的，不是不想打是没来得及，有人先下手‘为民除害’了。那天演出完我也是坐团里车走的，车里人都可以为我作证。”

开演铃响了，幕布徐开，单立人从侧幕可以看到台下密密麻麻的人脸。灯全亮了，音乐声起，扮演君臣公侯、武士妃姬的男女演员蜂拥上台，舞将起来。跳“浣纱”舞的村姑们也在舞台监督的催促下各自站好位置，吴姣、郑娥也站到了队里。曲强看着这些如花似玉的姑娘，对单立人说：

“观其貌和听其言真是截然不同，我真不敢信这些娇嫩的姑娘会说出这么粗野恶毒的话。”

“看来是恨之入骨了。”

“团长同志，我们了解到的情况证明周妫并不是像你所说的那样受到全团的一致爱戴。”单立人对团长说，“你说周妫有那些优点似乎正是她招人忌恨之处。”

要说团长脸红了那单立人和曲强也一点没看出来，他眨巴着眼，一副坦然自若的样子：“我是说过年轻演员对周妫有意见，但周妫并不在乎，也从未放在心上。”

“她是不在乎，这得由别人来在乎。”

“我不相信谁会因为对周妫有意见就杀人，矛盾还不至于激化到这个程度，现在的年轻人有几个像咱们当年那么执著？她们大都玩世不恭。”

“我们不必在年轻人的处事态度上费工夫了。”单立人对团长说，“请您让人查一下你团的年轻演员有谁在发案那天晚上没乘团里车走。”

“不用查，对团里演员的情况我了如指掌。”团长对单立人说，“大部分人都是住团里宿舍乘团里车走的，只有蒋妤新婚自己乘车回家。”

“蒋妤是哪位，请您指一下。”

“就是那个，B组发言角，替周妫的那个姑娘。”团长向台上的演员指去，单立人和曲强顺着他的手指看。

台上，浣纱姑娘们正相当优美地举着洗衣杵捶打想象中的白纱。饰主角的蒋妤踮脚笑眯眯地望着观众，柔弱无力地举着洗衣杵，头偏来偏去，转八百个圈才轻轻打一杵，右臂绵软地波浪般抖动着，知道的她是在浣纱，不知道的还以为她是在摸电门。

“你知道这个蒋妤是不是左撇子？”曲强冷不丁问团长。

团长懵然摸不着头脑地说：“这个，我毕竟是领导对不对？无法也不该把每个女演员都摸得很透——我不知道。我每回见这个小鬼总是拍拍她的头，而她的两只手总好像没处放，她总不能也同样拍拍我的头——我无从知道她是不是左撇子。”

“她是左撇子。”一个一直站在他们旁边默不做声地听着他们讲话的“野翁”打扮的男演员说：“她吃饭总是左手使筷子，哭起来也是左手抹眼泪，就像右手残废了似的。”

“可以跟你说几句话吗？”曲强看到蒋妤洗完澡披着头发出来，背着包急急向后台走去，便撇下正和团长说话的单立人赶忙沿走廊追上去叫住她，“耽误你一点时间。”

蒋妤斜眸看了眼曲强，回头冲团长喊：“团长，咱们这后台什么人都能进来是吗？”

“怎么啦？”团长问。

“你问问这人是干吗的？”她偏头指指曲强，“他说他想和我说几句话。”

“这位同志是公安局的。”团长表情严肃地走过来，“来调查周妫被击一案，他想和你说几句话那是客气。”

蒋妤脸红了，单立人走过去对她说：“不耽误你很长时间，只是了解一下你案发当晚的去向，演出结束后你是不是自己回的家？这段路上你碰到过什么人？”

“我爱人接我回的家，”蒋妤捋捋头发说，“我们回家的方向和周老师走的方向相反。”

“你爱人是干什么的？我们能不能和他谈谈？”

“当然可以，现在就行，他今天也来接我了，就在门外。”

蒋妤领着一个人走出后台，站在门口台阶上东张西望找人，喊：“韩骏，韩骏。”

一个鬼影倏地从树丛后跳出，一看眼前这么多人不好意思地停住脚，他本来大概是想吓蒋妤一跳的。

“这是我爱人韩骏，这两位是公安局的，来调查我们团的那件案子，想问问咱们那天晚上怎么走的。”

蒋妤说完便寻求保护似的钻到韩骏肋下，韩骏很熟悉地用左手围住蒋妤的肩膀，小两口看来很甜蜜。

“那天晚上，”韩骏说，“我们就是顺大马路走的，乘无轨电车，到站下车，再顺大马路回家。怎么啦？”

“你是在哪儿等的你爱人？”曲强问。

“就是在这后台门口，还能上哪儿？她一出来我就带她走了。”

“有人看见你们俩吗？”

“我们俩有什么好看的？我们要赶电车，她出来得比较快，那时候别的演员还没出来。”

“就是说那晚上始终没有人看到你们俩？”

“没有，噢，不能说没有，大马路上的行人都看见了我们。还有什么要问的？”韩骏说，“我们快赶不上车了。”

“你是左撇子吗？”曲强忽然问。

“是啊。”韩骏愣了一下，看看自己搭在蒋妤肩上的左手，“这也不是我们愿意当的，天生就这样，倒也合适了。和蒋妤在一起更般配了。”

“你们快去赶车吧。”单立人说，“别晚了。”

“韩骏上学的时候是我们这一带一帮子坏孩子的头儿。”管片民警对单立人介绍情况说，“这小子从小练块儿练摔跤，挺讲义气，常帮小哥儿们打人，被派出所教育过很多次。当兵复员回来后规矩多了，分到国家机关工作，人也变得文质彬彬，从没再犯过事，街坊邻居反映都挺好。也不奇怪，岁数大了结了婚，该收敛了，总不能胡闹一辈子。”

“韩骏好像对蒋妤的事并不感兴趣。”韩骏的好友对曲强说，“他们两口子感情挺好，肉麻点说互相挺爱，谁要欺负蒋妤，韩骏会管，但这不包括蒋妤团里的事，韩骏好像对蒋妤跳舞并不以为然，常开玩笑说蒋妤这行在旧社会叫‘伎人’。我记得有时候我在韩骏家喝酒，蒋妤唠叨起团里的事，他也就敷衍地听。蒋妤好像是说过主角不主角的事，韩骏总是跟她说：‘你争那干吗？无非是跳三十分钟和跳三分钟之差，有什么劲呀？观众能留什么印象？弄得很艺术似的，其实还不是悦人耳目的勾当？为工作生气最不值，混饭呗，何苦非出头当那名伎？又不跟这帮人过一辈子。嘻嘻哈哈完了，认真没意思。生活中谁骑到了你的头上，那咱们跟他没完，打出他屎来。’韩骏是这么说的也是这么做的，我觉得他那种人绝不会掺和到女人的纠纷之中，帮媳妇去打娘们儿还不够丢人的呢。”

“不不，韩骏前天晚上不是和小蒋一起回来的。”韩家邻居老太太瘪着没牙的嘴口齿不清地对单立人和曲强说，“我坐在门口乘凉记得清清楚楚，小蒋先回来的，干净利落，看见我还跟我甜甜地打招呼，接着过了半小时，韩骏才气喘吁吁跑回来，理也没理我就进了屋。当时我就寻思，这小子不定又哪儿闯了祸跑回来，没准儿一会儿警察就得脚跟脚追来，这不，你们来了。要说韩骏这孩子倒不坏，就是爱打个架，早些年没少给他爹妈惹事。那孩子手黑，前些年我亲眼看见一回他用砖头拍老王家的二小子，挺大砖头照头上就砸，当场老王家的二小子就翻了白眼，血流得哗哗的，他却没事人一样，我心跳了半个月。这孩子这身本事应该送到前线去，搁在后方，可让人头皮发麻心惊肉跳的。”

“啊，您二位，”韩骏打开门看到面前的单立人和曲强迟疑了一下，便往里让，喊蒋妤，“蒋妤，你的熟人来了。”

“谁呀？”蒋妤脸上带笑从里屋跑出来，看到是单立人和曲强，脸上的笑容凝固了，却又勉强绽开，“是你们，坐吧。”

“给客人沏茶。”韩骏吩咐蒋妤，自己在二人对面坐下。从茶几上拿了桶烟敬二人，单、曲摆手谢绝，他自己点上吸起来，“有什么事吗？”

曲强从皮包里拿出一本讯问记录纸，摘下钢笔帽，改到写字台旁坐下，摊开纸说道：

“请你把那天晚上你的活动再讲一遍，你的姓名？”

曲强把讯问纸抬头各款项写满，问道：“你是几点到达剧场后门的？”

“大约九点半，没表我也记不大清楚。”

蒋妤端着两杯茶出来，放在单、曲二人面前，二人欠身道谢，她坐到丈夫身边，互相握住手看着曲强。

“当时演出完了没有？”

“没有，我等了一会儿，才看到观众从前门涌出。”

“蒋妤是什么时候出来的？”

“演出完很快就出来了，当时观众都还没散尽。”

“后来呢？”

“后来我们就一起走了，回家了。”

“路上有没有因为其他事耽搁？”

“没有。”

“一直到家也是两人在一起？”

“是的。”

“那么，”曲强撂下笔，找单立人要了支烟点上，“你怎么解释在蒋妤到家半小时后你才气喘吁吁跑回来这一情况？”

“我们从始至终都是在一起的。”韩骏坚持，“手拉手，像现在这样。”

“你别忘了。”曲强提醒他，“当时有一街邻居坐在外边乘凉。你在你们那一带不是很有名吗？老人孩子全认识你。”

韩峻瞪着曲强，镇静地吸烟。

“你总不能说一街人眼都瞎了。”

“他们是瞎了眼没错。”

“你要这样，”曲强无可奈何地说，“我们只好请你跟我们走一趟了。”

韩骏毫无所动："走就走，到哪儿我都是那句话：我们从始至终在一起。"

蒋妤脸色苍白，单立人对她说："你劝劝他，那不是什么好汉的行径。"

蒋妤不说话，曲强和单立人交换了一下眼神，站起来："既然这样，那就走一趟吧。"

韩骏站了起来，单立人和曲强带着他正要走，蒋妤忽然喊起来："他没有打周老师。"

单立人和曲强回头看她，她眼里充满泪水："他没有打周老师。"她一再重复说。

"那他去哪儿了？"

"他当时正在东城的一个公共厕所里打一个老是纠缠我的无赖，也不可能同时在两个地方打人。"

韩骏激动地看着妻子，蒋妤也激动地看着他，像是要立刻投入他的怀抱。他们二人都很清楚，这样一来，蒋妤那晚的行踪就没有人可以作证了。

曲强果然说："这么说，那天晚上，他也没去剧场后台接你？"

"没有，"蒋妤直视着曲强说，"这点我骗了你，那天晚上我是自己回家的。"

蒋妤在环绕着她的众少女中间翩翩起舞，表情严峻。她把长长的白纱舞得满台飘舞。人也急剧旋转，刹那间，仿佛四面有脸。众少女围着她旋转起来，白涛滚滚，雪浪翻卷，舞蹈中整个带有一种大出殡的悲哀气氛。

浣纱女宣进宫内，素装换为艳装，珠光宝气，荣宠富贵，却于弦歌宴舞之后，独自对杵黯神，回忆少女时光。

曲强忽然指着蒋妤手中的洗衣杵叫道：“那不是擀面杖吗？”

“哪里哪里？”单立人着急地睁着眼往台上看，“你能肯定吗？”

“肯定。”曲强抓住身边的舞台监督说，“演员手里拿的洗衣杵是不是擀面杖？”

“是的。”舞台监督回答，“是擀面杖，你居然看出来了，眼力不错，你没发现演员耳朵戴的是钥匙环吗？”

“谁管道具？”曲强急急地问。

道具管理员领着曲强和单立人来到后台一堆道具箱中，打开一个，让他们看，“浣纱舞”用的擀面杖堆在里头。单立人和曲强立刻伏下身挨个儿扒拉着找起来，找了半天，单立人拿起一根擀面杖对着昏暗的灯泡眯着眼睛看起来，叫曲强：

“你来看看这根，我眼神儿看不清。”

曲强接过这根擀面杖仔细地看，发现一端木质有轻微的劈裂，并有淡淡的赭红印迹。他掂掂这根擀面杖的分量问道具管理员：“这根擀面杖是谁的？”

“公家的。”管理员很策略地回答，“这道具不像服装各穿各的，谁抄着哪根就用哪根，没谱。”

“你这些道具箱平时就这么放着吗？也不上锁？”单立人问。

“这箱不锁，谁会偷擀面杖？真丢了也不可惜。”管理员回答。

“那么这些擀面杖你心里有数吗？万一少了岂不影响演出？”

“每次演出完我都清点一遍。”

“从没少过？”

“从没少过，小周被打那天晚上也没少。”

“你一般什么时候清点？”

“用完，演员还回来就点。我管的道具太多，不及时清点就来不及了。”

“有没有这种可能，你点完后有人偷偷拿出一根，第二天来演出时再偷偷放回去，而你毫无察觉？”

“有这种可能。”管理员想了想说，“完全可能，谁家没擀面杖要吃饺子，借走用一下，只要不耽误演出。”

“这根擀面杖我们先拿走，你再去买一根。”

剧场后台的演职员们都知道单立人和曲强是来调查周妫被打一案的警察，都用好奇、敬而远之的目光看着他俩，他们走到哪里，哪里的交谈说笑便立刻停止。他们走访了很多演员，证实了周妫是在演出结束便立即走了的，而蒋妤是什么时候走的却没一个人说得清。

浓妆艳抹的蒋妤从台上下来，默默地走向单立人和曲强。韩骏已经因殴打他人受到行政拘留，她眼里含有一丝幽怨。她疲惫地称自己那天是最后离开剧场的，因为她洗了澡，吴姣、郑娥可以作证。

“我那天是洗了澡和郑娥一起，但没见着蒋妤。”吴姣对单立人说，“要见着我不会没印象。我们是最后洗的，浴室里已经没有人了，水也凉了，几乎没有什么水蒸气。是不是郑娥？那天我们没见着蒋妤来洗。”

“是的。”郑娥瞧了眼单立人和曲强，低下头喃喃说，“没印象，从进去到出来都没看见蒋妤。”

“知道吗？”单立人对这两个女孩子说，“你们的证词很重要，它几乎能决定你们一个同事的终生。我请你们慎重行事，认真回忆，这种事容不得半点轻率和意气用事。”

两个女孩都低下头不吭声。

“到底见着没见着？”单立人提高了嗓门问。

“没见着！”吴姣抬头坚决地说，“我们跟蒋妤有什么过不去的？见着还会不说？没见着就是没见着！”

“你呢？”单立人问郑娥。

“没见着。”郑娥的声音低得几乎听不清。

“好吧。”单立人说，“你们所说的一切将作为重要证词记录在案，一旦需要还必须请你们二位作证。记住，作伪证是要受到严厉追究的。”

单立人整理了全部材料，准备报局领导拘传蒋妤，这时，医院来了电话，说周妫醒了过来，生命已无危险。单立人和曲强立即赶往医院。

病房内，一片洁白，周妫头缠绷带，臂上插着静脉滴管，躺在白色的被单下。她此时已经是老态毕现，憔悴的脸上皱纹多且明显，一双曾经大而明亮的眼睛被耷垂的眼皮遮覆，像盲人的眼睛一样茫然无神。她知道单立人和曲强进来了，但头一点不能转动，仍直直地盯着天花板。

单立人和曲强在她床边轻轻坐下，护士调整完滴瓶滴速，悄悄离去，室内一片安静。

“您能不能告诉我们您被打那天晚上的详细情况？”

“不要查了。”周妫说，“我不想知道谁是凶手。”

“为什么？”曲强问。

“您的意思是不是说您其实心里清楚谁是凶手，只是不愿意揭露，因为这个凶手是您的朋友或者亲人？”

周妫眼皮儿动了一下，有泪从她脸颊滚落：“不要查了。”她仍然说。

“这不是您个人的事，”单立人说，“这是事关公共安全的原则问题。任何人都无权姑息犯罪行为，就是受害者也不行。”

“……”

“请您讲述一遍那天您离开剧场后发生的情况。您是一个人离开剧场的吗？”

“是的……”周妫长时间沉默后开口说，“本来我约好和蒋妤一起走的，因为团里就我们两个不乘团里的车，但她说她还要洗澡，我就一个人走了。”

“您刚进巷子就遭到袭击了？这之前您没有发现什么可疑的人吗？”

“没有。实际上，我走过巷子并没有受到袭击，而是在走出巷子后忽然想起手表忘在化装间了，返回去取，第二次通过巷子才被人打倒的。”

“天哪，我根本不相信她的话，”曲强在医院走廊里边走边激动地对单立人说，“她是想掩护凶手。照她的说法，面朝方向相反，那打她的就不是左撇子，咱们白忙了。”

“你从来都没肯定凶手是左撇子，只是假定。问题不单是凶手用左手用右手，她连带也证明了蒋妤的说法，她的确是出去洗澡了。”

“我简直弄不清她们谁说的是真话谁说的是假话——这帮演员。”

“看来要搞清这件事真是难了，连受害者在内没有一个人想搞清真相。”

案子搁置了，单立人和曲强被抽去侦破另一件凶杀案。

几个月后，单立人去菜市买菜遇到伤愈出院也去买菜的周妫。她告诉单立人，她已经退出舞台，现在每天侍弄一家人吃喝，大家真很满意。她有时去团里,年轻演员们对她也很亲热,问寒问暖，说不完的甜蜜话。

毒手

于万海血肉模糊地仰面倒卧在门后的刨花和锯屑中，室内摆放着木工板凳和未完成的木工活计，木工斧头弃于凳下。一小时前，他就是被这把斧头砍了数十下后死亡的。

单立人站在门口环顾室内，他不愿妨碍技术人员的工作，他们正在拍照、勘验、提取物证。这间房子不大，站在门口也可以一目了然，靠窗的写字台被撬，所有抽屉都被拉开，零散物品扔了一地，死者两侧裤子口袋也被掏翻，地面散落着崭新的一角、两角的纸币。单立人的第一印象是这里刚发生过一场激烈搏斗和匆忙、盲目的洗劫。

一个刑侦技术人员蹲下身从水泥地的一处缝隙取出一撮白色粉尘放在纸上，单立人问道："什么东西？"

刑侦技术人员嗅了嗅，答道："可能是石灰。"

单立人的目光随即落到房外院中的一小堆石灰上，石灰堆得整整齐齐，边缘部分被扫得十分干净，扫帚条篾纹路清晰。单立人推开拥在院门口沉默地观望的群众，走出小院，沿着院墙走了一遭。院墙是与房屋同样质地的青砖砌成的，很高。沿墙没有堆积物。咫尺之外是一条马路，尽管现在已是深夜，仍有车辆不时驶过。

曲强正在另一间屋里询问于万海的妻子钱北风和儿子于泳。单立人悄悄走进去示意曲强继续进行，自己坐在一旁倾听。

钱北风是个身材高大的劳动妇女，相貌粗犷。看上去她对丈夫的死并不难过，虽然她竭力想显得沉痛一些。在回答曲强的询问时，她的语调、面部表情都很紧张，翻来覆去地重复：

“我什么也没看见，只听到老于哼了一声，在地上山响，就走出来看，房门大敞，血流了一地，我就喊了起来，小泳子跑进屋一看，立刻又跑了出来，说‘爸让人砍死了’。我当时腿就软了，什么也不会说了，只是叫他快去喊警察。”

单立人的目光落到那个坐在其母身后饮泣，一双大眼睛充满惊恐的少年身上。那少年触到单立人的目光，胆怯地低下头。单立人发现他在发抖。

“我们家就我们娘儿俩，出了这事吓也吓傻了，生怕那凶手还没走，藏在哪个旮旯，就全跑到街上，一直到派出所的警察来了才跟着回屋，派出所的警察叫我们看看少了什么，我们这才发现屋里被人撬了，写字台放着的他爸刚给人打家具挣的二百块钱没了，他爸的手表也叫人掳走了，靠墙根停着的自行车也飞了。这准是什么人穷疯了，瞄上了我们家，今儿黑夜下了手。我们一家子从来都是老实巴交的，没得罪过什么人，要说富，间壁孙老太太比我们富，儿子戳在大街上卖牛仔裤，女婿赁了间门脸房卖土豆馅包子，十万八万也挣家来了，抢干吗不抢他们家？老太太弄根绳就给勒死了，省劲省多了。”

“您耳朵好使吗？”单立人冷不丁问钱北风一句。

钱北风一怔：“没啥毛病。”

“当时你在屋里干什么呢？”单立人紧接着问。

“铺被呢。”钱北风说。

“没看电视听广播什么的？”

“没……没有。”

“那你应该听到凶手搬自行车出院门的声音，你听到了吗？”

“没有，我只听到我们老于哼了一声，摔在地上。”

“我看过你们院门，门槛很高，搬自行车出去不可能不磕碰出声，况且一般不会出现先搬走车再回来杀人的情况，而你听到老于哼了一声理应警觉起来。”

“我没注意，我没顾上，也可能听到了，但没注意，没往心里去。”

“你是听到响立刻就出屋的？”

“不是。”钱北风否认，“我寻思了一会儿，才觉得老于这声哼得不对头，他平时也老哼哼唧唧的，他有鼻炎，脾气又挺大，我一般不理他，这次哼得格外重、格外响，我才起了疑。”

“噢。”单立人点点头，掉脸问那个迅即垂下眼皮的男孩：

“出事时你在家吗？”

“我什么也没看见，什么也不知道。”

“我问的是你出事时在不在家？”

男孩脸涨得通红，眼里涌出大量泪水，呜咽着说：

“我看电影去了，没在家。”

“可是你妈说她一喊，你就跑了出来，是你第一个看到你父亲被人砍死了。你能告诉我你看的是什么电影，在哪家影院看的，和谁在一起吗？”

“我……”男孩说不出话。

“他看的是《小小羊儿要回家》，在工人俱乐部。”钱北风说，“他没说错，我也没说错，他是去看了场电影，出事时已经回来了，但我已经叫他上了床，所以他什么也没看到，什么也没听到。”

“别害怕。”单立人老大不忍地安抚越抖越厉害、简直像株被风吹得簌簌响的小松树似的男孩，“我不过是随便问问，放心好了，我们一定会把杀害你父亲的凶手捉拿归案，等着瞧吧。”

“你认为这个案子是流窜犯谋财害命吗？”驱车离开现场回局的路上，曲强问蜷缩在一旁打瞌睡的单立人。

“你呢？”单立人闭着眼反问。

“从迹象上看有些像，没获得新线索前我觉得应该这么认为，但我不坚持。”

“那你就这么认为吧，也许你是对的。”

“你呢？我想听听你是怎么认为的，听上去似乎你并不以为然。”

单立人没吭声，似乎已经睡着。

曲强一踩刹车，使单立人一下向前冲去，脑门撞在挡风玻璃上。曲强得意地笑着重新开动车。

“别装着老谋深算的样子，咱哥儿俩也算是共过事的，我就真傻到你连话都懒得跟我说的地步？”

单立人重新调整舒适的姿势坐好，合上眼对曲强说：

“你好好开车吧，这次再让交通警逮着，我可不跟你分担罚款了。”

听曲强不吭声了，他睁开眼瞟了曲强一眼：“我可没你们年轻人精神头那么大，脑子能连轴转，我要这样非神经衰弱不可，我现在就想着早点回家睡觉，有什么话明天上班再说。”

“得得，不爱说算了，有本事你就烂在肚子里。”

老单叹了口气：“其实你何必非在乎我是怎么认为的，何必在一开始就统一认识，想法越多，遗漏越少，最好不过就是我们各盯住一个方向，反正凶手只有一个，殊途同归，早晚会走到一起。难道我这把年纪还那么热衷抢什么头功——停下停下，我家过了——你这是要把我拉到哪儿去？”

曲强在另一条胡同口把车刹住，笑着对老单说：

“这几步路就劳您的老腿走吧。”

“小兔崽子。”老单边爬下车边笑骂，“挟嫌报复。”

“又是你那老一套颠扑不破的逻辑。”曲强和老单把车停在路边，顶着中午强烈的阳光，去一家快餐厅排队买中式盒饭。曲强边走边对老单说：

“室内地面发现了覆盖部分血迹的石灰，而流窜犯作案根本无暇顾及仔细，作此画蛇添足之举，我偏偏认为这恰好说明是流窜作案，干吗撒石灰就一定是为了掩盖血迹，谁会这么傻，尸体不处理而去处理血迹？明摆着撒石灰是为了利用石灰强烈的气味破坏警犬可能的追踪。”

“那又何必做一番清扫？”老单说，“连石灰堆都拢得整整齐齐，这可不是急中生智，几乎可以说是闲情逸致了，再老练的流窜犯也无法做得如此从容不迫，首先从时间上就不允许，钱北风听了声音就出了屋。哎，你反驳我呀。”

“对死者财物的抢劫怎么讲？干吗要偷目标大，不值钱的自行车？难道不是为了当做交通工具尽快逃离现场？”

“为什么到现在还没发现自行车？”老单不再争辩，机械地随着不断缩短的队伍往前挪动，自言自语，“各交通要道已经封锁，骑着失主的自行车岂不自我暴露？”

“买两盒饭。”曲强对柜台上的服务员说，接过温热的盒饭递一盒给老单，两人一边掰着简易的木筷，一边逡巡找座。

“凶手不会再骑那辆车的，肯定扔了，不过我们还没发现而已。”

曲强揭开饭盒盖站着吃起来，老单踌躇一下也只好站着吃。餐厅里人声鼎沸，外地旅客、附近建筑工地的工人，过路的学生或站或坐或蹲，大口吃着盒饭，笑语喧喧。一帮占着座位喝着自带白酒和花生豆的工人旁若无人地边吃边高谈阔论，一个尖嗓子格外响亮：

“昨晚咱差点成了英雄，我们邻居屋出了件杀人案，一个姓于的木工被人宰了，凶手差点让我逮着。”

老单和曲强的耳朵登时竖了起来。

“我去倒脏桶，那家姓于的就挨着垃圾站。去的时候院门是关的，我在垃圾站磨蹭了会儿，头天吃鱼，下水肚肠粘桶底了，得弄根小棍刮，回来就见院门大敞，里面一片喊声，一个贼小子满身是血一溜烟地跑出来。哥哥一看就明白了，准是出事了，立功的时候到了！这种时刻咱工人不挺身而出——谁挺身而出？哥哥一声大吼：‘站住！’接着冲了上去，那小子跑得比野猫还快，我腿快得也是泼不进水，就差一步撵上了，那小子一拐弯，前边一个没盖的粪井，我看见也刹不住车了，直扎进去。”

工人们一通哄笑，惹得人人转头。

尖嗓子洋洋得意地接受着哥们儿的敬酒，正待细说粪井的龌龊黏稠，一个邋遢的老头和一个潇洒的小伙子走过来，小伙子拍拍他肩膀，叫他过去一下，有话跟他说。

“我不认识你，”尖嗓子警觉地打量着小伙子，“有什么事这儿说吧。”

“哥们儿你们干吗？”一个膀大腰圆，眼睛已经喝红的工人走过来，护住自己的同伴，问曲强，“你们哪儿的？”

曲强赔了个笑脸："没别的意思，有点感兴趣的事想问问你们这哥儿们，这儿人多不方便。"

"可我没什么兴趣，我又不卖屁股。"尖嗓子醉醺醺地嚷，"得，咱们出去说，话说在前头，我手里出去的美元没低的，最低也得这个数。"他手一摊，伸出大拇指和小拇指，做了个"六"的手势。

"你说你看见凶手了？"在快餐厅外面马路上，曲强问尖嗓子。

"看见了。"尖嗓子倨傲地说，"怎么，你们是一伙的？"

"你看清楚了？"

"那还有错，咱是夜鹰的眼睛——夜里明。"

"你跟我们走一趟。"

尖嗓子的同伴透过餐厅的玻璃看到自个儿的哥儿们和那两个人拉扯起来，呼啦拥了出来，团团围住，捋胳膊挽袖子："怎么，要叹架？"

老单亮出工作证："我们是公安局的，办那件凶杀案的，要找他去做个旁证。"

"我不去，"尖嗓子在曲强手里挣扎，"我没什么可跟你们说的。"

"你不是看见那个凶手了嘛，这个线索很重要。"

"我不去我不去，我不喜欢你们这些臭警察。"

大块头工人让曲强松开抓着尖嗓子的手。"他不愿意去你们不能强迫他。"

"可你刚才不是说过，咱工人不挺身而出谁挺身而出？"老单和气地对尖嗓子说，"你有觉悟，现在不正是立功的时候？"

旁边的工人们乐了，尖嗓子可怜巴巴地说：

"可我没看见什么凶手，也没追过他，刚才我是瞎'吹'呢，你们干吗认真呀。”

“轰……”围着的工人们哄然大笑。

“真他妈臭，砍山砍穿不是。”

笑声中单立人问尖嗓子：“倒垃圾桶也是瞎吹？这可不是什么体面的事。”

“垃圾桶的确是倒过。”尖嗓子说，“上半截是真话，后边我‘演义’了一下，门开后跑出来的是钱大妈。”

“老于家两口子挺好，挺和美。”熟悉整条胡同百十户人家所有陈芝麻烂谷子家庭隐私的居委会主任，年过六十不显老的周仙仙说。

“那两口子在我们这胡同住了几十年了，一招一式我都摸着脉呢。都是苦出身，解放前一个捡煤核，一个当学徒做寿榔。解放后北风叫清洁队招了工，先是抡大铲，后学驾驶，现在也能开着垃圾车呜呜跑了，收入不低。万海有手艺更甭说了，单位开着工资，忙里偷闲帮人打着家具，一百二百地进着，家里整治得在我们胡同也是数得着的，三间大北房，独门独院。我打刚解放就干街道工作，论参加革命年头也几十年了，也没混到那份儿上。老于能干，北风贤淑，小泳子规矩听话，一家人客客气气，这么些年，哪家也打过几回架，独他们家，连高声说话都不曾有过，连续十年街道授给他们‘五好家庭’，真正咱社会主义精神文明的模范。早先，这种循常守纲的道德人家还有，这二年不多见了。我们街道整理过几回材料，往报社反映，想给表彰表彰，没成。也就‘文化大革命’那阵儿在街道居委会大会上讲过几回用。唉，好端端的一家人让歹徒给毁了，我难过呀。好在小泳子也大了，用不了几年也就熬出来了。北风这人刚强，老于死了我们老姐妹哪个不是成斤地赔泪珠，北风硬是一声没哭，眼里只是闪着复仇的怒火。噢，我这可能有点用词不当。我是说这事也就是让她碰上了，搁别人非三月起不来炕。这事我们街道也要吸取教训，我们已经采取了措施，老姐妹们又恢复了巡逻，这次我们决定坚持下去，不管任何闲言碎语，风吹浪打不再动摇了。”

“若不是你们是公安局的，来我这儿公干，我一顿拐棍把你们卷出去。别看我瞎，打人准着呢。”于万海的爹，钱北风的公公，一个双目失明的老倔头哆哆嗦嗦瘪着嘴说。

“问出这等没廉耻的话，是何居心？亏你们说得出口，真是脸皮厚。我这大媳妇贞洁、孝顺，打嫁给我儿子就没多走过一步。跟别的男人，哪怕是我这老公公说话也从没带过笑——头些年我还看得见。我佩服，打心眼里佩服，不是我夸口，要是立贞节牌坊，她住的那条胡同也就她够得上，别的娘儿们，连老带少全算上没一个好东西。这个没二话。你们也别吃饱了瞎琢磨，就奔着那些好吃懒做之徒，游手好闲之辈下刀子。准是那帮无赖干的，没别人，抓着就宰，保管冤枉不了，不是这事还有别的事，你们是吃这碗饭的，别等着我教你们。”

“这老浑蛋，没招他没惹他，劈头盖脸把咱们骂一顿。”曲强疲惫地坐在椅子上，把脚跷在办公桌沿，对沉默不语的老单说，“照他们的说法，咱们是碰上圣人家了。”

“我想来想去，”老单说，“还是不能想象一个流窜犯在完全不摸底细的情况下会随便拣一家墙最高，门最厚的人家逾墙而入，那得需要什么样的轻功和自信。仅看门脸能看出于家有钱？有多少四合院不是金玉其外，败絮其中？要是我，我才不冒这个险，要知道据尖嗓子的证言，于家的院门当时紧闭的。”

钱北风刚把饭菜摆上桌，就从窗户看到那两个警察进了院，她不动声色地坐下吃饭，直到听到敲门声，才把门打开，冷漠地站在门口既不说话也不往屋里让。

单立人尴尬地说：“又来打扰您了，有几个问题还想问问您。”

钱北风没吭声又走回饭桌坐下吃，单立人和曲强讪讪地跟进屋，自己找地方坐下。

“孩子呢？”老单东张西望地问。

“不舒服，屋里躺着呢。”钱北风瓮声瓮气地回答。

“能不能让他出来谈一下？”老单试探地问。

“不成，”钱北风斩钉截铁地拒绝，“我跟你说过他不舒服。”

“那我们进去。”老单坚持，“躺着问也可以。”

“有什么话问我不行吗？他还是个孩子。”

“不行！”老单口气也强硬起来。

老单和曲强进了里屋，躺在床上的孩子吓了一跳，迅即把露在外面的胳膊缩回被里，眼睛再次流露出惊恐的神色。用被子把自己裹得严严的，求助地望着跟在老单后面进来的母亲。

“我想和他单独谈谈。”

“不行。”钱北风阴沉地说，“除非你把我推出去铐在外面不能动弹。”

曲强正要说话，老单制止了他，说道，“好吧，你也一起谈吧。”

“于泳，”老单和善慈祥地问男孩，“昨天晚上你看电影是几点回来的？”

“九点。”钱北风说。

老单看了钱北风一眼，继续问男孩：“你自己说，几点回来的？”

“九点。”

“你看了表啦？”

“我没表。”

“屋里有表，我看了。”钱北风说。

老单没理钱北风，接着问男孩：“你回家时，把院门关上了吧？”

“是的。”

“不是，”钱北风插嘴，“我们家的习惯是我关门，而我当时正忙着铺被没来得及关。”

“你关院门了吗，于泳？”

“没关。”

老单看了一眼钱北风，她神情黯然。

“你听到老于哼了一声时是几点？”老单转脸问钱北风。

“十点四十。”

“从九点到十点四十你一直在铺被？就是这床普通的棉被？”

钱北风脸色刷白，咬紧牙关回答：“当然不，但我当时还没想睡，就等老于，我总是临睡时才关门。”

“于泳，”老单转回问于泳，“你能不能来给伯伯做一下你是怎么听到你妈喊着跑出屋，怎么看见你爸躺在血泊中，又是怎么跑出去报的案？”

“你们不能这样对待他。”钱北风像只护崽的母老虎吼了起来，“他有病，还是个孩子，太没人性了。”

“伯伯扶着你。”老单冷酷地说，掀开于泳紧裹着的被子，搀着他的手，男孩抖得几乎站不住。

曲强制住了不顾一切想要冲过来的钱北风，一行人出了屋。十月午后的太阳，明亮耀眼，天上万里无云。

老单忽然攥住男孩的手举起来，宽大的衣袖滑脱下去，露出斑斑伤痕。

“这伤是怎么回事？”老单声色俱厉地问。

“摔……摔在马路牙子上磕……磕的。”男孩结结巴巴地说。

“这不是磕的，”老单一字一板地说，“这是打的，人打的，用木棒打的，你父亲打的。”

“不，不是？”男孩惊叫，像被夹住腿的兔子一样竭力挣扎，老单牢牢地抓着他。

“是打的，木棒打的。”突然平静下来的钱北风说，“我打的。”

老单松开男孩，男孩迅速跑到母亲身旁，钱北风把他揽入怀中，以一种无畏、令人感动的姿态护卫着他，泪水从母子二人眼中簌簌流出。

“对不起。”老单喃喃地说。

“停下来，我买包烟。”老单对曲强说。

曲强同情地看看脸色灰白的老单，不顾繁华路段不能停车的严厉规定，靠边停车让老单下去，自己缓缓向前开。

老单昏沉沉地在路边商店买了包烟，当场就点上了，边走边使自己镇定下来。他想：我刚才的所作所为简直就像拙劣侦破片中那些不择手段的外国警探，但我坚信我是对的。我不想伤害任何人的感情，但前提是法制必须得到维护。

“这不是单同志吗？”

老单停住脚步，于家间壁孙老太太颤颤巍巍地站在他面前。

“您老这是上哪儿去？”单立人换了副笑脸问。

“这不刚从银行出来。”老太太指指街角的一家储蓄所，“存钱去了。不瞒你说，老于家那档子事把我吓坏了，我是孤身住，街坊又传我儿子摆摊发了财，不是等着招贼吗，还是存银行放心。

我老归老，也不想为俩钱儿把命送了，我还等着看共产主义呢，不是说没几年了，二〇〇〇年就实现了？”

“那是‘四个现代化’，共产主义还远哪。”老单热心地解释。

老太太耳背，自顾自唠叨：“我这辈子大清朝、日本人、国民党、共产党全见过了，就是没见过这共产主义。您说，到二〇〇〇年一准能实现？像换夏令时的一声令下就全进入了？”

“您低声点，别嚷嚷。”老单忙把老太太拽到一边去。

“大海子惨哪，生让人剁成肉酱，辛苦了一世落了这么个下场，好人没好命啊。小泳子也可怜，小小年纪没了爹。昨晚闹猫我睡不着觉出来轰猫，看见那孩子骑着个自行车没命地蹬，我喊他也没听见，我寻思这么晚了什么事这么急碴儿，后来北风在屋里喊了起来，我才知道出了人命，那孩子是急着去报官。”

“什么什么，”老单截住老太太的话头，“您看见小泳子昨晚上骑着自行车？”

“我打电话问了派出所接待于泳报案的同志，”曲强在办公室对单立人汇报，“他回忆说，于泳来报案没骑自行车。他见于泳当时气喘吁吁还特意问他怎么来的，于泳回答跑着来的，而后就同派出所的同志一起乘摩托车回现场，这点也得到派出所其他同志的证实。”

“很好。”单立人点点头。

“另外，验尸报告也出来了，您看看吧。”曲强把尸检报告递给老单。

老单看完报告已是暮色苍茫了，远近的高楼大厦都已灯火熠熠，老单的眼睛在昏暗的室内灼灼发亮。

“这么说于万海是九点三十分死亡，而不是钱北风所说的十点四十分！”

翌日清晨，经过一通宵的搜索打捞，终于在离于家两公里处的一个积满污水的土坑中找到了于家报失的自行车和于万海本人的手表。并在水坑周围的泥地里提取到三十九码球鞋脚印一枚，经比对认定是于泳当晚所穿的球鞋所留下的。

于泳在街上蹒跚地走着，经过每家商店的橱窗都看上一会儿，他的身影夹在人流中若隐若现，一个邋遢的老头在他身后百米处跟着他，再往后百米处，一辆吉普车缓缓地贴着路边行驶。

于泳拐入一家高级冷饮店，用崭新的十元人民币买了各式最昂贵的雪糕和冰激凌，贪婪、不顾死活地吃起来。一通埋头大嚼后，他感觉有人坐到了他身边，便怯生生地抬起脸。单立人严肃地望着他，点点头：“吃吧，不着急，我等你吃完。”

单立人一只手搭在温顺的男孩肩上，带着他向停在路边的吉普车走去。忽然，一辆运载垃圾的中型卡车高速驶上便道，向他们冲来。刚从吉普车跳下来的曲强惊呆了，来不及做出任何反应，眼睁睁地看着卡车向单立人和孩子冲去。单立人迎着卡车，没跑也没喊，镇定甚至有点无动于衷地站着，卡车在单立人和孩子面前戛然停止。穿着工作服的钱北风跳下来，径直走到微微皱起眉头的单立人面前，带着某种尊严开口说：

“放了我的孩子，我跟你们去，于万海是我杀的！”

十五度灯泡的黯淡灯光下，身强力壮的于万海一边刨着一根木条，一边不时挥起这根尚显得毛糙的木条凶暴地抽打畏缩在一旁的于泳，就这么打打停停，停停打打，还对于泳做着不许哭的威胁手势。他张牙舞爪的巨大影子黑魆魆放大在墙上，使昏暗的室内充满恐怖气氛。于泳则像一个中世纪酷刑的受害者，一个奴隶，忍受着殴打带来的痛楚，无声地哭泣。门开了，披头散发的钱北风冲进来，企图夺下于万海手中挥舞的木条，被于万海一棍打倒，于万海轻蔑、邪恶地笑笑，继续抽打孩子。钱北风蓦地从地下站起，手里紧握着木工斧头，怒喝于万海，于万海见状冷笑一声，放下木条走过来，步步逼近，伸着脖颈指着让钱北风砍。钱北风步步后退，于万海的脸狰狞阴森，忽然他猛抽了钱北风一个嘴巴，钱北风踉跄几步，站稳了，于万海恶狠狠地扑过来，钱北风眼里顿时露出凶光，扬手挥斧砍中于万海面目，于万海呆住了，没有倒，血流满面，钱北风此时已是一副疯狂的神情，没命地挥起板斧向于万海斩杀过去，于万海略显诧异的面容很快被砍得皮开肉绽，五官模糊了，他仰面重重倒地，钱北风又扑过去在他身上一通乱砍，直到他停止抽搐。于泳蜷缩在角落，浑身溅满血，已经吓呆了。

“不对！”单立人一拍桌子，对曲强说，“钱北风供述的不是事实。你看过验尸报告，知道被害人是从背后遭人砍杀的，那数十处斧痕全部分布在脑后、颈后及背部，而且致命伤只有颈后主动脉一处，其余均为死后伤。”

“不，你们不必再问了！”钱北风对单立人和曲强嚷道，“人就是我杀的，如何杀的并不重要，重要的是那个禽兽不如的东西已经死了，这就够了，我的愿望实现了，我不怕接受任何惩罚。”

“坐坐，坐吧。”单立人特意安排了一张靠背椅，让瘦弱的于泳坐下。

“这几天过得好吗？号里的人欺负你没有？”

于泳摇摇头。

“吃不惯号里的伙食吧，伯伯给你买了几个肉包子，趁热吃吧。”

单立人拿出一纸包富强粉猪肉包子递给男孩，男孩拒绝接受。

“吃吧，我不看你，我有个女儿，也跟你一样大，伯伯不会害你的。噢，你很爱吃冷饮是吧，我这儿还给你预备了。”

单立人叫曲强把放在桌下的冰瓶拿出来，拔开盖：“你随便吃吧，爱吃什么就自己挑。”

男孩眼里忽然涌出了泪水：“你干吗对我这么好呢，我们又不是亲戚。”

单立人鼻子一酸，擤擤说：“什么也不为，伯伯知道你是个好学生，在学校功课好，长大想当老山英雄。伯伯想帮助你，不是帮你逃脱责任，是帮你找到个重新生活的出路，卸掉精神包袱，你不能再在毁灭的道路上走下去了。你年轻、聪明，老师同学很多人都对你抱有很大期望，特别是你母亲，她为你什么都做了，是个伟大的母亲，而你呢，不能继续对不起自己，对不起她了，你不希望自己的母亲幸福吗？”

男孩子号啕大哭了，哀恸地哭了很久，单立人和曲强静静地等着他。后来，号哭变成抽泣，男孩子哽咽地说：

“我妈妈她好吗？”

“我不能骗你，”单立人严肃地说，“她很不好，很可能会因为你被判死刑，只有你能帮她。”

“我怎么帮她？”男孩子问。

“说出全部事实。”

“我说了会死吗？”

单立人差点感情冲动起来，但他还是克制住了自己。

“你希望别人代你去死吗？你希望你母亲代你去死吗？”

“不！”男孩大叫，“不要！”

“你不会死。”曲强实在看不下去，违反规定对男孩说，“法院会考虑你的具体情况的，而且你也未满十八岁。”

“我想你不是蓄谋杀害你父亲吧？”

“不，我是被逼急了。”

“从头讲起吧。”单立人鼓励男孩，“我知道你有不幸的遭遇，讲出来会轻松些，我知道你有一肚子话想讲，而你从来没机会向别人讲。”

曲强摊开讯问记录纸。

“我不是我父母生的，是抱养的，这件事谁也不知道，或是知道了不愿说。小时候父亲还挺喜欢我，随着我长大，他开始嫌弃我，因为我长得难看，又有先天性心脏病，看病吃药要花很多钱，而父亲挣钱是很辛苦的。父亲为人懦弱，在外常受人欺侮捉弄，一肚子气就回家撒到我和妈妈身上，常打我们，他很有劲，打起人来不分轻重，我见过好几次妈妈被他打得昏过去。父亲还很爱面子，打人就关起门来打，不准哭，怕街坊听见，特别是街道评了我家是五好家庭以后更是这样，当着外人，一团和气，回到家里凶相毕露。因为我家是独门独院，所以父亲长期被当成老好人，谁也不知道我和妈过的是什么日子（抽泣）。今年夏天，他被人灌醉偷走了二百块钱，回来就大发雷霆，揍了我跟妈一顿。我们家经济条件本来挺好，特别这两年，爹妈挣的都比以前多多了，就在这同时，父亲又学会赌博，整夜整夜赌，挣得再多也保不住输，输了就从家大笔大笔拿钱，妈说一句他就打，弄得我家生活倒不如从前了。经济情况一不好，我也就又下了一层地狱，我成了他眼中的晦气鬼、妨人精，每天不打我一顿他就难受，就觉得少点什么。出事的那天晚上他又输了钱，该干的活又给耽误了，只得加班干……”

于泳看完电影兴冲冲地回家，一推开院门就见于万海黑着脸站在屋门口。

“你干吗去了？”

“我……我……”

“妈的，连句整话都不会说。”

“他看电影去了。”钱北风走出屋挡在丈夫和儿子之间，“我叫他去的。”

于万海一把拨开钱北风，嚷：“老子黑天半夜地卖力儿，他小子倒挺逍遥。过来，帮老子干活，我家可不培养修正主义苗子。”

于万海将于泳拽进他的小屋。

“你别打他。”钱北风担心地跟进去。

“不用你老娘儿们管闲事，我知道怎么教育这小杂种。”

于万海粗暴地将钱北风推出去，转过身冷酷地对于泳说：

“拿刨子来，把这根木头刨光。”

于泳用劲刨着木头，汗水从额上一滴滴流下，于万海让他停下，拿起木条端详，破口骂：“吃货，这叫刨光了？！比他妈的麻子还麻。”一阵拳打脚踢。于泳再刨，于万海又不中意并再次殴打他。接着于万海推开于泳，自己动手刨，边干边骂：“小子，只要我活着，你受罪的日子长着呢。”于万海抬起头正碰见于泳仇恨的目光，于万海一怔，放下刨子走过去：“怎么着，你小子想吃了我？”于泳继续以毫不掩饰的仇恨目光望着他。于万海手指着于泳说：“你小子别憋着长大报仇，不等你长大，老子先收拾了你！

我他妈怎么那么倒霉，养了个白眼狼。”一拳打倒了于泳，走回去低头刨木头。跪坐在地上的于泳，脸愤怒得都扭歪了。蓦地，他手触到了撂在地上的木工斧头，他脸上的愤怒渐渐变成一种与其年龄不符的深沉的仇恨和毅然决然的平静……

于泳以故意杀人罪被市中级人民法院判了无期徒刑，宣判后没有上诉。

投入劳改农场服刑前，单立人和曲强以及犯包庇罪免予起诉的钱北风去看守所为于泳送行。钱北风只是哭，一句话也说不出来。单立人则对骤然老成了许多的于泳说道：

“相信我，孩子，你还会遇到你养父那样的人，但会遇到更多与他不同的人。”

（原载《警坛风云》1988 年）

人命危浅

中午，单立人刚在办公室里的折叠床上躺了一会儿，桌上的电话机便响了，响了又响，把他好容易酝酿出来的睡意一扫而光。他叹口气欠身摘下话机，慢吞吞地问：“哪个？”

“我是前门接待室。”听筒传来值班民警飞快的声音，“有个人找单立人同志。”

“哪里来的？”

“嗯——，五丘县四里乡三王坟大队，名叫单立天。”

“知道了，我很快下去。”单立人放下话机，坐在床沿发了会儿呆，站起来拉开门出去。

单立人刚刚迈进公安接待室，一个手攥制服帽子，满脸皱纹的老农民便紧张地站了起来，低声叫单立人“哥”。

“立天呀，”单立人面无表情地说，“几时来的？怎么不家去？坐坐，坐吧。”

单立人招呼兄弟坐下，自己也坐下，掏出烟来吸，忽然想起什么，递给单立天一支，两个人吞云吐雾了一阵儿，单立人打破沉默问：

“这次来有事啊？”

"来看看哥。"单立天木讷地说，"顺便来看看桂花这丫头，打出来后没见着信回去，她娘不放心。"

桂花是单立天的老闺女，人长得按农村标准还算俊，五官都有，就是有点缺心眼。单立人老家近亲结婚很普遍，稍微缺点心眼儿的不算毛病。单立人见过这位兄弟的六个闺女，大前年他这位兄弟把六千金全带到他家扎过一回营，老六就算不错了，好歹还知道屎不能拉在裤兜里，那次，单立人这样的硬汉子也服了。

"桂花这孩子聪明。也学着出来卖花生了？"

"这孩子记人，上回打这儿回去，老在嘴上念叨：'大伯家好，大伯好，就爱在大伯家住，爱吃大伯家的饭，没住够，赶明儿还去。'"

"噢，这孩子情意我领了，我这阵子太忙，你嫂子也有病……"

"我可不是对她这么说的嘛，'大伯忙，大娘身子骨弱'，不行，拦不住，一不留神就往外冲，死活要来，不让来就要扎井。"

单立人愁眉苦脸地吮着烟蒂，半天不吭声，最后听天由命地说：

"那就让她来吧，总不能让她扎井去呀。"

"我可不也是这么想的。"单立天如释重负，"又给你们添麻烦我不落忍。你们别把她当客，该打就打，该骂就骂，有什么要干的活就尽管差遣她去干——就像自家孩子一样。这不，我把过冬的裤袄也带来了。"

"不不，包袱你先自个儿拿着，我还要上班。"单立人没接兄弟塞过来的大花包袱，"孩子在哪儿？是不是在外边？叫她进来吧。你先领着她家去，让她大娘也尝尝桂花炒的花生豆。"

"可是……"单立天忽然结巴起来，一脸困惑的样子，"孩子没在您家？她两周前就出来了。"

“两周前就出来卖花生豆了？”

“啥花生豆？她会卖个啥花生豆？咱家也没种花生，这孩子一门心思只想来投奔您。”

“我没见着,人毛也没见着。两周前就上了路,拐着也拐到了。”

“错不了，我独家送她上的长途汽车，掰着指头数日子，咋人毛也没见着？”单立天立刻慌出一身汗，眼睛也直了，“可不敢丢了，你侄女可天下再不认得第二个去处呀！”

“莫慌。”单立人安慰兄弟，“有哥在，哥干的就是找人，那聪明伶俐变着法想丢的人都丢不了，莫说一个傻丫头了——不敢在这儿哭，这地方哭是要罚款的。”

单立天的眼泪打眼眶憋了回去，换成一副哭丧样儿，耷拉着个头。

单立人换了土话问兄弟：“俺侄女出门你可把车线都给她画清晰了？”

“清晰了，咋着下了汽车换火车，咋着下了火车换汽车，咋着下了汽车换汽车，一五一十搁家让她像背小九九似的背熟透才敢放出门。”

“给她身上装了多少钱？”单立人毕竟多年不说家乡话了，说着别扭，加上职业习惯，又改作官话问，“你给她带了很多钱吗？”

“咱家哪有钱？”单立天可怜巴巴地说，“又不是投外人，是投她大伯，只给丫头装了车票钱，缝腰带上，吩咐用手捂着。”

“是啊，丢钱和图财害命不大可能。”单立人点起一支烟，用手捏着双颊，“一个单身的农村女孩子更大的可能是遇上坏人诱拐。”

“俺那闺女可还是个黄花大闺女哪。”单立天急得气都透不过来了。

单立人看了兄弟一眼，弹弹烟灰说：“你不要瞎着急，我也不是说桂花就一准会碰上坏人。我只不过随便分析，估计最大的可能还是孩子迷了路，不定自个儿摸到哪儿去了——你桂花不聪明，客气地说，也是很糊涂，一盆糨糊。”

单立人扔掉烟，站起来：“我们不要在这儿坐着乱猜了，事实往往是不在意料之中的，我们立即着手寻找——遭罪呀！”

“这孩子遭了罪。”

“我说你遭罪？”单立人瞪着兄弟，“当初我就写信劝你不要和翠花姑的女儿结婚，你不听，现在遭了现世报，你瞧你拖着这六个傻娃娃哪还活得像个人样……算啦，说也无用啦，也不能怪你，爹娘的话你也不能不听。”

单立人摇摇手，叹口气，往外走。

单立天小碎步跟着，吭哧吭哧半天方嗫嚅道：“哥，会不会桂花来了，您在班上，嫂子她……”

单立人蓦地急停，车转身大声训斥兄弟：

“你嫂子是爱算计小地方，爱唠叨。但我告诉你，她再怎么着也做不出戏文上嫌贫爱富的员外夫人那号事，她还没阔到六亲不认的份儿上！”

单立人把兄弟领到办公室，找来曲强，让他带单立天到另一间屋作个笔录，自己开始给市收容站打电话。市收容站的民警听单立人描述了单桂花的衣着及面貌特征后，经过查询告知单立人：

“我们这里没有你要的那个人，但我不敢把话说死，因为我们这儿有成捆的穿花袄绿裤扁脑袋雄狮鼻厚嘴唇拉着口水一句囫囵话说不整的傻丫头，谁也分不清她们谁是谁——您最好自个儿来辨认一下。”

市收容站的情景令单立人感到厌恶，肮脏、昏暗的大房间里上百个衣衫褴褛、蓬头垢首、面貌一致的傻姑娘一齐冲你扮鬼脸、吐口水，就像一台由邪魔导演的丑陋狰狞的话剧，再有恻隐之心的人也不禁感到恐怖和恶心。随单立人兄弟同去的曲强看到这种可怕的场面脸都变了，惊骇异常。倒是单立天，六个傻丫头的父亲声色不动，很近地、毫不嫌恶地逐个去看每个傻姑娘的面孔，他寻女心切的心情令曲强甚为感动，当他发现这里没有他的桂花时，混浊的老泪从他布满皱纹的脸上扑簌而下。

“不要急，大爷。”曲强搀扶着他走到洒满阳光的院中，“这里没有，不代表哪儿都没有了，我们继续找就是了。”

“我怕我桂花是没了。”单立天老泪纵横，“我觉得我再也见不着她了。”

“别担心，别担心。”

单立人看着兄弟悲痛的样子，心里替他难过，但脸上一点没有流露，只是默不做声地昂着头走路。

回到局里，他立刻要了五丘县公安局的长途，询问他们那里收容所的情况。下午，电话打了回来，说他们没有——从来也没有收容过这样一个傻丫头。

其后的几天，单立人找来一本列车时刻表，向所有经过五丘县车站停过车的各次列车的运行途中的各个城镇发了寻人电传，并在大小日报上登了寻人启事。在这一切努力都未获得结果后，他又瞒着单立天自己跑了趟陈尸所，查看了所有无名尸体——桂花不在其中。这时，单立人才开始真正担心起来。

“一个大活人居然会像冰花在水里一样无影无踪了，这太不可能了。”单立人手捏双颊皱着眉头对曲强说，“我不能想象，这个傻丫头正把指头含在嘴里，在某个城市街头怡然自得地闲逛，而我们所有值勤巡逻的民警都来去匆匆对她视而不见。”

“这种可能性实在是很小。”曲强同意，“她身上没钱，又理智不清，这样一个傻子在一个地方长时间盘桓不可能不引起人们注意，哪怕是出于市容卫生的目的也早把她收容了。她到底能去哪儿呢？”

“这件事是件麻烦事，”单立人说，“看来我只好从头查起了，我可不希望这件事和一桩罪行有关。”

“谁会对一个傻子下手呢？不管是劫财还是劫色，既用不着施以暴力也用不着事毕灭口。”

“是啊，除了自己走失，傻子是没理由失踪的。”

这是一趟开往五丘县的慢车，车厢都是老式的木座椅，蒸汽车头牵引。乘客大多是穷乡僻壤的农民和小城镇居民，衣着破旧，表情呆板，随身携带大量包袱，上了车便一支接一支吸劣质的纸烟，坐不了几站便下车。列车越往西行，窗外的土地越见贫瘠，开始出现丘陵和山脉，树木稀少，河道干涸，星星点点的村庄房屋破败，却处处显出人口稠密，真不知这开垦千年疲惫不堪的土地如何负担得了愈见众多的人口生计。从这里上车的农民衣着更灰旧，行李更简陋，表情更呆板，口音更重更笨。

单立人和曲强并排而坐，吸着烟打发着时间。单立天坐在他们对面，脸上表情很麻木，眼睛空洞无神地睁着一眨不眨，像蒙了层雾。单立人知道，兄弟这种样子正是他极为痛苦的表现，他无法也不想去安慰他，这个时候需要的是有力的行动而不是空泛虚浮的言辞。

列车几乎是十分钟便停一站，进入夜间行车后，车厢里的乘客几乎全换了面孔，清一色的农民，像一尊尊雕刻粗糙的石像沉默地或正或反地坐着。单立人眼皮沉重起来，垂头打起瞌睡，曲强也闭眼耷头左右摇晃起来，唯有单立天仍大睁着眼睛一动不动地哈腰坐着。

列车“哐当”一声停住，片刻之后又启动了，单立人睁开眼睛，在昏黄的灯下看见一个瘦削结实的中年人提着旅行袋走进车厢。这人穿了身青灰色的化纤西服，风吹日晒变得黑红的脸上有一双灵活狡黠的眼睛。他沿着乘客稀落的座位走过来，在单立人斜对过的座位上坐下，露出一头短粗硬直的黑发。单立人坐直身子，越过椅背望去，那中年人的座位旁边有一个憨厚的农村姑娘，正睡眼惺忪、蛮不情愿地往里挪着身子。

单立人又合上眼，当他快睡着时倏地又睁开眼，那个中年人和农村姑娘正襟危坐着——

单立人睡睡醒醒，每次睁眼都看到那对男女古怪地挺着腰板直直坐着，不睡也不说话，在周围一片耷拉着头打瞌睡的人中显得非常不和谐。单立人肯定是睡着了只是自以为还常常睁着眼，那对男女也肯定是互相说话了并非石雕木塑地枯坐一夜，因为第二天单立人真正醒来后，发现那个中年人和那个农村姑娘很熟络地交谈着，那个中年人并为姑娘买了列车员推车叫卖的盒装卤面。列车行进发出的隆隆声十分震耳，单立人一点也听不见他们在谈什么，但从中年人殷勤的举动和伴随谈吐的矜持微笑看来，他显然力图吸引姑娘而且似乎已经成功地做到这点。那姑娘不自信地微笑着，怯怯地嘟哝着，眼里却露出兴奋的光彩，中年人作着气势恢弘的手势大包大揽地承诺着什么，充满诱惑地盯着姑娘的眼睛，姑娘低下头，旋又抬起迎视着中年人的目光。

列车广播员通知旅客，“五丘站到了”。一些要下车的旅客纷纷站起来，从行李架上取行李。那对男女也站了起来，中年人帮姑娘搬下沉重的行李，两人一前一后向车门走去。单立人和曲强及单立天也随着渐慢的车速站了起来，往车门走去。

一个水泥抹得光溜溜的站台出现在车窗下，列车停住，车门打开，人群鱼贯而下。单立人紧跟着中年人和姑娘身后下车，在站台上听到中年人对姑娘说：

“出站走不上二里，你就能看见路边我的‘存仁’旅社的字牌。”

一个穿制服的民警走到单立人面前：“您是单立人同志吗？”

五丘站地处县城城关，治安值班民警由城关派出所派员担任。单立人行前曾给县局的一个副局长，他的老战友打过电话，这位副局长因开会不能前往，便命县局秘书股的小李前去接站并“尽力满足单立人同志的一切要求”。

小李先在县委招待所号下了房子，接他们到此休息，吃过午饭便领他们去城关派出所听情况汇报。

城关派出所负责车站治安的副所长接待了单立人和曲强。

“我们这个车站附近情况很乱、很复杂，”副所长待单立人、曲强落座后便开口说，“可能你们出站时已经看到了。这个地区是城乡交界，居民成分良莠不齐，又因火车站、长途车站在此，人员流动很大，加上附近的农贸集市，个体饮食业和旅行社招来大量赶集投宿的四乡农民，管理十分困难，发案率一直在全县居首位。犯罪分子主要的是进行偷窃和诈骗，再就是聚众斗殴，杀人、强奸偶有发生，但大都是临时起意，一般都能很快破案。就今年而言，一起杀人，两起强奸都破了案，目前除此未接到新的报案也未发现无名尸体。”

“对流浪人员你们一般采取什么措施？”单立人问。

“对有犯罪嫌疑和盲流人员我们一经发现便立即收容，初步甄别后该收审的送县局，该遣返的就马上遣返。不过说实话，对这些乞讨、流浪人员我们无法有一个收一个，警力不够。我们这个派出所几十号人，本站附近一大块，还有邻近的几个乡，根本管不过来，全体干警连轴转也不行。警察也不是铁打的，自个儿要生病，家里要有事，白天睁了一天眼，晚上总要睡会儿觉，所以我们只能把重点放在大案要案上，对一般的流浪人员只能在重大节日前突击清理一下。咱们都是内部人员，我也不瞒你，你现在到站前街上转了一圈，那要饭的、鬼混的，得用绳子穿上一串，没办法，只好睁一只眼闭一只眼，只要不犯大事随他们自在去，犯了大事当然我们绝不客气。”

单立人问：“流浪人员中精神病和弱智者的比例大不大？”

“大——”副所长一摇头说，“别提了，数这种事叫人伤脑筋。这个地方很穷，农民又胡生，娶不上媳妇就亲戚间互相换亲，生出的傻子格外多，简直都有了名，四乡八县全部知道五丘县有三宝：‘麻绳锨把二杆子’，上次你们来电话查那个单什么桂花，我专门布置人查了，没有。对不伤害他人不危及公共安全的傻子我们一般不收容，实在有碍观瞻的就往远轰一轰。倒是有些轰了不走，涎皮涎脸总在车站赖着胡闹的，但那有数的几个我们都认识，是谁家的也都知道。你们问的那个单桂花，我们的值勤民警都没有印象。如果你们确实能证明她乘长途车到了这里，那也许没待两天就又跑到别处去了。”

“她不是自个儿跑出来无目的地瞎逛的。”单立人说，“她出来是为了换火车去我那里的。”

“这么说她是你亲戚了？”副所长乜着眼睛看看单立人，单立人沉默着，“干吗你家里人不送她上火车，让一个傻子乱跑？我们这里一般是不许傻子进候车室的，我敢说，她要是一个人又脏又臭拖着鼻涕，不管她口口声声要去哪儿，多么郑重其事，也甭想跨进候车室半步——我们并不是在一切方面都睁一只眼闭一只眼放任自流的。”

“我桂花是穿得干干净净出门的。”单立天眼里充满悲哀语调缓慢地说，“我生了六个不中用的丫头，是我前世造孽今世报应，没孩子的不是。菩萨有眼，我从没敢虐待过孩子，宁肯我和她娘累死也尽量给孩子装扮可心。人本来就不灵便，再脏得没样儿，更该让人嫌弃受人欺……”

“我觉得您不该过分责怪副所长。”县局的小李小心翼翼地看着单立人的脸色说，“他们的那个土规定尽管含有某种歧视，但也是出于维持秩序和观瞻的必要，而且绝无轻侮的针对性。”

“我一点也没有责怪副所长的意思，”单立人冷淡地说，“我只是想了解他们的规定是否可能得到不折不扣的执行。如果真是这样，我倒要感谢城关派出所的同志，起码他们大大缩小了寻找工作的范围。”

单立人背手向前走去，曲强对小李说，“要是你了解老单，你就不会担这份心了。那些愚蠢、有害无益的虚荣和自尊在他身上可是一丁点都没有，他才不在乎别人怎么看他。”

“我不记得我卖给过一个傻姑娘车票。”车站售票处的女售票员嗑着瓜子儿，眼皮抬也不抬地说。

“你好好想想，”单立人耐心地望着女售票员说，“她从外表上看并不是一般常见的那种令人生厌的模样儿，实际上她应该和普通人没什么两样，她穿得很干净——这在你们这儿不是很有些特别吗？”

“不管是干净傻子或是脏傻子，我一概不知道！”女售票员啐掉瓜子皮儿，拍着手，眼睛望着别处说，“我才不去注意谁是傻子谁不是傻子，在我看来全一样，谁拿着钱把手伸进窗口我就把票卖给谁，我才不管他长得什么样。您找我真是瞎耽误工夫，我每天接触的只是手，而聪明人和傻子的手没什么区别，我又不会看手相。”

“对不起，麻烦你了。”

“麻烦不麻烦倒没什么，关键你没找对人。找我还不如找候车室服务员，旅客有不明白的全找她们问，您找的那个傻子恐怕不定怎么腻歪过她们中的哪个呢。”

“噢，谢谢。”单立人感谢地说，“您知道那天是哪个服务员在候车室值班吗？”

“找候车室主任问去，我管得着谁值班谁不值班吗？”女售票员又啐掉一口瓜子皮儿，扔进口里一个瓜子，“你们当警察的怎么这么迂，凡事还得让我教，真不相信你们这号的能破什么案。”

“你们这儿人怎么说话都这么冲啊？”三人出了票房，曲强问小李，“都跟机枪手似的。”

“我们这儿民风强悍。”小李解释说，“好在倒一视同仁，对外地人本地人全一个腔调。”

单立人在候车室主任的陪同下，询问了那天值班的所有服务员，受尽了冷遇和抢白，最后，一个煤气罐粗壮的女服务员骄矜地开了口：

“那天我倒遇见个穿花袄绿裤的丫头，在候车室转来转去老跟着我，想说话又不敢说，我被她跟烦了，问她想干吗？她说要买车票，我给她指了售票口，她说人家不卖她票。我看她憨憨的怪可怜，就多问了几句她要买哪趟车，然后告诉她那次车已经过去了，要乘明天再来，把她打发走了。”

“那么，她第二天来了吗？第二天你也在值班吗？”

“第二天我值班，但我没见着这丫头。不过这可说不准，候车室人那么多，我也没特别留心这丫头，我只是印象里没再见着这丫头。”

“谢谢你的协助。”单立人站起身。

“我说的可不定就是你找的那个人。”女服务员补充说，“那丫头虽憨，可一点不像二杆子。”

“谢谢。”单立人回头再一次谢谢，同曲强和小李径直走出候车室。

车站广场阳光惨淡，形形色色的人在走动或席地而坐，几个卖冰糕和塑料包装汽水的小贩在推车叫卖；广场外停着一些人力三轮车和机动三轮车，车夫聚在一起抽烟聊天；车站厕所外墙根下有几个抱膝而坐的人摆看残棋和草药摊布，一些人围在那儿。一个衣冠楚楚的汉子大概在给人算命，对一个痴呆望着他的年轻人说：“我只能算出你父亲会当领导，至于县长还是乡长那我可没法说……”

单立人和曲强、小李三人抽着烟在广场上踱步，打量着周围无所事事的人群和灰暗的建筑物。广场往前延伸是一条挺宽的尘土飞扬的马路，路两旁都是些小吃店和旅社，还有些搭着棚子的小摊档卖菜、鲜活家禽和香烟服装。那儿人挺多，远远望去有些熙攘嘈杂的热闹劲儿，长途汽车站就在那条路的中段。

“我倾向于相信那个女服务员的话。”曲强说，“应该设想单桂花没有离开此地。”

单立人看了曲强一眼，低头吸烟：“如果相信女服务员说的那个姑娘就是桂花，那她就是在这儿忽然失踪的。”

单立人抬头茫然地望着眼前的景象：“如果相信女服务员的话，那桂花就不会是傻病发作，失去自制能力忽然乱跑起来。如果这一点得到排除，那只能是受到了外力的阻拦和劫持。可谁会对一个土头土脑的憨姑娘感兴趣呢？”

单立人的目光落到一个远远倚墙站着挎着包袱的穿花袄绿裤的农村姑娘身上，他看了那个姑娘很久，正要转身走，蓦地不动了，他看到火车上出现过的那个中年人从广场一端溜溜达达走过来。那中年人走到姑娘身旁同她搭讪，姑娘显然不太答理他，那中年人笑着走开，走到一个摆摊卖流行杂志和通俗小报的妇女旁边和她聊起来，他们似乎认识。

“你认得那个人吗？”单立人把那个中年人指给小李看。

“不，”小李看了看那个中年人摇摇头，“不认识。看脸有点熟，可能是在车站一带做生意的。”

“怎么样，跑了半天一无所获吧？”副所长一看到单立人等人进来就大声对他们说，“我说你们别费劲劳神了，也许那傻姑娘早回家了。这种事我们这儿见多了，每年都要丢几十个傻姑娘，要都认起真来，我们派出所每年别干别的了。”

“你这里有没有这些走失的傻姑娘的详细材料，名单、相貌、走失情况等等。”单立人严肃地问。

“怎么，你要把这些傻姑娘都找到？”副所长大笑起来，“一切材料都有，你看着头都会晕的。”副所长叫来一个内勤民警搬来很高一摞牛皮纸卷宗，堆在桌上。“请看吧，够你看上一阵儿。这还仅是家里来报失的，有些我们给找着了，有些家里人给找着了。傻子，还能上哪儿？逛上一阵儿，多数也就自己回家了，就像发情的猫，出去野一通，没吃没穿了也就跑回家去了——回家的路她们倒是都不含糊地牢牢记着。”

单立人没再说出什么，只是搬了卷宗，分给曲强一部分，坐到一边飞快地看起来。

看完卷宗，单立人捏起双颊沉思了。

“看出什么名堂了？”副所长递给单立人一支烟，单立人道了谢，点着烟吸起来，片刻，说道：

“我想这个地方不会是清一色的女傻子吧？”

“当然不是，遗传还有什么客气的吗？它对男女没有厚薄。”

“那为什么丢的、不知下落的都是女傻子？”

副所长和小李对视一眼，眨眨眼没说话。

“就从这些卷宗里的情况看来——这是一年的吧？”

副所长点点头。

“就从这一年的不完整的数字看来，起码有十几名年轻的女傻子迄今遍寻无着、无影无踪，时间最长的已经有八个月。”

“这个，”副所长皱皱眉头说，“应该考虑到有些山区的农民当他们走失的子女回家后便放了心，也想不起到派出所来说一声。”

“所以我想请你立即将这些至今下落不明的女傻子的情况核实一下，并将前些年所有走失未有下落的女傻子的数字统计一下。我有理由相信这些人里有一部分并未完全丧失自制能力，她们的失踪是不能用她们的弱智来解释的，我担心她们中有些人是在外力的强迫下下落不明的。”

“老天，我们这儿可从没出现过拐卖妇女的案子。”副所长嘟哝着，“谁会批发傻子？有大量头脑简单但比傻子要受看得多的年轻妇女等着人去骗。”

“还有，”单立人说，“请你调查一下一个中年男人，他常在车站一带出没，很瘦，穿一身化纤西服，和车站前卖报刊的一个妇女认识。他大概是在站前街开了个旅社，店名叫……‘存仁’，要不就是和这两个字谐音的什么名字。”

“存仁”旅社经理刘存仁，男，39岁，未婚，城关乡坝村人，其父为原坝大队党支部书记。刘存仁务农期间一贯游手好闲，前年二月份与城关镇居民孙德富合伙在站前街开设“存仁”旅社（房院系孙自有）至今。刘存仁曾因在公共场所调戏妇女被派出所教育罚款，无前科，经查“存仁”旅社经营中无不法行为。

单立人和曲强走进“存仁”旅社昏暗的堂屋时，从里屋迎出来接待他们的正是侏儒孙德富。单、曲二人看到这个矮人不禁倒吸一口凉气。他脑袋硕大，两肩宽厚，双臂过膝，手如薄扇，完全是一个大力士的上身配上一个六岁儿童的细瘦罗圈腿。

“二位住宿吗？”孙德富仰着头，毫无表情地问。这是张农民般麻木、皱纹横布的宽脸。

“是的，”单立人回过神来说，“你们这儿有双人房间吗？”

“有，请跟我来。”孙德富转身儿童般蹒跚地迈上落满灰尘的窄木楼梯。

“存仁”旅社临街有三间老房，房顶上用木板和苇席油毡搭了一层阁楼。堂屋前后有门，既是接待室又是灶间，盘着柴灶，通过后门出去是一处用泥坯围起来的院子，院子里还有几间土屋和猪圈鸡舍，堆着柴垛晾着衣服，像是孙德富家人居住的地方，但此刻没有人影。堂屋两厢房间搭着通铺，堆着肮脏的旧被子，有人在里面睡觉。阁楼是隔成小间的，每间里有两副板凳搭的床板，上面同样堆着肮脏的被子，除此一无所有，单立人和曲强就被安顿在这样的笼子里，一个床三块钱。

“你们这儿管饭吗？”曲强走下吱吱作响的楼梯间。

“不管，吃饭要到街上去吃。”孙德富面无表情地回答，“开水有，在灶上的锅里。”

曲强掀开锅盖一看，冒着热气的一锅水上漂着油腥儿，重又盖上锅。

“你们这儿住的人多吗？”曲强打量着两厢死气沉沉的房间，问。

孙德富瞪视着曲强，半天，从牙缝里挤出一句：“多。”接着走到敞开的大门口，迎着飞舞着灰尘的光线眯缝着眼呆滞地注视着街上过往的行人，不再理曲强。

中午，“存仁”旅社内外一片寂静，只有街上的嘈杂声隐隐传来，单立人和曲强各自躺在床上没脱衣服，翻盖着被子睡觉。忽然，后院传来女人响亮的叫喊和号啕声，夹杂着男人低声的咆哮和钝物打击的闷声。单立人和曲强几乎同时从床上跳起，谛听着这混乱尖啸的声音。随之，他们拉开房门，冲下阁楼。

后院内，孙德富正在毒打一个披头散发、衣着破旧的女人。他的脸扭曲着，筋肉一块块怒张着，几乎是在往死里打那个女人，嘴里还发出野兽般愤怒的低吼。那女人被他打得满地乱滚，一声高过一声地哀号，脸上却奇怪地露出兴奋痛快的痴笑，虽然孙德富猛踢她的要害部位，她却只是随着重踢来回翻身，并无意爬起来奔跑躲避。

单立人和曲强正要进后院解劝阻拦，一个懒懒的声音在他们身后响起：

“你们不要去管。”

二人回头，刘存仁咬着烟嘴儿慢条斯理地从楼梯上走下来。

“你们是今天住进来的？”

单立人和曲强看着他点点头。

刘存仁从开着的堂屋后门看了看仍在起劲踢着女人的孙德富，对单立人和曲强说：

“他打的是他老婆，这两口子每天都要演这么一出，饭可以不吃，觉可以不睡，这顿打要是少了就活不下去了，都成习惯了。”

“会打出人命的，那女的叫得那么惨。”

“不会的，你没看他是在用脚踢嘛，他的脚没多大劲儿，要是他用拳头打了，那才会出人命。那娘儿们是故意这么喊的，这么喊心里痛快，你就是用手指头轻轻碰她一下，她也会这么杀猪似的喊起来。”

“她……”

“她是个傻子。”刘存仁吐出烟说，“傻到家的那种傻子，每天除了吃喝拉撒睡，唯一想着的就是挨这顿打。”

后院的喊声微弱了，孙德富停止了用脚踢那个女人，揪着她的头发往屋里拖，他的臂力真是大得惊人，揪拖着那个女人简直像主妇拎一壶开水。那女人不再叫，闭着眼，双手护着头发，那神情像是在细细品味这揪发带来的疼痛。

“真他妈叫人恶心，这对怪物。”刘存仁“呸”地往地上吐了口痰，掉脸简慢地看着单立人和曲强问：

“你们二位不像是本地人，到我们这儿干吗来了？这地方可没什么好玩的。”

“噢，我们是渤县帆缆厂的。”单立人说，“到你们这儿收点麻绳。”

“渤县帆缆厂？”刘存仁退步在一张条凳上坐下，吸着烟审视着这一老一小，“没听说过这个厂嘛。”

“我们是小厂，社队企业，刚办不久。”单立人掏出烟敬刘存仁，“你们这个地方我们也是头一回来。”

刘存仁眼睛没离单立人的脸，举举手中烟示意正吸着，没接单立人的烟。

“你们这儿麻绳国家收购的价没涨吧？”

“不知道。”刘存仁盯着单立人笑道，“我看您二位不像。”

“不像什么？”

“不像走城串乡收麻绳的。”

“怎么个不像法？”曲强笑着说，“收麻绳的还要统一长成什么样吗？”

“当然干什么有干什么的样儿？”刘存仁指着自己的眼睛说，“您二位瞒不住我这双眼睛，是干什么的我一眼就能瞅个八九不离十，您二位气度不凡，眉宇间有雄壮之气，谈吐自信，绝非小商小贩之流。”

“您猜差了，我们还真是收麻绳的。”

“得啦，别说了。”刘存仁起身磕掉烟蒂，微笑着说，“我知道你们是干什么的，不过你们这次可能没找准地方。”

刘存仁趿着鞋懒散离去。

傍晚，天色苍茫，饭馆和居民院落的油烟弥漫着低空和街道。站前街人群拥挤，路灯多数残破不亮，街上十分昏暗，一家家店铺摊档点着汽灯卖着吃食，油锅汤锅在灯光下滚开着，话声吞咽声嘈杂一片。

单立人和曲强坐在一个小摊的条凳上用筷子挑着热汤面往嘴里填，他们看到刘庆仁和两个风尘仆仆，穿着旧军制服的汉子从街上走过，进了对面一家招牌很低的小饭馆。他们吃完面走进那个门窗洞开的小饭馆时，看见那三个人在里面喝酒吃菜，嘀咕着什么，饭馆老板不时把刚炒好的热菜一盘盘往他们桌上送。

两个人回到旅社，进了阁楼房间便熄了灯，坐在临街窗前边吸烟边观察着街上。

旅社住进了一大群肩挑手提长途贩运的农民，把楼下两个大房间塞得满满的，又叫又嚷，打水洗脸，玩牌抽烟，有人还在高声唱梆子，整个旅社闹哄哄的。阁楼上没有住进新客，一片静悄，后院也很安静，只听到鸡的咯咯叫声和猪在哼哼。

天黑下来很久了，街上的行人也稀少了，景色更暗了。单立人和曲强一动不动地坐着，屋里烟雾腾腾，只好开窗放烟。

远处街道上传来刘存仁的高声说笑，语句含糊不清，像是带着醉意，须臾，他和那两个穿旧军装的汉子脚步踉跄地出现在窗下。他们醉醺醺地互相搭着肩开着猥亵的玩笑，走到旅社门前便没声了，一个跟一个走了进去。

单立人和曲强侧耳倾听，听了半天，不见有人上阁楼，只听得楼下那些农民，大声喧哗。曲强下楼去察看，只见两厢房内赤膊的农民在黄昏的灯下盘腿坐在炕上，挥舞着胳膊扯着嗓门在说话，不见那三人的踪影，堂屋通往后院的门掩着。

“他们可能去后院了。”曲强爬上楼对单立人说，“看样子后院也有住客的房间。要不要去看看？”

“等人都睡下再说。”单立人说，“不要引起那家伙的怀疑。”

半夜，旅社内安静下来，街上已经没人了，一弯月牙挂在天上，向室内投入清辉。曲强悄悄下地，蹑手蹑脚向楼下走去。

旅社内一片漆黑，曲强小心翼翼地下楼，但楼板还是讨厌地吱呀吱呀地响，在黑夜中格外刺耳。曲强来到堂屋，前后门已经关上，前门还顶着杠子，两厢传来沉重、此伏彼起的鼾声，有的鼾声还带着哨音。

曲强挪开散放在地中间的条凳，来到后门，轻轻用手去推。后门是虚掩的，一推便“吱咛”一声向外打开，曲强一步迈进院子，立刻感到胸以下撞在了一个坚硬的物体上。他低头一看，月色下孙德富两眼灼灼有神地仰望着他。

“你干甚？”

“我上厕所。”曲强忙说，并退后一步。

“便桶屋里有。”孙德富迈步向前把曲强顶回屋里，一指角落里的一只木水桶，那水桶散发出强烈的尿臊气。

孙德富横着肩盯着曲强，曲强只得解裤站到便桶前，在孙德富的咄咄注视下向桶里撒尿。之后，孙德富仰着脑壳目送着他，直到听到他进了房关了门，才退出堂屋，关严后门并从外划上闩。

曲强沮丧地倒头躺回床上，单立人在黑暗中翻了个身，一声没吭。

清晨，单立人和曲强还在睡梦中，便被楼下激烈的争吵声吵醒。

单立人走下阁楼，发现争吵的双方是孙德富和刘存仁。孙德富似乎很激动，两只下垂的巨手攥成小钵般的拳头，而刘存仁则是一脸轻蔑和鄙夷，这场争吵中显然是他占了上风。

“少管老子的事。”他冷冷地对孙德富说，“别忘了咱们可是有言在先，各司其职……”

他看到单立人，戛然停止。孙德富见有人来也停止了对峙，松开拳头，闷闷地走到灶旁坐下，刘存仁面无表情地从单立人面前穿过，走进后院。

住在两厢的农民此时早已走光，床铺都已经整理过，堂屋只有孙德富和单立人两人。孙德富悒郁地坐在灶旁添火烧水，火光映在他宽大、粗糙不平的脸上，可以看到他脸上的肌肉在抖动。单立人走到他身旁坐下。

“水开了吗？”

孙德富没回答，只是盯着灶内跳跃的火苗。

“那人怎么对你那么厉害？他是你的老板？”

“屁！”孙德富视线不变，蹦出这么一句，“他是狗屎。”

“你们俩和不来？”

“我们合得来合不来是我们的事，关你屁事？”孙德富蛮横地说，“哪个要你来多嘴？”

单立人知趣地闭住嘴，但没走开，仍旧坐着。这时，他身后发出一阵“滋滋”的怪声，他回头，看到一个披头散发、满脸污秽的女人在堂屋后门露着大半个脸冲这边伸着舌头作怪相。孙德富回头瞪眼眦目吼了一声，那女人便蓦地不见了。

单立人叹口气，孙德富充满敌意地抬头看他。

单立人正视着他的目光，说：“我有个女儿也是傻子。”

孙德富眼中的敌意消失了，但仍什么也没说，只是低头去照料灶内燃烧的火。

“我不知道我为什么会生出这个傻女儿。”单立人自顾自地说，“但生出这个女儿后，我的生活全变了样。”

孙德富没说话，但他的眼光柔和了，这时候，他们就像两个同病相怜的人。

“我想干的一切都不能再干，我为这个女儿计划的一切都成了泡影，每日只是围着她转，怕她受到伤害，她是无忧无虑的，而家里所有人却痛苦不堪，受着无尽的折磨，日日夜夜的不安宁。”

“你就不该把她生下来。”孙德富说，“她就不该生下来，他妈的做父母的就不该不要脸地生下有残疾的儿女。”

“是啊——”

“是啊！”孙德富飞快地接茬儿，恶狠狠地说，“这就是你他妈的活该！你还向谁抱怨？你既然生了她就得养她，给她吃给她穿，一直到死！”

单立人注视着孙德富，孙德富狞笑着：

“你受罪去吧，你要是真疼她，你不如干脆掐死她——你以为让她活着她会感激你吗？”

“最近有几个跟我提亲，说可以给她找个婆家嫁出去。”

“啊，到处都有刘存仁这种人，”孙德富微笑着，“到处都有这种好心人。他们是天才的推销员，能把任何劣货推销出去。”

“我也觉得这样也许对她有好处，尽管她傻，也有权利过正常人的生活。”

“正常人的生活？”孙德富把鼻涕一下笑了出来，接着变得十分狂怒，“你以为你闺女能找个什么像样的人？无非是另一个傻子或者一个像我这样的人。你真替你闺女着想，你真替天下的傻子着想，一个傻子还嫌不够，还要一个接一个无休止地生下去，你看到天下的傻子成了堆，心里痛快还是怎么着？我告诉过你，你要真疼你闺女，就掐死她，就这样……”

孙德富佝起五指，做了个令人胆寒的鹰爪状。

“孙德富约莫 47 岁，初中文化程度，从小父母双亡，无业，无明显劣迹，一直居住在站前街 71 号，前年才与刘存仁合伙开了个旅社。这个人身有残疾，生性懦弱，常受到他人欺凌，从来都忍气吞声，没听说和谁过不去结下冤仇，基本上是个逆来顺受、脾气温和的人，这可能和他身有残疾有自卑感有关。”

副所长合上卷宗，对单立人说：

“我们派出所掌握的材料就这些。”

“他和刘存仁的关系怎么样？”单立人问。

“据反映关系尚好，从某种意义上说，刘存仁是他的恩人，他的老婆就是刘存仁给介绍的。他过去生活很困难，同刘存仁合开旅社以来，生活有了很大改善。怎么，你们发现什么疑点了吗？”

“噢，似乎有迹象表明刘存仁暗地里从事为呆傻妇女介绍婚姻对象的活动。目前还不知道他搞这种活动是否有营利目的。”

“这个恐怕是少不了的。”

“我现在还不打算采取行动，想进一步搞清他是否从中赚钱，款项多大？是通过正常途径介绍对象，还是采取非法的诱骗裹胁手段？这么多呆傻妇女的失踪是否跟他有关？”

“抓起来审一下就知道了，他那号人经不住三堂我敢打保票。”

单立人摇摇头：“我们几乎一点证据都没有呢，只是有一些传闻，起码我们得抓他个现行，不能操之过急。”

曲强站在楼梯上，听到刘存仁的脚步从后院走进堂屋，便噔噔走了下来，正好和刘存仁打了个照面。

“喂，老弟，才起来？”刘存仁和曲强打招呼，“昨晚睡得怎么样？”

“别提了，没劲透了。”曲强苦着脸说，“你们这儿晚上也太单调了，想找个地方玩玩也没有，早早就上了床烙饼子，一个人睡他妈怎么也睡不着。”

“老弟是精血太旺。”刘存仁笑着说，“在这个地方也只能是调神养元，别的法子可是一点没有。”

“得啦，都这么说，其实哪儿没猫儿腻？”曲强硬塞给刘存仁一根烟，“抽抽，别客气，咱们兄弟就别说那外道话。老兄，怎么样？

能不能想法给找个乐子？”

刘存仁叼着烟吸了两口笑着说：“这地方不行，这儿的人不开那个窍，说实话，这是铁打的老解放区，至今还是鲜红鲜红的颜色没掺一点杂色。”

“你是本地人，又是开旅馆的，哪能一点路子没有？水里还有碱呢，我又不会让你白帮忙，随便弄一个过得去的就行，我看得出你手里攥着玩意儿。你会看相我也会看相，你老兄脸上也挂相。”

“不是有水不放，实在是不敢。这地方对这种事管得太严。一旦被公安局起了窑，别说你老弟吃不了兜着走，就是我这个旅馆也甭想开了，几年大刑不新鲜。”

“得啦得啦，算我没说。”曲强脸一仰，摆了摆手，“不能办别说了，扯那些没影儿的干吗？权当我一头扎干井里了。”

曲强转身掉脸自个儿站在大门口抽烟，不理刘存仁。刘存仁倒讪讪地赔笑，磨磨蹭蹭不肯离去。

“你们那位老哥干吗去了？一早走了？”

“你管得着吗？”曲强乜着眼睛，“你是公安局的？”

“不不，不是这意思。我是说那忙我帮不上，这忙我倒没准能帮上。”

“你能帮什么忙？”

“嘁，还不信。你们人生地不熟瞎跑什么也抓不着，你到后院来，我给你看几件东西。”

“什么东西？你能有什么东西？那傻子我可不感兴趣，白给也不要。”

“不是那个，你跟我来吧。”刘存仁拥着曲强出了堂屋后门，来到后院。

曲强进了后院才把后院看个清楚，那几间土屋足有五六间，孙德富一家只住了其中三间。刘存仁把曲强领进了其余几间中的一间，那俩穿旧军装的汉子正在屋里炕上蹲着抽烟，看见曲强进来怔了一下。一个汉子冲刘存仁问：

“多咋没去又转回来了呢？”

“刚出门碰上了这位小兄弟。”刘存仁说，“来来我给你们介绍认识一下，这小兄弟是有来头的，你们把带来的几件东西给我们这小兄弟过目一下，——你看看有没有中意的。”刘存仁对曲强说。

他不待那两个汉子有所表示，就自个儿动手从炕上拖出一个包袱，解开掏出几只陶碗陶罐摆在炕沿上。

曲强这才明白他们把他当成古董贩子了，他索性将错就错，拿起一只红褐色的陶碗装模作样地端详起来，两个汉子和刘存仁六只眼睛一齐盯着他。

“这屋里太暗,看不清。”曲强把碗拿到门口,对着阳光来回看，半天，把碗送回炕沿上摆着，看着其他的陶罐不置一词。

“怎么样？”刘存仁问。

曲强盯着这堆破烂面无表情，心里实在不知怎么表现才能不露马脚。

“这碗多少钱？”他问。

蹲在炕沿上的一个汉子伸出大拇指和小指。

“六十？”

“六百！”那汉子瓮声瓮气地说。

“你可真敢开牙。”曲强暗暗吃惊，嘴上好像还在正当地讨价，“这碗都残了，我看六十也算公道了。”

“六十不卖。”汉子把陶碗包起来，“你不识货，不诚心买。”

“看我的面子，五百六吧。”刘存仁打着圆场。

汉子看曲强。曲强心想六毛钱我也不要，嘴说：“五百吧。”

“卖你啦！”汉子一下把碗塞到曲强怀里，伸出另一只手要钱。

曲强慌了，忙把碗搁回炕上：“别介别介别着急，你那些东西什么价？”

“先买了这个，再说其他的。这个买不起，那些你更买不起。”

“你他妈怎么知道我买不起？这些我全要了，你开价吧！”

另一个一直不吭声盯着曲强的汉子开口说：“总共八件你给五千吧。”

五千就五千，曲强心想，你们就高开价吧，价越高判你们也就判得越结实！

他对刘存仁说：“这事还得等我大哥回来，让他亲自看看，不瞒你说，这行我刚上道不久，也许会看走眼，我大哥清楚。”

“没关系，没关系。”刘存仁一迭声说，“你们尽管从容地斟酌，咱们两方面都别吃亏，不过我跟你说，这东西都是真玩意儿，刚从坟里挖出来的，您到国家博物馆也见不着。”

“老刘，”一个汉子一边包扎陶器一边对刘存仁说，“那妞儿的事你可得抓紧去办。”

“耽误不了你。”刘存仁说，“我已经看准人头了，回头去车站就给你领来。”

“什么妞？”曲强对刘存仁说，“我说你这家伙不地道，能找着妞儿光给他们找，我让你找你就推三挡四。”

“不是你要的那种妞儿。”刘存仁咧着嘴说，“都是傻妞儿，你也看不上，他们是搞去给山里人当媳妇儿。”

那两个汉子蹲在炕上瞅着曲强和刘存仁对白，一个汉子对刘存仁说：

"你又给俺们搞傻妞儿，找几个不傻的不行吗？眼下山里农民也富了，不乐意娶傻媳妇，上回你给俺们找的那个姑娘不是挺好？"

"哪那么容易，回回都给你们找着利落的人？人家好姑娘谁稀罕往你那山里嫁？你山里农民打枣儿挣的那几个钱也叫钱？娶上傻媳妇就烧高香吧，还挑呢。人家傻姑娘都不爱去，一来二去十个能跑五个，让我抓了多少回瞎？"

两个山里汉子被刘存仁伶牙俐齿一顿排子枪打得没词儿了。

单立人刚在街上的烟摊买好两包烟，一回身看到刘存仁脚步匆匆地向车站广场走去。单立人心里一动，尾随刘存仁而去。

刘存仁像条鱼似的在广场上的人群中穿来穿去，走到那个卖书报杂志的妇女摊前一边随手翻着杂志同妇女谈笑，一边用眼睛不时睃寻一个在广场上徘徊，笑呵呵的脏姑娘。那姑娘看得出有毛病，但有些事似乎明白，她看到解放军士兵伸手讨要东西。刘存仁观察了一会儿，便向那姑娘走去，走到姑娘面前笑嘻嘻地掏出一角钱在姑娘眼前晃。姑娘向他伸手，他把那一角钱给了姑娘，又掏出几颗花花绿绿的水果糖递向姑娘，姑娘刚伸手去拿，他便将五指收拳，示意姑娘跟他走。姑娘傻呵呵地跟着他，他给了姑娘一颗糖，姑娘把糖纸剥了含在嘴里，脸上露出高兴的神色。

刘存仁刚离开书报摊，单立人便蹲在了刚才他的位置，假装翻看书报，广场上的这一幕都被他看在眼里。他一边掏出几角钱胡乱买了本杂志，一边看着那一对远去的男女，对卖书报的妇女说：

"家里有个傻子真够糟心的，一天到晚得出去找。"

"那不是他家里的。"卖书报的妇女颇了解内情地说，"这是我们这儿的一个好心人，总是帮助无家可归的傻子，自己掏钱送她们回家，光我看见他就帮助了不下几十个傻子，这样的活雷锋居然没有人想着给宣传一下。”

单立人赶回“存仁”旅社，正碰上曲强出门，他劈头问曲强看没看见刘存仁领着个傻丫头回来，曲强往身后努努嘴说：“给领到后院去了。”

接着，曲强把他进后院了解到的情况向单立人做了汇报，单立人以拳击掌说：

“这下是时候了。”

二人反身去了派出所，同副所长研究了行动部署，如此这般筹划停当。

为了防止事情有变，单立人和曲强在街上草草吃了晚饭，便急急赶回“存仁”旅社，一进门，正赶上刘存仁在训斥孙德富：

“叫你干什么你就干什么，这顿饭的费用也不用你掏一个子儿。你要是觉得自个儿能自立门户了，等今年合同满了咱们散伙好啦，你凡事总跟我别着劲儿，什么意思？”

孙德富手攥一根擀面杖，并着胳膊瞪着刘存仁一声不吭。

“你瞧你那样，”刘存仁骂，“跟他妈丧门星似的，我老刘哪点对不起你，没我哪有你的今天！跟你伙在一起算我瞎了眼。”

刘存仁拔腿回到后院，还回头嚷：“不爱干明散，老子不求你。”

单立人和曲强这才看到堂屋烧水的灶上放了张大平锅，旁边摆着揉好的面团。孙德富见刘存仁走了，慢慢走回灶旁，踩在一张小板凳上用力擀一张大面饼。

“烙饼？”单立人同孙德富打招呼，“今儿有客，吃席？”

孙德富用全身的力气把面团擀成一张硕大、越来越薄的饼：

“让这伙王八蛋先美一会儿。”

一个满脸痴笑的女人欢天喜地吮着手指头跑进堂屋，看着孙德富的饼，雀跃地呜呜呼呼地说：“吃饼，吃饼。”

单立人和曲强起初还以为是孙德富的老婆，再一看，才发现是刘存仁从车站领回来的傻子。孙德富回头看见这个傻子，奇怪地露出温和的眼神儿，跟着她说：“吃饼。”

这时，一个汉子一步从后院跨进堂屋，拽着那女人的胳膊往后院拉：“一眨眼不见，你就跑这儿来了，快回去。”

他看到曲强，赔笑点点头。

曲强对他说：“喂，我大哥回来了，过会儿去你那儿看东西。”

“吃罢饭，吃罢饭吧。”

汉子点头哈腰说着，拉着女人回了后院。

单立人对孙德富说：“这女人是不是要卖给这汉子？今晚吃他们的喜酒？”

孙德富把大饼“滋”的一声放进烧得冒烟的锅里，头也不回地说：

“他买不成，他龟儿子白高兴一场。”

晚上天黑了，单立人和曲强进了后院，后院一片昏暗，几间土屋亮着灯，院里的柴垛和猪圈影影绰绰。曲强领着单立人奔汉子住的土屋。

屋里两个汉子和刘存仁都有些醉眼蒙眬，嘬着牙花子在炕上倚着，看到单立人和曲强进来，霍地坐起来，土墙上的黑影一下放大、张牙舞爪起来。

“哥几个好啊。”单立人看着这几个家伙点着头，“听说你们有几件玩意儿，拿出来让我瞧瞧吧。”

一个汉子迟疑地把装着陶器的包袱拿出来解开，把陶碗陶罐一溜摆在炕沿。

单立人拿起陶碗端详着，又依次把每件东西仔细看了看，掂着一个小陶罐问曲强：

“这些东西他们管你要多少钱？”

“五千。”

单立人嘴角撇着笑了一下，问为首的汉子：“五千少了点吧。”

刘存仁见话茬儿不对，忙说：“五千不是最后价，您要真要还可以商量。”

“就五千吧，你们不后悔就行。”

汉子憨厚地摇摇头：“不后悔。”

一阵杂沓的脚步声从外至内传来，屋内的汉子脸色顿变，本能地想收起那些陶器，单立人挥挥手，平淡地说：

“别瞎忙了。”

屋门“通”地撞开，正待开门看动静的刘存仁被猛地打开的门扇磕在脸上，“哎呀”一声捂着脸蹲在地上，副所长领着一群民警佩着警械拥进屋里。两个汉子没待有所反应，便和刘存仁一起被年轻力壮的民警用警绳捆得结结实实，一个民警重手重脚地将那些陶器堆在包袱皮上，一兜兜起。

“我看也不必跟你多解释了，”副所长对捆得挺胸抬头的刘存仁说，“你们非法倒卖文物，被我们当场查获。”

刘存仁看着单立人说：“你们何苦有意整我，我只不过是从中介绍，并没有捞取什么好处。”

“会弄清你都干了些什么的。”单立人说，“这个你大可放心。”

民警们搜查了两个汉子，从他们身上搜出大笔现金。

“这些钱是干吗用的？”副所长问两个汉子。

汉子不吭声，刘存仁抢着回答：“做买卖用的。”

“没问你！”副所长扭脸喝刘存仁，继续问两个汉子，“这些钱打算干什么用？”

“做买卖。”汉子嗫嚅着。

“做什么买卖？”

汉子不回答，副所长冷笑一声：

“我有办法叫你说话。”

到其他房间搜查的民警把孙德富和他老婆及那个被刘存仁从车站领回的呆傻妇女推了进来。

“这个女人是谁？”副所长指着呆傻妇女问刘存仁。

“我表妹。”刘存仁回答，“从乡下来看我。”

“是吗？”副所长问呆傻妇女，“你和他是表亲关系吗？”

呆傻妇女只是惊恐地看着副所长，畏缩地不吭声。

“她是他表妹吗？”副所长问孙德富，“你是否知道？”

孙德富摇摇头：“不知道。”

“把这三个人带走。”副所长指着两个汉子和刘存仁对民警下令，同时又对孙德富说，“‘存仁’旅社从今天起查封了，停止营业。”

“这个傻子怎么办，带走不带走？”一个民警请示副所长。

正转身要走的副所长看了眼傻子，鄙夷地皱皱眉头：

“带她去干吗？什么话也不会说，咱们那儿也没地方伺候她。先留在这儿，等查明她的原籍再遣送走。”

一干人呼隆隆拥出屋，扬长而去，跟在后面的单立人回头看了一眼，见孙德富怜悯地看着那个呆立、无动于衷的傻子。

“你和那两个汉子到底做的是什么买卖？”在城关派出所的办公室里，副所长对着刘存仁拍案怒喝。

单立人和曲强坐在一旁厌烦地抽着烟，瞅着赖皮涎脸坐在对面的刘存仁。已经是半夜了，刘存仁仍避避闪闪，避实就虚，始终不接触拐卖人口的问题。

“我发誓，我跟他们没有什么买卖关系。这是第一次，他们住我的店，对我说有几个泥碗想卖，我看咱们这两位同志对这事挺感兴趣，就多嘴问了一句，没想到这是犯法的事。”

他转向单立人说：“我是老粗不懂法，您二位是干公安的，不能说不懂法，看到我要做违法的事，你们不说提醒我一句拉我一把，反而怂恿我做圈套给我钻，不是我埋怨你们，你们这么做可太不应该了。”

“不要东拉西扯，谈你自己的问题。”副所长断喝，“你那个表妹真是你表妹吗？”

“真的，这还有假？谁吃饱了撑的没事认个傻子当表妹，不够寒碜的。”

“我们可要调查的。”副所长警告刘存仁，“你说的每句假话你自己都要承担后果的。我们一个电话就能问清你说的是真是假。”

“打吧。”刘存仁轻松地说，“我姑家住的山沟离乡里不远，山道也就二百多里吧，乡文书走三天就到。”

单立人看出这个家伙对这一切早有准备，便开口说：

“你有很多呆傻表妹吗？”

“一个还不够？”刘存仁扭着脸说，“我说过，这又不是什么好事。”

“那么，你经常领到家里去的那些呆傻妇女，并不是你表妹了？”

“什么？”刘存仁有点瞠目结舌，“我什么时候经常往家领呆傻妇女了？”

“你不是有名的好心人吗？”单立人说，“远近有名，扶危济贫，乐善好施，有人都把你称作活雷锋了嘛。”

刘存仁脸红了，但仍强作镇静，“这可是没有的事，谣言，我从未往家领过不相识的呆傻妇女。”

“要我给你举出证人吗？”单立人心平气和地说，“车站广场卖书报杂志的那个妇女你认识吧？今天下午，我跟她聊过几句。”

刘存仁立刻面如死灰，镇静的表情也从脸上消失了。

“别徒劳地抵赖了。”单立人声音不高地劝他，“你以为我们一点证据没有就会贸然抓你吗？这种地步了，还是放聪明点，好好想想自己做的事有什么漏洞，有漏洞包不住的话还是主动点好，我国刑法量刑时是把态度好坏考虑进去的。你想啊，你做的事牵涉到这么多人，就算你铁了心，别人招了你还不是白搭？我可以把我的经验告诉你，那些没进过公安局的农民是经不住长时间审讯的，他们都是有家有口的人，这时候，一般都考虑自己早点出去了。”

刘存仁脸上的汗出来了，他问：“如果我这时候全说，算不算坦白自首？”

“算坦白，但不算自首。”单立人说，“你现在没有讲条件的权利，只有竹筒倒豆子，全说。我们是不能给你什么许诺的，你应该相信党的政策：‘坦白从宽，抗拒从严。’在公检法三家都是执行的——因为我们都是在党的领导下。”

刘存仁沉默了很长时间，单立人也并不去催他，和曲强、副所长三人抽起烟。

“我是曾把一些呆傻妇女介绍给山里的农民做媳妇。”刘存仁开始吐实，但仍有些躲闪，“我发誓我只是从中收取一点微不足道的好处费，并没有从中牟取暴利。”

“从头谈起，一个接一个地说。”单立人说，“一个别漏，别光说呆傻妇女，那些不呆傻的也要从实说，譬如三天前你在火车上带走的那个姑娘。”

刘存仁真是吓坏了，他不知道公安局到底掌握了他多少底细，只得一五一十从两年前开“存仁”旅社以来诱骗的第一个妇女说起。

刘存仁招供后，那两个农村汉子也先后垮了，交代了他们如何互相勾结，以给山区农民介绍对象为名拐卖妇女从中渔利的犯罪事实。

案件问清楚，单立人却陷入沉思。忽然，他全身汗毛全都倒竖起来，猛地站起来，两眼放出恐怖的光芒：

“不好，我犯了错误。”

他拔腿往外冲，对副所长喊：“把所有值班民警都叫来，带上枪，去‘存仁’旅社。”

“存仁”旅社后院一片静悄悄，拂晓青蓝的氯气在柴垛、院中飘荡。土屋中的一间门“吱”的一声轻轻推开，矮小、畸形的孙德富走到院中，夜色中他像一个蜷行的巨人，两只眼睛发出野兽般的莹莹绿光，他的脸铜浇铸般的丑陋狰狞。他像精灵一样潜行到傻姑娘住的屋前，无声地推开门，无声走进去。

傻姑娘婴儿般蜷缩在炕上熟睡，梦里仍是一副病相，咂吧着嘴，磨着牙，在寂静的夜里显得十分响亮。

孙德富走到炕前，灵巧敏捷地跳上炕，一点声音也没有。他俯视着熟睡的姑娘，眼中忽然涌出成串的热泪，他像看自己的女儿一样疼爱地看着傻姑娘，接着伸出两只鹰爪般黑黢黢的巨手，一下扼住姑娘的脖颈，傻姑娘痉挛抽搐了一下就不动了，他轻轻抚着傻姑娘安详了的脸。

这时，院内传来“嗷嗷”两声，一个人大概跳进了猪圈，被惊醒的猪嗷地尖叫起来，与此同时，通往后院的堂院门传来猛烈的敲打撞击声，有人在高喊：“开门，快开门！”

孙德富霍地抬起脸，月光下，他的眼中放出冷冷的凶光，这是一个杀人狂的眼睛。他豹子般地蹿下炕，向外冲去。

门哐地开了，一个高大的黑影堵住了门口，只听单立人威严地说：“孙德富，不要再……”他话还没说完，便被一头撞在他腰上的孙德富顶出丈外，跌坐在地上。

一脚猪尿、臭气熏天的曲强向孙德富扑去，一把没抓住，反被孙德富一拳打在肋间，当场岔了气弯下腰。

摇撼堂屋后门的声音越来越亮，副所长率领的武装民警在奋力撞门，门框摇摇欲坠。

孙德富跑到柴垛旁抄起一把雪亮的铁锨向爬起来扑过去抱他的单立人劈去。

单立人迅即一闪，毕竟上了岁数，腿脚不便，右臂被砍中了。他感到锋利的锹刃切进了肉里，立刻右臂一阵麻痛。孙德富又举起了铁锹。说时迟，那时快，曲强手握两块地上摸着的半截砖头，冲孙德富天灵盖劈头砸下，砖头在孙德富脑瓜上砸得粉碎四溅。曲强把另一块砖头同样砸上去，孙德富的动作一下僵了。

他没有倒下，单立人却趁机把铁锹夺了过去。

孙德富仍然挺立着，甚至转过去面对砸他的曲强。他的脸上毫无表情，就像并没有砖头打在他头上，他冷漠地盯着单立人和曲强，接着，像断了的石碑直挺挺向后倒下。

堂屋后门连框轰然倒下，飞扬弥漫的尘土中，副所长领着民警提着手枪，打着电筒冲进院里，七八条电光束集中照在孙德富脸上，他已经死了，眼睛无神地大大瞪着，望着聚在一起俯视着他的人们。

曲强陪单立人去县人民医院清洗包扎了伤口，伤不重，但要吊一个月的胳膊。

单立人给兄弟买了长途车票，叫他按案犯供认的地址去认领桂花，自己也打算离去了。

走的那天，他去城关派出所向副所长辞行。连日奔波也已十分疲惫的副所长正仰在椅子上看一封面花哨的杂志，他的桌上还堆着一摞同类杂志。

“啊，你也有闲心看这种杂志呀。”单立人拿起一本杂志翻着。

“这都是从孙德富家抄来的，还未处理。这小子凶恶残忍，没想到平时还挺爱看书。”

“是侦破故事那类玩意儿吗？”

单立人细看起手中杂志的目录，发现全是那种胡编硬凑，无病呻吟，但大都描写得情意绵绵，好动人的虚幻爱情故事。

（原载《蓝盾》1988 年）

我是『狼』

这个以度假胜地闻名的岛屿和一水相隔的楼厦林立的海滨城市就像一对浸在海中、互相依傍的年轻母子。

那天下着绵密的小雨，市岛海面一片烟雨朦胧，我挤在渡轮密匝匝的人群中，默不做声地驶向那个缥缈绰约的岛。

飘飞抖动的雨水和船移不断变化的角度使岛一刻不停地变换着形状和体貌：忽而浑圆林木苍郁，忽而仄长浪拍礁滩，忽而正阔楼台雕像叠床架屋。

我上岛后就像走进了一幅画：水淋淋的街道，水淋淋的树；每条街都是狭窄、弯曲、起伏不定，没有车辆，所有人都在步行；街两旁一家家凹进去、完全洞开的商店很冷清，每个柜台后面站着一个苗条白皙、毫不动人的文静姑娘，像一个平庸母亲的众多女儿。

雨不停地下，天阴得使一切景物、行人褪了色，我脚步橐橐地走，浑身透湿，道旁出现黯淡、坚固、石刻饰纹繁缛的中西合璧住宅。每幢住宅的百叶窗和铸铁大门都是紧闭的，庭院荒芜，暗绿色的爬藤植物覆盖了整幢房子。我的视线在雨幕中已经模糊，偶尔遇到一个人也感觉那人在飘行。

雨是秋雨，略有凉意，旅游旺季已过，岛上众多的宾馆、旅店都空闲了很多房间，我住进了一个占了半条街林密院深的宾馆。这是幢高大、陈旧、阴凉、静谧的宅邸，色泽黯淡的花瓷砖地面散发着潮气，一间间大而无当的厅室摆着当年宅邸主人留下的一张张巨大硬木长案，每张长案上铺着洁白的亚麻桌布，围案依次摆着的几十张高背太师椅却积满灰尘，像是当年的主人离去后就再也没人坐过。

我走在有精美栏柱的大理石楼梯上，橐橐的脚步声引起整个空旷住宅此伏彼起的微弱回声。

客房是二楼一个有龛阁般的壁炉的大厅，双人床孤零零摆在地中间显得很窄小。透过有铁栅栏的宽大窗户可以看到树丛间的一段海滩，白浪时而在视界内舒卷。

我不知道什么时候天黑的，满院遍植的牦牛般垂着缕缕长须的大榕树繁枝相架，冠盖叠集，形成一个密叶被覆的阴暗穹庭，幽深处黑魆魆的夜来香树散发着浓郁、令人窒息的香气。我沿着两边筑有细颈瓶状石栏的花岗岩廊道走，石栏上错落有致地摆放的大瓷瓮釉面璀璨，瓮里养植的大束花卉瀑布般怒放着，犹如两条滚滚繁茂的花栏。

餐厅是幢西式、遍体镶有落地玻璃的房子，坐落在半山腰的林中，遥遥望去，像一座水晶宫在黑压压的林中大放光明。走得近了，可以看到透明的墙壁中人影晃动。人声笑语阵阵传来，在旷幽的山野散开，声浪一波波减弱，直至完全被寂静吞噬。

后面，我的印象就比较混乱和模糊了。我记得我在满铺着大红地毯、无数枝型吊灯倾泻着耀眼光辉的餐厅里喝了很多酒，大概是醉了，去过海边，也许还下了水。我记得海风吹得我浑身冰凉，在黑茫茫、广袤无垠的天地间听到了海潮波澜壮阔的奔流声，似一个巨人胸腔发出的声传天外的叹息。我好像在退大潮后裸露出的辽远漫长、泛着黑色亮光的海滩上行走，踩着没及脚踝的淤泥里的沙砾蚌壳。海滩上有一组组奇形异态的礁石黑魆魆地蜷伏、不规则地散布。海浪溅在礁石上，倾泻如注，磷光倏闪，整个海面青幽幽地涌动着。海水温暖黏稠，如浸粥中，我不记得我在海边遇见过人。

我的鞋好像丢在了海里，当我穿行在山丘林中小径时我是赤脚，我的脚底被山道上的枯枝败叶划得很疼——这疼感很强烈。我在林中时可能雨已经停了，我记得当时天上很显眼地有一轮月亮，清辉直泻，使林中树木怪干虬枝可辨，或张牙舞爪或峥嵘欲扑，拉拉扯扯，鬼影幢幢，甚而至于横七竖八杂陈拒道。我曾抵一树，那树咔嚓倒地，原是朽木。再攀缘一枝，亦应声脆断，索性胡乱去，所触之木皆倒地粉碎，恍若梦境。我还记得我在林中突遇一所大宅兀立，黑洞洞，门窗台阶栩栩如生，走近更加不疑，呼喊数声，无人答应，举手叩门，手感冰凉，细抚原是一巨大顽石。一只犹如小豹瘦悍的黑猫一直尾随着我，一对眼睛就像两粒在黑暗中游动的亮点。

那天晚上的事我记得的就是这些。

“这么说，你上岛后没和任何人接触，晚上在海边也没遇到任何人？”

“是的。”

这个自称是警察名叫单立人的汉子盘问我一早晨了，把我上岛后的每一行动细节都记录下来。事情很简单，今天早晨，一年轻女人的尸体被海浪冲上岸，和尸体同时冲上岸的还有一只印有这个宾馆标记的拖鞋，这只拖鞋便是我住的这个房间的，昨天晚上我一直穿着它。

窗外，阳光明媚，山海树木、楼堂馆所无不彩色荡漾，光斑耀眼。那年轻女人脸朝下趴在远处仅露一隅的海滩上，民警和围观的闲人密密麻麻。

“从你的陈述看，你昨晚是喝醉了。”单立人盯着我问。他瞳仁很小，看人又爱低着头往上看，使人感觉他老在翻白眼。

“嗯，得算喝得有点多了。”我努着嘴点头。

“也就是说，你昨晚都干了些什么，你只能想起一部分。”

“可以这么说。”我情不自禁去看窗外海滩。

“那么，被你遗忘的那些事情中，也可能有一件就是将那个姑娘淹死喽？”

“可以这么说。”我坦然地笑笑，“不过我干吗要害一个素不相识的姑娘？我就是喝多了也是不失原则的。不瞒你说，我再飘飘然，过马路也走人行横道。我从小胆小，走路连蚂蚁都不敢踩，想忘也不敢忘自己是吃几碗干饭的。”

“我说你是在醉酒情况下不能辨认不能控制自己行为时候犯的罪吗？不要试图改变自己犯罪的性质，你和那个姑娘并不是像你所说的素不相识。”

“看来这事你比我还清楚——我跟谁有过什么关系。”

“你别狂，你狂什么？”单立人斜着眼睛瞅着我，“我见过比你狂的人多啦，都说自己清白，独自己清白，最后怎么样？在汇集起来的材料面前筛糠吧。”

“不管你怎么说，反正我没杀人，这点我心里清楚。”

“杀没杀人不凭你说，得由我们来定，要是你仅仅因为相信自己不可能杀人就认定自己没杀人，那你就大错特错了。我不是威胁你，很多人自认为是革命的但其实是反革命的，这方面我可以给你举很多例子，这方面我有很多经验。”

“你大概是说谁是什么人自己不能做主，得由你来定。你是哪庙的质量检查员？”

“要是坏人都承认自己是坏人，那天下也就太平了。不妨告诉你，我的职业就是剥去伪装还其本来面目。还没人能不目瞪口呆地承认他就是我指出的那种人而坚持认为自己就是自己原以为的那个人。”

“我不信你能把胳肢窝变成海参。”

“让我们先不必为对方下结论，看看那些易被人忽视、将要湮灭于记忆的点点滴滴的事实说明了些什么——十年前你曾在海军的一支舰队服过役对吗？”

“是的。”

“如果我没记错的话，你服役的那艘军舰的驻泊地是北方一个海滨城市的港口。”

“是的。那个海滨城市是我们舰队司令部所在地，舰队直属编队的舰艇大都泊在那个城市周围。”

“在你服现役的同时，一个叫周瑶，脸色苍白，有着一双大眼睛和满头黄发的年轻女孩子也在那个城市的舰队后勤部门服役。”

单立人边说边将视线投向窗外。海滩上正一阵骚动，两个魁梧的警察架肩拎腿抬起那具年轻女尸，在沙滩上蹒跚地走。女尸耷拉着头，垂着双臂，栗黄色的长发遮住了脸，身体僵直。人群如潮相随。

“那年月，”我说，“那年月有成千上万的年轻男女在各军兵种服役。我驻泊的那个海滨城市挤满乳臭未干的海军士兵如同现在挤满形形色色的旅游者。”

“你还记得那年五一的上午的情形吗？你应该记得，那是个假日，又是个晴空万里的好天，那天所有海军官兵都将蓝军装蓝军帽换成白军装白军帽……你在码头看见了谁？”

“不，不记得了，每年都有一个五一。”

阳光耀眼，天已明净得失去透视感，巨幕般垂于眼前，硕大的云朵在空中缓缓移动，如丝絮如羊脂。阳光在天海间强烈得过于光雾弥漫，城市半浸半浮，港湾四周泊满的军舰、商船钢铁壳体光斑闪烁，一群群海鸥掠着海面飞，我站在甲板上靠着舱壁吸烟，阳光海水晃得我睁不开眼。

一艘载满外出水兵的登陆艇在港内破浪驶过，甲板上一片白晃晃的军装。

我们码头是一条梯形的长堤，在港湾内远远画出一个大弧形，一端连着市里，一端没入海中，沿弧层层叠叠泊着各种类型的舰艇，像是一柄又长又弯锯齿状的蓝色镰刀。

码头上站满各舰无所事事的水兵，说笑抽烟，比比画画。

三个一模一样白军服上领章帽徽十分鲜明的女兵走过喧哗打闹的水兵群，顾盼生姿。

我站在甲板上靠着舱壁吸烟，阳光海水晃得我睁不开眼。

她们跳跃般倏闪即逝……

她们垂眸含笑欲行未行……

一只白色的海鸥尖叫着向我俯冲而来，一道黑影呼啸而过。

“我们码头每天都有很多人来来往往。”

“那三个女兵其中之一就是周瑶。”

“就算我和她曾在某个时间、某个地点打过照面。”我说，“但你要知道，我恐怕和几百万素昧平生的女孩子打过照面，一生再无相涉。”

“你认识周堪赓吗？”

“不，不认识。”

“周尧卿呢？”

“也不认识。”我有点摸不着头脑。

“周尧敏你也不认识啦？”

“是的。这些人是干吗的？”

“周堪赓是周瑶的父亲，周尧卿是周堪赓的父亲，而周尧敏则是周尧卿的弟弟。”

“这跟我有什么关系？”

“你总不能说你不认识林逋吧？”

“废话！”我勃然大怒，“林逋是我爸爸，你怎么知道我爸爸的名字？”

“你爸爸的爸爸叫林逢龙，林逢龙的爸爸叫林敏公，林敏公有个弟弟叫林时跃，林时跃娶的妻子是唐执玉，唐执玉的妹妹叫唐淑问，唐淑问的外孙女叫孙艾，孙艾与之结婚的正是周尧敏的嫡孙，也就是周瑶的表哥周盛达——这，你不能贸然说你和哪一个人素无瓜葛，论辈分，那周瑶还是你的远房姑姑呢。”

“细究起来，也许什么阿狗阿猫都可能是我的姑姑奶奶，就算我有心，也无力将半数中国人都当亲长尊敬起来，近乎起来。”

“姑且说我们谁也不能认得清周围人中有多少长辈凌驾于我们之上，周瑶和你的亲戚关系的确远了点。但你和林时跃的关系并不太远，周瑶和周盛达的关系也不远，周盛达的妻子孙艾则和林时跃的妻子唐执玉过从甚密，除去唐执玉是孙艾的娘家姨姥姥，另一个重要原因就是两家都住在一个城市里——你和周瑶服役所在的那个海滨城市。”

……

“你不否认你服役期间常在节假日去你叔祖林时跃家串门吃饭吧？”

“不。”

“你叔祖是一大家子人，四世同堂，亲戚来来往往也很多，这并不奇怪。你叔祖在当地是个有影响的领导干部，住的房子又很大。我想，你在你叔祖家吃饭时，是不是常在餐桌上遇到五花八门半生脸的拐弯亲戚？是啊，那亲戚多得、拐弯得简直无法让人留下什么印象并记住他们的称谓，这些亲戚相貌之平庸、谈吐之乏味令人实在厌倦，以至当周瑶光鲜动人地蓦然出现时谁也不能视而不见——特别是一个曾暗生过钦慕地远睹过其秀色、久为军营生活枯燥锁眉的正值青春期的年轻水兵。他大概是目不转睛地盯着这个战友吧。他一定很快引起了对方的注意。我相信，男的气质和军服在那种场合也是很惹眼的。那是什么时候的事？显然应该是那个五一后不久，也许就是五月二号吧？那天你们都放假。”

“五月二号。”

我只看到她脖颈上的筋肌一棱棱圆润柔软。

她像夹在一群大象中的一头幼鹿。那些老头老太太一个个身躯肥硕，双颊下垂，脸上布满老年斑，不停地抿着瘪瘪的嘴唇才免使口涎流下来。

饭厅即使点着灯也很昏暗，可能因为两桌人使饭厅显得拥挤，多数人又穿着深颜色的衣服。

她那桌是爷爷奶奶们和受到宠爱的孙子孙女，她也属于受宠的，一进来就和那个咋咋呼呼、同上上下下都很熟的表姑一起被安置在上桌，我想她一定感到拘束。

——她小巧玲珑的头被那些庞大垂着多褶的厚皮的脸遮得纹丝不露。

我们这桌的年轻人比较粗率，吃得快活，风卷残云，很快就杯盘狼藉。

那桌老人们相当矜持，难以察觉地吃，嘴唇翕动地聊，小孩子满地跑，她始终规矩地坐着，我只看得到她脖颈上的筋肌一棱棱圆润柔软。

电视房就像电影院，一排排黑压压的人头，荧光屏远远地变着颜色不一的画面，伴音总比画面慢半拍，瓮声瓮气。

她像个白糊糊的影子，猫着腰进来，在我前几排坐下，很快又猫着腰出去，在门口和她表嫂及她表嫂挽着的唐老太太喊喊谈话。唐老太太喊我，我离座走到门口。

“你不是也要回码头，顺路送送这姑娘。”

“不不，我自己走得。”她嗓音纤细，有很重的南方口音。

“让小伙子送送，女孩子走夜路让人不放心。”

我已走出院门，在路灯下等她。片刻，她悄悄走出来，一声不吭挨着我肩膀走。

马路以很大的坡度向山下倾斜，路旁树丛茂盛，潮气袭人。

我们很快走到海边公路，单排路灯照得洒过水的马路像冰面一样晶莹透明，驶过的汽车红色尾灯在路面投下蒙蒙反光，使马路色彩斑驳。涨满的海水拍击着路基，淹没了白天常有游人拍照的怪石密布的礁滩。

市内街道一片节日后的冷清景象，各建筑物上的彩灯依然亮着，楼顶飘着彩旗，所有街道灯火通明，但空空荡荡，商店都落下铁栅栏。我们迷迷怔怔地走着，像是一对闯到别个城市里来的不速之客。我们互相没有交谈，没有什么话好说，那完全不是个嘈嘈切切的情话之夜，只是赶路，令人难忘的同行。那时我没一点经验，人们一直告诉我，在神圣的东西面前如我之辈只能仰视和缄默。

我只看到她脖子上的筋肌一棱棱圆润柔软……还有光洁的下巴。

“你想叫我相信那天晚上你像个傻小子一样和个姑娘穿过半个城市而无所作为？”

“我也觉得有点傻，可当时就是那么傻。”

“我不信。”单立人直截了当地说，“那个城市并不大是吗？”

“看怎么说。”

“就说它也不小，从你叔祖家到你们各自的部队驻地步行要得了一小时吗？”

“看怎么说。”

“怎么说，就是小脚老太太一步步挪也用不了一小时。那城市全长不过十几华里，而你们俩那天晚上半夜才归队，花的时间足够在全城转上十几个圈儿。你们干吗去了？是什么东西使你们乐而忘返，甘冒受到处分、毁掉在军队中前程的风险？”

“我们……”

“别对我说你们什么也没干，什么也没发生，你们俩的档案袋里都有一份因同一晚没有按时归队给予警告处分的决定书。”

“我告诉你，我们那天晚上就是在走，一直走。”

“看来你是不想说老实话了，你大概还想说你们仍然像不认识那么清白。”

“我们很清白。”

“不说不要紧，你在那晚之后的行动会告诉我们一切的。你在那个海滨城市认识很多女孩子吗？”

“认识一些。我的专业是卫生员，曾在舰队医训队受训；医训队除了我们卫生员班，还有一个护士班。我在护士班有些熟人，她们毕业后分在舰队各医院、门诊部。”

“你这些护士朋友常往舰上打电话找你？”

“经常，要是有事的话。”

“每个人的事都是约你去游泳吗？”

“哦，我和她们有些私下往来。”

“为什么这种邀请在五月二号以后才多起来？”

“那以前想游也不能游。”

“为什么她们的声音听上去都像是一个人？”

“你知道部队的通讯装备很落后，那些军用便携式供电电话一用就是几十年，打电话都要拼命喊才能听清。”

“你们部队附近海滨浴场很多吧？”

“沿岸有沙滩的地方大都没有拦鲨网。市里几个浴场，舰队也都盖了更衣室。就是这样，夏天也常下饺子。”

“那为什么你偏好去海军疗养院的专用浴场？那浴场离你们码头最远，这跟周瑶在疗养院工作没什么关系吗？”

“我并不偏好海疗浴场，在我看来，哪儿都一样。”

“那儿更衣室的看门人对你印象很深，因为你总是冒充海疗的战士而他明知道你不是；时隔这么多年，他再也没碰到过一个比你脸皮更厚的人。”

“这听上去不像是夸奖。”

“当然不是夸奖。那年七月五日那天你干了些什么？”

“我没什么理由需要对那天记得一清二楚吧？”

“那天周瑶下海游泳，被浪打在礁石上，弄得遍体鳞伤，当时和她一起摔伤的还有一个人——他俩正站在礁石上非常亲密地说笑。”

“那个人是我吗？”

“那天你不在舰上，一早便骑自行车出去了，说是去门诊部领药。”

“对了，那天我可能是去领药了，卫生员经常性的工作之一就是去领药。”

“可据门诊部药房的同志讲，像你们这样的舰艇卫生员一般都是领了药就走，时间不会超过一小时，而那天你外出了一天。”

“我领完药有时去逛逛大街，会会老乡。”

“那天上午，周瑶同宿舍的人是记得有一个所谓老乡来找她，虽然他们说话的口音明显不同。中午，周瑶在食堂买了两份饭，并和她的好友赵竞有以下一番对话。”

“周瑶，吃这么多？”

周瑶从售饭窗口买完饭，两手各端了个盛满菜饭的搪瓷盆往外走，站在买饭队尾的赵竞迎着她笑说。

“来了个人。”周瑶落落大方地说，“给他打的。”

“是老乡？”赵竞调侃地望着周瑶，“听说你的老乡说话另有一个味，你们那儿方言很杂？”

“是亲戚，”周瑶沉着地微笑，“我没说清楚。”

“可惜我没有这样现成的亲戚。”赵竞笑。

“真是亲戚，不骗你。”周瑶笑着端饭离开，还说，“中午游泳来叫我。”

“不打扰吗？”

“一点不。”周瑶回头嫣然一笑。

去浴场的路上，赵竞见着了周瑶的亲戚，一个剪短头发穿海魂衫的年轻水兵。他和周瑶并排走时显得很缱绻，老是一脸温柔地望着周瑶的眼睛微笑，对试图和他聊聊的赵竞心不在焉，并总是有意无意地把赵竞一个人撇在前面，两个人在后面搞小动作，那眼神儿似乎只有一种解释才合理。

到了海里，他俩便飞快地往深处游，把赵竞远远地落在后面，任凭她拼命喊“等一等”也毫不理会，完全是一副不顾情面、铁了心要把别人甩开的嘴脸。没人保驾，赵竞是不敢游得太远的，此时只得一个人像只雏鸭似的在海边游来游去，远远眺着那快活的一对。那水兵泳游得非常之好，在起伏不定的波涛中仍然是自由泳，不难看到沾满水珠的胳膊交替竖起，在阳光下闪闪发亮。他们一前一后游到防鲨网靠海岬一侧的礁堆下，水淋淋地爬上去，站在上面说话。赵竞在海里冲他们挥手，他们也毫无反应。赵竞没趣地在海里游了一阵，扭头看他们，两个人仍站在礁石上。她游累了，上岸在太阳伞下趴着，面朝海，手抵下颏，边养神边睥睨远处海天之际礁石上的那一对，他们像雕像般凝固在礁石上一动不动。温热的沙子使她浑身热烘烘的，昏然欲睡。她大概是睡了一会儿，再睁眼，沙滩上密集的人体已经变少，不少人在浅海浪中洗涤身上的沙砾，随即上岸去更衣室冲洗，那一对仍站在礁石上，姿势如她第一眼所看到一样。

这时，涨潮了，远远从外海涌来的潮水到达岸边已经是相当高而有力的浪峰了。她亲眼看着一道席卷而来的涌波愈来愈清晰，愈来愈耸起，及到防鲨网便已掀起峰面，嚣声一片，撞到礁石便轰然作响，顿时白浪滔天，倒海翻波，鲸吞倾覆而过。赵竞下意识地低低惊叫一声也是事后。波涛过后，礁石再现，水如瀑布般流泻，那两人已不见踪影；须臾，浪谷间才看到两颗人头在颠伏。

周瑶和那个小伙子走上沙滩时都趔趔趄趄，龇牙咧嘴；他俩的大腿上都被礁石的海砺子壳划得血痕斑斑。

蓝色的海连天蔽云地耸起涌动，有峰峦叠嶂、万马奔腾之势。

“还需要我帮助你回忆吗？那天你回到码头下了自行车，扛着药箱上舷梯时一瘸一拐，你的朋友李晋元正值武装更，见你这样不是还跟你开了句玩笑：‘到哪跳帮把腿磕成这样？’”

“想起来了，那天我在馆陶路下坡的地方没捏住闸撞了个老头摔了下来。”

“对，当时你就是这么对人解释你的腿伤的。可说服不了人的是你腿伤了，裤子却完好无损。”

“我骑车嫌热，把裤子挽到大腿，水兵裤是很肥大的。”

“车也没有任何磨损痕迹，更不用说那一箱散装的针剂，在你摔车时竟一瓶未破，岂非咄咄怪事？还是用李晋元当时说的话来回击你吧，‘你的意思是说车定住了而你飞了出去——你骑的又不是一匹马。’”

“你让我觉得你就是那号帽檐压得低低的、拿着个小本到处偷听别人谈话并逐字逐句记录下来的无耻小人。你竟连我十年前的天涯海角随便说过的话都知道得一清二楚，莫不是那会儿你就开始监视我了？真可怕，我总以为自己在不被人注意地生活而结果却是在被聚光灯照得十分亮堂的舞台上一举一动都受到窥探。”

“我是微不足道的，你应该对人民雪亮的巨眼有所体会。”

“这巨眼的结构应该是类似苍蝇的那种复眼吧？”

“如果你对你目前的处境有所了解，你就不必抱有幻想，希图瞒天过海；现在你正是一只被置于显微镜下的苍蝇，你哪只爪子上沾着的秽物都瞒不过去。”

“你说过，我干过什么你比我还清楚。看来是这样了，我需要你的提醒。”

“你承认你和周瑶曾有过一段非比寻常的关系吗？”

“不记得了。”我干脆地说，“我一生和很多人有过这样那样的关系；亲属关系；利害关系；金钱关系；肉体关系。我认为这都是非同寻常的关系！”

“扫帚不到，灰尘是不会自己跑掉的；不见棺材不掉泪。看来你也是个不识时务的。”

“你不能说那个去找周瑶的水兵就一定是我。”我指了指窗外海滩上一个呆呆看海的穿牛仔裤的小伙子，“按你那种漫天撒网的本事，我相信你把赃栽到他头上也不是什么难事。他是不是周瑶的一个舅舅也未可知。”

“你要以为十年的工夫人们会有多大变化，那你就错了。也许你在十年里由一个正直的军人变成了无赖，而对多数人来说十年只不过是三千多个一模一样的日子。赵竞还在海疗，只是略微胖了一点。”

“就算退一万步说，我就是十年前那个和周瑶一起在一块礁石上站过的那个人，那也不足以说明我们就怎么样了。和我站过一起的人多了，我甚至天天在公共汽车里和老的少的香的臭的女人挤在一起——谁也不认识谁。”

“李晋元当年可算你的一个挚友吧？”

“我们是同一个中学毕业的，当兵又在同一条舰上。”

“他是不是和你很熟，熟到剁下你一个脚指头扔到一大堆脚指头里拌一拌，他上去一拨拉，拨拉出来的那个脚指头准是你的的程度？”

“差不多。”

“他要说你干了什么那准是你没跑了吧？”

“哥们儿嘛，当然没错。”

“你打什么时候开始，上街时成心甩哥们儿？”

“我甩过哥们儿吗？没有吧？”

“那还能瞒过哥们儿吗——你憋什么坏？那次在舰队俱乐部看电影，你的确对哥们儿不太仗义。”

“哥们儿，外出啊？”正在码头上和一帮弟兄们练举重的李晋元看见我下了舷梯，放下杠铃迎上来，“嗬，裤线倍儿直，皮鞋倍儿亮，您这是要上大街展销呀。”

“展嘛销，看电影。”

“有我票吗？”

“没有。”

“我搜搜……妈的，多出来的这张票谁的？归我了，跟哥们儿玩这套。”

“你去干吗？那片子特没劲。我还要上街买点东西。”

“我就爱和你上街，不买东西还看妞儿呢。”

“那你快换装，交通艇快开了。”

“换什么装，就这身了。”

“不行。你没听说，司令扎着板带堵着码头路口纠察军容风纪呢。”

李晋元穿戴整齐和我一起乘交通艇摆渡过港口，在对面码头上了岸。通往市内的马路上到处都走着军装耀眼的海军官兵，大街小巷挤满逛商店、下饭馆的水兵。舰队俱乐部里更是人群熙攘，全是休假的军人。有的在礼堂里聊天说笑，等着看电影。我们和遇见的熟人打着招呼，上了楼座，找到座位坐下。不一会儿，一个女兵手拿票走上来，对了对座位号，在我旁边坐下。李晋元鬼头鬼脑觑视人家，附着我耳朵嘀嘀咕咕地说：

“这女的我见过，五一那天到咱们码头那三个女兵里就有她，没错，黄头发，脸上一半是眼睛。”

“见过就见过呗。”我无动于衷地望着楼下或走动或跷腿坐着大笑的人们说，“见过就当再见一次。”

“跟她说说话，问她是哪儿的，认识认识。”

“你是不是想让军务部的纠察抓去？”

“你不敢，”我说，“咱俩换换位子。”

“不换，别闹！”

这时，灯暗了，放映孔里射出一束光投在银幕上，银幕出现纵马疾驰的画面，音箱也发出雄壮的音乐夹杂着马蹄的“嘚嘚”声。画面随着剧情在变换，忽而大脸充斥银幕，忽而几百衣衫褴褛的人起舞弄棒。这是部描写国内革命战争的片子，剧情一直贯穿战斗场面。礼堂里嘈杂人声静下来，枪炮声、吼叫声回荡在黑暗的空间。

李晋元乜眼看看我，我和那个女兵像我们这排其他人一样伸着脖子全神贯注地盯着银幕；银幕的光打在我们脸上，我们像戴着塑料面具一样毫无表情……

——他们太正襟危坐了，姿势僵硬得简直连气都不喘。当一个人一本正经到不自然的地步，当他显得是那么淡漠、忘我时，他一定是在私下干着和他表面告诉你的截然相反的勾当——他紧紧攥着那个女兵的手，手指互相交叉。

“这电影怎么样？”

“没劲。”

“是没劲，没劲透了，可你看得那么专心致志，我都不好意思叫你走。”李晋元笑着对我说。

电影演完，礼堂灯亮了，我们纷纷从座椅站起来，伸着懒腰，掏烟叼在嘴里，人群正从各个出口往外拥，摩肩接踵。

李晋元看看低头走在我们前面的女兵，一手举烟，一手捅捅我：

“就这么完了？”

“什么？”我仰脸看着他。

“还什么呢，你都快美出鼻涕泡儿了。”

“你说什么我一点听不懂。”我加快脚步向前挤去。

在礼堂前厅，李晋元的一个熟人把他截住说话。“在门口等我！”他一把抓住我郑重地吩咐过后才去和他的熟人说话。

我出了俱乐部便迅速钻进马路斜对过一家邮局，站在窗后看着俱乐部门口。李晋元和他的熟人聊着出来，在门口握手告别，东张西望找我。他在俱乐部门口呆立了半天，不停地看表，最后带着愤恨的神情快快走上回码头的路。

我出了邮局顺着另一条僻静的街走，拐过一个街口来到公共汽车总站，站到在礼堂坐在我旁边的那个女兵身后。一辆公共汽车开过来遮住我们，车开走后，站台上空空荡荡。

“那天晚些时候，一个偕同丈夫、女儿出游的海疗医生在位于那路公共汽车沿线的一个公园的角落，看到周瑶和一个男兵坐在长椅上眉飞色舞地说笑——不必再纠缠这些细枝末节了吧？事实很清楚，你和周瑶在那年夏天都和一个年轻的异性建立了未经许可的关系；从种种迹象看，你们各自身边那个藏头遮尾的异性就是你们互为对方。”

“你前半句是有事实依据的，而后半句则是出于一种武断的臆测。即便真如你所说存在这样一种关系，除了为军队的纪律所忌讳——事到如今，我想军队也不会再追究——也是很正常的，应该受到尊重的。”

“当然，如果事态就这么没有波折地发展下去，今天我就该祝贺你了，也不会来找你麻烦。可惜，好景不长——你干吗那么紧张，脸色苍白？你从来没有那么丢过脸，在众目睽睽之下低三下四地乞求而且毫无作用，那是你的初恋对吗？我相信你那时是很纯洁的，只有最纯洁的一往情深才能使人那么不顾一切地去哭泣、去恳求、去要求解释，完全不顾场合，甚至不惜成为全城市民的笑柄。是的，那场海滨露天茶座争吵足以让全城人饭后茶余议论了一个星期，当时有上千人目睹了那个漂亮的女兵是如何冷酷无情地甩掉她的男友，一个激动得不能自制的水兵。”

男兵一把抓住起座欲拂袖而去的女兵手腕子，声音低沉地说：“你不能就这么走！”

那是全城最繁华的海滨大道，高楼大厦鳞次栉比，车如流，人如潮。海边迎风摇曳的树下摆着露天茶座，三三两两的衣裙鲜丽的男女坐在那儿闲聊喝冷饮，海风吹拂他们的头发，带来爽人的凉意。正是傍晚，太阳已落，天色尚明，海像一大匹细腻的丝绸沉重地摆伏着，堆起一道道波纹。大道上无论是行走的还是闲坐的人都很安适，街口有几个小伙子在弹吉他，自得其乐。

露天茶座上，男兵霍地站起，追上沿着林荫道走去的女兵，一把抓住她的胳膊把她拉个车转身脸贴到自己胸前，盯着她的眼睛说：

“你不能就这么走？”

“放开我！”女兵用力掰他的手，激愤地说，“你想干什么？”

“说清楚，为什么？”

“你放不放开我？”女兵尖叫，她已用指甲深深掐进了男兵紧攥的手指，男兵脸变了色，但手仍毫不放松。

茶座上坐着的一些人扭过头来注视他们，一些行人也停住脚步。

“你放不放？”

“不放。”男兵苍白着脸说，“你不说清楚我就不放。”

“臭流氓！”

这时，越来越多的人围上来，听到女兵这声骂便哄开了。一个四十多岁的海军军官走进人圈，严肃地对男兵命令道：

“你把手放开！”

男兵听到军官的命令，仍一动不动，执拗地攥着女兵的手，只是脸色更苍白了。

“我命令你把手马上放开！”军官在吼。

“你说，为什么？我有什么不好，我都可以改。”

围观的人群听到男兵这句话一片惊叹，随即爆发一阵更大声的哄笑。女兵的眼泪流了出来：“我跟你没什么好说的。”

军官暴跳如雷地去拽男兵的手，猛力推他的前胸，男兵被推得一个趔趄，顺势带得女兵也踉跄了一下，但他的手仍紧紧攥着女兵的手腕。

“你说，我有什么不好，我改。”男兵的眼睛像只将要被浪涛卷走的绵羊的眼睛。

“我跟你没什么好说的！”女兵的眼睛就像一个残忍的皇后的眼睛。

军官高声叫来了两个正走过这里的海军纠察，同时几乎是猛击了一下男兵胸部，男兵的手松开了，女兵迅即分开人群走掉了。军官对两个纠察说：

“把这个流氓带到舰队军务部，问清他的单位。太不像话了，简直是当众耍流氓。”

男兵激动地看着军官的脸，军官瞪着眼冲他吼。

“你瞪什么眼？给我走，我就不信治不了你这号兵。我当了这么多年军人，还没见过你这样撒野的兵，把海军的脸都丢光了。”

两个纠察站到男兵身后，其中一个小声对男兵说：“走吧，别叫老百姓看热闹。”

军官气冲冲地边骂边在前边开路，两个纠察夹着男兵跟在后面，四周是兴冲冲簇拥尾随着他们的人群。从商店出来的人和正准备进电影院的人都纷纷加入这个浩浩荡荡的行列，互相打听着事情的原委。天黑下来，路灯亮了，灯光透过丛丛树叶洒下来，照在一张张兴奋的人脸上斑驳陆离。男兵在人群中央走过一条条灯火通明的街，所有迎面而来的人的视线都落到他脸上，黑压压的人群中喊喊喳喳反复低语着一个词：“流氓，流氓……”

“如果我说你那时心中充满因耻辱燃起的仇恨怒火一点也不过分吧？”单立人目光叵测地望着我，“哪个受到这种待遇的人能不感到愤恨？”

“我不记得了，就算发生过这样的事我也不记得这件事对我的影响了。”

“得啦，别装作很迟钝的样子了，谁碰到这种事也不能像家常便饭似的安之若素，三五天就撂到脑后忘得一干二净。”

“我的确不记得这事是发生在我身上。那个城市有那么多海军人员；涉及海军的风流韵事和桃色新闻几乎天天都有。”

“这种狡辩很没意思，你们舰当时的一百多名舰员都可以证明，你曾被舰队保卫部门拘留了一夜，第二天由舰副政委亲自带回。”

“我的意思是说这种事很多，并不稀奇，没人——即便是当事人也不感到很严重，产生所谓一切‘毁了’的念头。”

“的确，正如当过海军的人都爱自诩的一样：‘水兵都有股浪漫劲儿。’海军对这种事的处理并不是很严，但这股‘浪漫劲儿’上来却是危险的。你们舰队不是出过一件轰动一时的情杀案？一个失恋的海军军官在市中心的大街上用自己的手枪打死了负心的未婚妻。当时你正在舰队医训队受训，那个可怜的军官打死了女友后又冲自己太阳穴开了一枪，尸体就送进了你们医训队解剖房的存尸池，作为解剖标本泡了起来。也许你正是在他身上认清了肱二头肌的形状和位置。当时整个部队都很同情这位不幸的军官，谴责城市姑娘的薄情。”

“那种事情是绝无仅有的，当时也有很多人说那个军官太傻。”

“也许你就是说他‘傻’的那些人中的一个吧？你们并不认为他事干得愚蠢，只是惋惜他把自己搭了进去。豁出别人很容易，要把自己也豁出来大部分人就要踌躇了。实际上，当时你想把自己豁出来也是办不到的。你从舰队保卫部被带回舰就立刻受到了严密的看管，另外作为一个舰艇卫生员要搞到武器弹药也根本办不到的，舰艇上的枪支弹药平时都锁在舱里，值武装更佩带的手枪也是装样子的，根本没有子弹而且大多锈得拉不开栓。你的长官也一定严厉警告过你：‘如果女方发生任何意外，你都要负全部责任！’不久，对你的处分下来后，你便被调到舰队辖区内其他省份的另一支部队去了，和周瑶远远地隔离开了。”

“你承认我当时的感情是真挚的吧？”

“尽管你违反了军纪，但仅就感情而言，我承认你是纯真的，否则你不会感到受到了深深的伤害。当然，关于这件事的谁是谁非我不妄加评判，即便一方的感情十分真挚，另一方也有权予以拒绝，也并不因此产生义务。”

“如果我的感情是纯洁、真挚的，我就不会采取卑鄙的手段去亵渎它——我自己也不忍。”

“这种事情可不是总这样，过分强烈的情感往往导致有害的偏执。那些自恃怀有强烈的纯洁、真挚情感的人千百年来在正义、道德、宗教的名义下干了多少惨无人道的事？要正确估计‘茶座风波’对你的影响，首先要看看你是个什么样的人。”

一只苍蝇从高高的天花板嗡嗡地俯冲下来，在宽敞的房间上空疾速地飞来飞去。它试图飞入阳光明媚的花园，冲着洁净透明的玻璃窗一头撞去……它徒劳地一次又一次撞着玻璃，最后筋疲力尽地伏在上面不动了，它飞不出去就像外面的苍蝇飞不进来一样，虽然它们彼此隔着玻璃可以毫无困难地互相洞悉。

“你为什么不喜欢李晋元？”

“你这是什么意思？”

“我的意思是说虽然表面上你和李晋元好得像穿连裆裤，吃喝不分，可其实你在内心深处对他并无好感，如果算不上讨厌的话。”

“胡说，我们关系一向很好，直到今天还保持着友谊。”

“与其说这么些年你们保持了友谊，不如说你一直在敷衍他，他的热情有时令你很为难很磨不开。要是让你选择，你大概宁肯跟他毫无关系。”

“我从来没说过我不喜欢李晋元。”

“可你对你的另一个朋友齐本森表达过类似的意思，当时他正为件小事在生李晋元的气。”

一只足球蹦过草地，滚到我脚下，我停住球，接着飞起一脚把球踢去。球在蓝色的天空划出一道大大的弧线，落在杂草丛生的堤内空地上，穿海魂衫的弟兄们急急忙忙跑起来追逐那只球。海鸥在远处堤外的海面上飞翔。满头大汗的齐本森喊着我名字边脱湿透的海魂衫边向我走来。他叫在场边看球的一个他们舰的兵上去替他踢会儿，自个儿爬上土坡坐在我身边，用揉成一团的海魂衫扇着风对我说：

“我正找你，有事要跟你说。”

“什么事？”我掏出烟任他抽去一支，用我正吸的烟给他对上火。

“你们舰那个李晋元怎么那操行？”他边大口吮烟边说，一缕缕青烟从他一张一合的大嘴和翕动的鼻孔中冒出。

“他怎么啦？”我磕掉长长的烟灰，看着空地上奔跑的人、球问。

“丫他妈的老跟我借钱，借了又不还，我他妈又不是财主，净把钱借他自个儿连烟都抽不上了。昨天在码头见着他问了他一句，丫就跟我急了嘿，说：‘不就那几个破钱，你他妈老跟我要什么要？’倒好像我欠了他的钱，真不仗义，我真想抽丫的。”

“他就那样，也老管我借钱。”

“不是。有这么办事的吗？没钱你倒是说几句好话呀，比我还横。他既然这样我也不管那套了，这月发津贴他再不还我钱我就真抽丫的。”

“到时候我跟他说说。”

“你说我要抽丫的对不对？丫也忒不像话了，我说咱平时都不错，你要缺钱哥们儿借你，不还也没什么，我都没说什么他倒长脾气。说实话我真是看你面子跟他掰不合适，要没你在中间，我跟他不客气了。”

“以后你别借他钱就完了。”

“还不是全看你面子，我跟他有什么呀，不是一块儿当兵谁认识他呀。我说你怎么跟这种人那么好？这人忒没劲。”

“我跟他也就是那么回事。你讲话了，一起在外当兵，又是老同学，关系自然而然显得密切；其实有时我也挺烦他的，又能怎么样呢？得过且过，能混下去就一块儿混呗。”

“反正你跟他说说吧。”球场上齐本森一方输了球，他们舰的人都喊他下场，他跳起身来踩了烟对我说：“叫他别觉得谁都像该他似的。”

“你呀，该对他怎么样就怎么样，别管我。”我也站起来说，“我跟他没什么关系。”

“这能说明什么？”我对单立人说，“我对谁都这样，我对李晋元说齐本森也是这种口气，他们说我也免不了有时用同样口吻，做人嘛。”

“你不要用处世圆滑来做幌子，你对齐本森说的那些话正是你对李晋元的真实看法，因为你不但是那么说的也是那么干的。”

“我干什么了？”

“李晋元的入党问题为什么一直解决不了？按一般情况，部队发展党员总是优先考虑炊事员，炊事工作之所以对一般战士有吸引力也是因为干这项工作入党快。”

“这个问题的答案你不该找我寻求，我既不是党员也不是支委，对部队中党的发展工作没有任何发言权，其得失也没我任何责任。”

“你真的毫无责任吗？李晋元一次次在支部讨论会上被卡下来，就因为总是有人提到他过去的一个污点，他中学曾因斗殴受到过公安局的行政拘留处分。这件事在他档案上并无记载，好心的中学老师在其学生毕业时都尽可能地抽掉那些对其学生将来在社会上立足有影响的不足以说明其本质的处分。只有你，在你们全舰是唯一了解李晋元过去的人。我不能认为你是无意中说漏的嘴，因为这件事始为人知恰好是在支部第一次讨论李晋元入党问题的关键时刻。就算你不认为那是件很严重的事，更多的时候还觉得是个有趣的聊天材料，你也应该明知在那时刻谈论这件事会对李晋元造成什么损害，我们党的一些基层干部对一个新党员的个人历史是否洁白无瑕所抱有的近乎病态的偏执标准是人所共知的。”

“你这么说似乎我跟李晋元有什么深仇大恨似的。你既然处处表现得像个天眼通，你就应该知道尽管我中意的人不是像李晋元那样的人，但我们几十年来一直和睦相处，并没有发生过足以引起深深嫌恶的涉及重大利害关系的冲突。我可能并不像他喜欢我那样喜欢他，但我也犯不上像对仇人一样地去玩他，即便他有所得我也未必有所失。”

“你是个对别人的成功完全持心平气和或赞许态度的人吗？

你敢说你不是个自视颇高并且也希望别人这么看的愤世嫉俗者？要是一个人对你说你其实并没有你自己认为的那么非凡，其实只是千千万万委琐的小人物的其中之一，你难道不会怀恨在心？特别是这话出自你一向引为知己的老朋友之口，你肯定恼羞成怒并永远不会原谅对你说这话的人，因为话出自他口更有分量，真理的成分更大。应该说李晋元对你说这种话很造次、很唐突，他不明白就是再推心置腹的朋友互相交换看法时也应该把握分寸，把界限保持在对方自尊心能够容忍的程度内。当然这也不能全怪他，他的确是无意的，喝了一些酒，酒酣耳热，酒桌上气氛又很热烈，朋友们都显得非常诚恳，互诉衷肠，谁要是不说点心里话就有些不够意思了，当时你们是互相搂着脖子交谈的吧？”

杯盘狼藉，酒瓶林立。

一群穿着崭新、没佩领章帽徽的陆海军制服的年轻人两眼发直、满脸通红地围坐在一个凌乱的房间内圆餐桌旁。大多数酒瓶已经喝空了，但他们每人面前的杯子仍满斟着酒。他们一边一齐用筷子有节奏地敲着碟子行着酒令，一边互相大声发着宏论，争着打断对方。所有人的舌头都好像短了一截，说话颠三倒四。

“北京的火车就要开。”令家说。

“往哪儿开？”众人问。

“石河子开。”

“石河子的火车就要开。”一个要去新疆石河子服役的陆军新兵接过令，昏昏地说。

“往哪儿开？”

“屋里开。”

“违令违令，罚酒。”

众人七手八脚灌了那个要去石河子服役的家伙一杯。那个家伙打着嗝儿、闭着眼睛摇头晃脑地说：

“海口开。”

“海口的火车往哪儿开？”众人又一齐盯住一个要去海南岛服役的海军新兵。

“天上开。”那个家伙也喝得差不多了，晕头转向地说，也被大伙罚了一杯。

“喂，你，”被罚的家伙满嘴白沫地指着一个也穿着新海军制服、端坐在那里盯着自己酒杯出神的小伙子说，“你怎么那么油，老罚不着你？你不是顶崇拜那个喂鲨鱼喂出事迹来的邓世昌，那丫的可是海量，要不怎么那么高兴往海里沉。”

“谁说我崇拜他？我压根儿对他没那意思。”

“那你崇拜谁？”一个穿陆军制服、脸嫩得像婴儿屁股的小伙子懵懵懂懂地问，“你总得崇拜个谁，也不能让人家白立那么多英雄好汉。”

“就是，那英雄也不得其所呀。”另一个不顾令、始终不停喝着酒的小伙子傻笑着说，“名人们岂不也白忙碌了一生？”

“我谁也不崇拜。”被问的小伙子翻着白眼说，“崇拜那傻 × 干吗？在我看来那些人全是傻 ×，崇的和被崇的。”

“就你不傻？”一个坐在桌子另一边拼命往嘴里夹菜也穿着海军制服的小伙子说，“其实你最傻，傻得逼人！”

他撂下筷子，端着酒杯坐到这个小伙子身边伸出胳膊搂着他脖子，直接对他脸上喷着酒气说：

“哥们儿，我不说真对不起你，你坏事就坏在从来没人老实告诉你：你是个什么东西。别看你一天到晚埋头苦干，读这个学那个，弄出一副胸怀大志的矜持样子，其实你最终也不会有什么出息。你智力、体力都属中下，也从来没见你有个好运气；咱们这伙人谁都能干出点名堂，独你板上钉钉一事无成。你好好想想，认真地想想，你自己说，你说穿了是不是个傻帽——还是最普通的那种傻帽——你就踏踏实实当个傻帽得了，那样你还可少沾上点本来属于聪明人对你一点用处也没有的苦恼。”

众人大笑，拼命地敲击碗碟。

“真的，我一点不是喝醉了酒胡说，我很清醒，真是发自肺腑跟你说这番话。你一辈子都不会实现你的任何抱负，不管是事还是爱情，你想得到的永远得不到，因为你不具备那种能力，你也就是凑合活一辈子。”

“高碑店的火车就要开。”一个穿陆军制服的小伙子敲着碗大声说。

“往哪儿开？”众人齐声喝问。

“傻 × 开。”

大家看着我齐声笑，我也笑，笑声突出地刺耳。我把李晋元的胳膊从我脖上拿开。

“他是傻 × 那你呢？”一个人问李晋元，“你将来能混出个什么头角？”

“我？要是不退伍也就混个海军司令吧，将来你们在座诸位的儿子要当兵可以来找我。”

“狠——！”

“如果你仍然不承认这件事实际上是多么深地刺伤了你，那就让我再做一个小小的注脚，证明你从来没忘过这件事。前年八月份的一个炎热的中午，你到过‘丽宫’冷饮厅吧？”

我目不转睛地盯着单立人，他若无其事地继续说：

“你是去见一个叫田圆的姑娘，她是你新交的女友。三天前，你们曾为一件鸡毛蒜皮的小事吵了一架，可以说起因是由于她的任性。她很不理智地就你的人品发了通带侮辱性的见解，使你当场翻脸，拂袖而去——你显然不打算再容忍这一套。田圆很快就后悔了。她并不想中断和你的来往，那天约你去‘丽宫’就是为了向你道歉，诚心诚意地想挽回你们的关系。你原谅了她，你也同样珍视存在于你们俩之间的关系；但同时，你还说了一句话。”

“丽宫”冷饮厅一片嗡嗡的低声说话声。

吊扇在旋转。

我和田圆隔桌相坐，每人面前放着一杯带麦管的粉红色冰激凌杨梅水。她怯怯地望着我，忐忑不安地期待着我的反应。

“我早就不生气了，我知道你不是有意的。”

她笑了，快活、如释重负地笑了。伸过手轻轻触我放在桌上的手掌，像抚一只易受伤害的鸡雏。

“我不该惹你伤心，我下回再也不那样了。”

“再也别那样了，我什么都受得了，就是受不了别人的蔑视——我最恨那些蔑视我的人！”

我哆嗦着，拿烟的手情不自禁地颤抖着。

“你怎么知道？田圆绝不会对你讲，当时你在那儿？”

我从座位上拧过身子往后面看。身后的桌上是一对带孩子的青年夫妇，正在一匙匙喂张着嘴仰着脖子拿玩具站在地上的儿子吃酸奶，像喂一只小鸭子；右边是三个喝着冰水低声交谈的女学生；左边是两个默不做声坐着抽烟的长发小伙子；其他桌上散坐着一对对情侣聚精会神地低语；倚着冰柜站着的女服务员一脸疲倦、厌烦的神态。

吊扇在天花板下飞快地旋转。

“重要的不是我怎么知道的，而是你是否说过这句话。”

“我那句话不是针对哪个人说的。”

“你是指一切曾用这种或那种方式对你表示过蔑视的人。”单立人尖锐地说，“这些人你一个也没忘记。李晋元算什么，对他略施报复既不过瘾也谈不上什么快慰。真正凌辱过你的那个人还逍遥自在地活着，这个仇不报，怎么能消你心头之恨？”

我感到冷。这个房间是这么高大，不管门窗关得多严，仍有气流在暗暗穿行、回旋，我胳膊上起了一层鸡皮疙瘩。

“你为什么迄今一直不结婚？”

“没房子。”

“我们国家有多少人是先有了房子再结婚的？这不是理由而是一个托词。”

“我结不结婚……”

“你很爱田圆是吗？她也很爱你。对她你没什么可挑剔的，无论用何种眼光看，她都是个品貌出众的姑娘。就我个人的看法，她毫不比周瑶逊色，甚至在不少地方还略胜一筹。这样的好姑娘是每个小伙子梦寐以求的，要说她有什么令你不中意不配做你的妻子那无论如何也是说不过去的。要说因为没房子什么的就不能和她结婚那也是说不过去的，这样的好姑娘就是一切，谁得到了她也就不会再希求别的什么东西了。”

“我不想结。”

“对，这正是你不结婚的原因，你不想！是什么妨碍了你和田圆的结合？”

“你明白不了。”

“恰恰相反，我很清楚。还是让我们举两个例子来揭示横亘在你们中间、使你们不能结合的那个臭气熏人的阴沟吧。”

“你尝尝我烧的菜。”

当同学们围坐在食堂的方桌旁，各自掀开在笼屉上蒸得热气腾腾的自家的饭盒时，他好心好意、不无骄傲地把自己的肉烧鸡蛋土豆推到一个漂亮的女同事面前。

“你也会烧菜？”那个女同事嘴含着匙子，看着满饭盒油汪汪、枣红色的肉块鸡蛋土豆哧哧笑着说。

“男人烧的菜有时比女人烧的不知香多少，虽然烧菜往往被视为女人拿手，但大师傅十有八九是男的。”

“那我就尝尝咱们大师傅的。”女同事用匙子在他的饭盒里拨拉来拨拉去拣了块肉放进嘴里，只咬了一口便吐了回去——吐进饭盒，伸出舌头啐着嚷：

“真难吃，你放了多少糖，甜得都齁了，这又不是蜜饯。你只配当个饲养员。”

他变了脸，把匙子当啷一声扔在桌上，盯着那个女同事。

另一个女同事看了看他的脸色，伸过匙子：“我尝尝，我就爱吃甜的，没准儿正对我口味。”

“你别吃。”他粗暴地推开这个女同事的匙子，扣上饭盒盖。

“怎么啦？”

“没怎么，她把菜弄脏了，我不能再给你吃，这菜只能倒了。”

“这有什么，我觉得没关系。”

“我觉得有关系，这菜里有她的口水。”

“那你吃我的菜。”

“我也不能吃你的菜，我不能白吃别人的菜。”

“何必这么死心眼！”

“我就这样。”他仍用眼睛盯着那个吐掉他菜的女同事。

“别生气。”那个造次的女同事脸通红，“我没说你的菜不好，只是我不太爱吃。”

“滚，滚你妈的。”

“真他妈可气！”他把手里的书往桌上一摔，站起来在办公室走了两圈儿，回过头对循声抬头望着他的同事指着桌上的书说，“我简直看不下去了，再看非把我气死。”

“书里写的什么，把你气成这样？”

“你看看你看看。”他快步走过去拿起书，伸到同事眼前胡乱翻着，“这么多罪行累累的战犯，全给放回国了。本来枪毙十次也不多的，徒刑都没服满就赦了。”

“这有什么？”同事翻着书挑着看，“我觉得无所谓，战胜者总要宽大点才显得有风度；一个大国，肚量也要相应大。”

“可这帮家伙干了多少坏事，杀了多少人，当时他们可没留什么情。”

“过去的都过去了，覆水难收，再多杀一些人也不能使死者复生。冤家宜解不宜结，还要考虑将来的双边关系，和为贵。”

“不把过去做一个了结哪里谈得上将来关系的正常？我坚决不同意这种抹稀泥的做法。善恶不明，该惩不惩，害人的得不到刻骨铭心的教训，受害的也老觉得谁欠了他什么。时隔多少年，一有摩擦就提醒人家欠的情，不管与过去有关没关让人家抬不起头，人家也不高兴。噢，合着你当时的宽大就是为了留个小辫子老揪着，不如杀了痛快。我杀了你的人，你也杀了我的人，旧债一笔勾销，咱们现在谁也不欠谁，该怎么着就怎么着。你别跟我道歉，我也不原谅你，一报还一报，大家干净。”

“你太可怕了，我可不敢得罪你。”

“要想天下太平，只能这样。要是所有侵犯别人的人都无一例外地受到猛烈的毫不留情的报复，他们这样干时也就不会肆无忌惮了。”

“你已经知道你是什么人了吧？”单立人忧郁地望着我，“要是有人说你对那些损害过你利益和尊严的人干了什么——无论干了什么也不会有人惊讶。”

“你要有证据。”我结结巴巴地说，“我是狼和我吃了羊是两回事。”

“拿出证据很难吗？”单立人问我，随即自己摇头否定，“不，不难。对我们来说，最困难的是认出来谁是徒具人形的狼。要证明狼吃羊是很容易的，至于怎么吃的羊，那只是技术性的问题。”

你被送到一个偏僻港口的隶属工程船大队的一条挖泥船上后规规矩矩地服完了兵役，就像一个万念俱灰的人听天由命地屈从了环境的变化。那儿的人对你印象很好。在他们看来，你只是个羞怯、无害、有些平庸的人，他们中的多数人甚至猜不出你究竟是犯了什么过失被发放到这个苦地方来——这样的人能有什么过失？不久，你退役了，从那些熟知你过去、始终警惕地注视着你的军官们的眼皮底下销声匿迹了。你的第一个目的基本达到了。随着岁月的流逝，接踵而来不断发生的一件件更耸人听闻的事的扩散，你被人们遗忘了。没人再谈论你，那些亲自处理过你的事的人也在记忆中将你湮灭、尘封了；人们需要经过提醒，才恍惚记得很久以前在海滨大道一个男兵和一个女兵之间发生过什么纠纷。

你回到自己的家乡，在有几百万人生活像个大蜂巢似的城市中找了个办公室的清闲工作，像其他小职员一样忙忙碌碌，饱食终日,完全不引人注目地生活着。你开始谈恋爱,像所有百无聊赖、无所用心的城市居民一样挑挑拣拣，在一筐同品级的西红柿中拣出一些看上去似乎比别的西红柿要饱满、新鲜、完好无损的放在秤盘上称。你是这样的平淡无奇，以至不管你说了些什么，流露出些什么危险的想法谁也不会往心里去，只是一笑置之。你就像生活浊流上一层厚厚的油垢中的一滴，谁也不会把你同这浊流中的哪怕是微波细澜联系在一起。你甚至能和办公室里那些和你一样闲得难受的同事讨论怎么才能不留痕迹地杀人丝毫不会引起怀疑。

“刀刺斧砍肯定是不行，血溅得四处都是，凶器也难以处理，很难不留线索。从楼上往下推也不行，在咱们这种人口密集的城市，要不是在自己家你简直没机会和你想干掉的那个人一起待在一个空房子里。况且你要把对方骗上楼，你还得和她接触，产生信任，一接触就难免不被人看见，你作出的种种和她素无瓜葛的假象就前功尽弃。投毒也不行，不是特务或搞化学的人几乎没有可能弄到无色无味、毒效很强的药。安眠药嘛，像咱们国家的其他商品一样，总有个质量下降和假冒真货的问题。费了九牛二虎之力灌下一百多片，睡一觉又醒了。其实这些招都有一个不可救药的致命缺陷，很容易就让人看出是他杀。如果被看出是他杀，不管警察多笨，总有落网的可能，你不能把侥幸心理寄托在警察无能上。要想完全无恙，最好的办法就是使人认为这人是自杀，起码也是事故。让人相信死者是自杀很困难。自杀的人总爱留份唠唠叨叨的遗书。像咱们这样的业余杀人犯根本没技术把死者的笔迹模仿得惟妙惟肖，漏洞会大得把自己一下就暴露了。事故死亡嘛，常见的是车祸和淹死。克格勃好像挺爱用前者——起码电影上挺爱这么表现。但那是在外国，资本主义社会。咱们这种社会主义国家想偷辆汽车，再去大街有目的地撞死一口子逃之夭夭，光技术问题就有一大堆：先得花一千多块钱学会开车；再得有运气偷一辆车——咱们毕竟不趁多少车；最后还得会开着飞车钻胡同——这本事一般的老外都不具备——想想头就疼了，还不如开车胡撞一气省事。剩下的唯一可行的就是淹死。自个儿淹死和被别人拖下水淹死如果当场没人目睹的确是不会有什么区别。游泳淹死又是那么稀松平常，每年全国都得死一个团，没人会感到奇怪。这也不需要什么技术准备和借助工具，只消你有一身好水性好肺活量，憋足口气一个猛子扎下去，潜至目标身下紧紧攥住她的双脚一沉……几分钟就齐了。在水中她有劲也使不上，再挣扎也不会给自己留下什么搏斗的伤痕。”

你正好有身好水性，采取什么方式行动这个问题也就很快不成为问题了。当你认定十年韬晦已足以使人们忘却你和你下决心干掉的那个人之间的恩恩怨怨，你便开始行动了。

“你是谁呀？我怎么一点也认不出来了？”老态龙钟的唐执玉眯着眼睛看背光站在房门口的这个年轻男人。这个人高大健壮，堵在门口，几乎完全遮住了光线，看上去只是一个轮廓模糊的黑影。

他低声说了他是谁。

“啊，”唐执玉布满老年斑的脸上露出多皱的笑容，“是你。

你怎么隔了这多年才来看我——当年你为什么就突然不来了？你二爷爷去世了，这儿也没有当年那么热闹了，没人来了，只剩下我一个孤老太太了，难为你还想着我。”

他环顾四周，人去屋空，似乎就在一瞬间，当年那些在这间房子里走动、谈笑的男男女女便远遁了，而那些来不及随着人去四散的说笑声、器皿磕碰声却依然附着、凝结在房间的四壁。一有触动便铿然回响、汩汩流动。

“和你常来那时比，这儿的变化多大啊！”老太太颇动感情地说，“那时你们还是孩子，我们正值盛年。现在你们长大了，我们也要行将就木了。你还好吗？出海还晕船吗？”

“不，我已经退役很多年了。”

“看，我真是老糊涂了，老忘了这已经过去很多年了。”

“您这些年倒没什么变化。”

“我们不会再有什么变化了，你们这些年怕是早大变特变了。当兵已经不时兴了吧？那时你们真是争先恐后地去当兵。”

“我们那会儿当兵的人现在恐怕都脱了军装，真不知我认识的人里还有没有仍然当着兵的。”

“怕是没有了。小周瑶也好几年前就退了伍。她，你还记得吧？”

“想不起来了，那时在您这儿遇到的人太多。”

“怎么会想不起来？她是孙艾那边的亲戚，挺秀气的一个女孩子，也是海军。当时我家进进出出的军人不少，可海军就你们两个。我记得那时我经常让你送她。”

“印象不深了，时间过去这么多年。”

“她也结婚了，那是哪一年呀？她结婚到这里旅行，还到家里来过，送过糖。她好像嫁了个做生意的，又黑又瘦，岁数也很大。我非常不喜欢那个男的，一身油滑习气，老是叼着烟卷，牙和手指都熏得焦黄。我记得他抽的烟都是那种很呛人的外国烟。”

“她干吗要嫁一个这样的人？”

“天知道。也许那男的有钱吧，现在的年轻人不是都在搞钱，噢，你结婚了没有？”

“还没有。不过，很快就结。”

轮船起锚南行，一路乘风破浪。海水浩荡，大陆绵长。日出日落，一个城市在天水尽头隐没，一个城市在海天之际出现。

——这个以度假胜地闻名的岛屿和一水相隔的楼厦林立的海滨城市就像一对浸在海中、互相依傍的年轻母子。

水淋淋的街道，水淋淋的树；每条街都是狭窄、弯曲、起伏不定，没有车辆，所有人都在步行；街两旁一家家凹进去、完全洞开的商店很冷清，每个柜台后面都站着一个苗条白皙、毫不动人的姑娘，像一个平庸的母亲的众多女儿。

道旁出现黯淡、坚固、石刻饰纹繁缛的中西合璧住宅。每幢住宅的百叶窗和铸铁大门都是紧闭的，庭院荒芜，暗绿色的爬藤植物覆盖了整幢房子。我边走边看着每扇大门上的门牌号。我停在了街角一个红砖小楼的院门口，院里花草茂盛，露台寂寥地摆着一把被雨淋得湿漉漉的高背藤椅，一楼开着的百叶窗里窗帘飘拂。我转身走进街对面一个占了半条街的林密院深的旧宅邸。

客房是二楼一个有龛阁般的壁炉的大厅，双人床孤零零地摆在地中间很窄小。透过有铁栅栏的宽大窗户可以看到树丛间的一段海滩，白浪时而在视界内舒卷；也可以看到左边院墙外街对过的那幢红砖小楼的院内和一楼窗帘飘拂的房间的室内一角——红木条案上的一架电话机。

你拨了你从唐执玉那儿要来的电话号码，一手攥着听筒眼睛盯着街对面的那个房间里的电话。风雨吹打着窗外一株株榕树的千枝万叶；涛声灌耳，犹如喧嚣汹涌的海水涨至窗下。黑色的电话机毫无知觉似的蜷伏在条案上，你简直想替它去大声吼叫。终于，一个碎花睡衣裹着的身躯出现在窗帘飘拂的缝隙间，黑色的听筒被一只白皙的手拎起。

你的喊叫在宅邸里此伏彼起地回荡，像是无数个男人在海涛中呼救，闻者无不面面相觑。

从餐厅的账单看，那天晚上你要的都是双份。服务员记得和你同桌的人中有一个面色苍白的女人，虽然就餐的人都是那么呆板、冷漠，默不做声地吃自己的饭菜，很难看出他们谁和谁有关系，谁和谁素不相识。那天晚餐你只要了两瓶啤酒，据服务员回忆，有一瓶还原封未动，你就是个孩子也不会喝得酩酊大醉。

当你走在山道上时你是清醒的，步态踉跄是因为道路坎坷，语无伦次是因为林涛怒吼使你的声音断断续续。雨停了风未住，当你和你的同行者来到海边时，浪涛正铺天盖地奔腾而来，黑压压一望无尽，像是你如约前来的同谋者在严阵以待。你在黑暗中攥住了她的手，她一哆嗦。如果说这时她还以为这是动情地触摸，当你随即摸住她的另一手时，她便明白了这一攥的不祥含意。海在骚动，浪头虎跃，咆哮震天的涛声盖住了她的叫喊。你挟持着她一步步向海里走去，受到海湾两端崖壁阻遏而激荡横流的潮水冲得你们东倒西歪。一道浪波在你们面前蓦地立身掀起，随之倒银山倾雪墙，淹没席卷你们而去。

这时海面可能出现了月亮，如箭如帚的疾风吹散赶跑了翻卷的乌云，又大又圆的月亮像一个灯笼悬在黑浪滚滚的海面上。一个黑黢黢的人头出现在镀了银的波涛中，向岸边缓缓移来，很快一个轮廓毕现的男人身躯从道道滚动的浪潮中站立起来，跌跌撞撞走上沙滩。他回首眺海，但见海已萎缩远退，浪呈一线。

蒙蒙昏月下，他的脸颊闪闪发亮。

落日在海面溶溶伫立，流溢出灼热、血红的大量液体，海、岛、树丛、楼宇房舍无不浸透尽染。房间内笼罩着稠密的金橙色的余晖，家具什物都显得朦胧绰约。我感到幽大的房间四角有某种无形的东西逸放出来，弥漫相连，缓缓向我聚拢压迫而来，犹如一只巨大的气泵无情地灌注着空气，空间膨胀了，我缩瘪了。

我来到街上，街上很热闹。商店明晃晃地一间挨一间，人群川流。海鲜馆门前雪亮的灯泡照耀下的玻璃水槽内游动着鱼鳖蟹虾，鳞片闪闪，晶莹剔透，输氧管使水面不时冒出一串串气泡。摩肩接踵的人们大声说着铿锵的方言，和小贩的叫卖声、油锅的爆炒声混杂在一起，形成嘈杂滚动的声浪。那无形的物质仍从四面八方、天上地下、街巷店堂排放出来，升腾缠结，愈来愈密，愈来愈沉，紧紧地夹着我的身子。

一家装潢豪华的旅游酒店的游艺厅内，孩子们的欢笑声和花花绿绿的电视游戏机发出的模拟激光导弹的“嗖嗖”飞行声以及击中目标的不断爆炸声响成一片。我在不断的爆炸声中走进一排哈哈镜，忽而瘦长如柳；忽而矮胖如坛；一刻有腿无身；一刻有身无腿；眼突似金鱼；嘴咧赛血盆；最后，头像一个充了氦的气球，圆大飘荡起来。

餐厅里的晚宴已进行到高潮，张张餐桌菜肴缤纷，酒色绚烂。

进餐者杯晃交错，饕餮失态；一张张胖脸油光锃亮，喜气洋洋。

黑暗的舞厅内，人们正疯狂地跳着舞，扭动着身躯作出种种怪异夸张的姿态。一束激光不断射在舞池上方正中不停旋转的金属鳞片球上，无数绿斑飞舞在舞厅四壁和天花板上。爵士鼓快速、令人心惊肉跳地敲着震耳欲聋的节奏。音乐沙哑、高亢，刺耳地无律抖动，犹如万马乱蹄踏地；犹如沸腾的熔岩在水下猛烈燃烧，脱枷解缚，顷刻间便要冲决而出，一泻千里，在所到之处遍地燃起冲天大火。

我要吐了，眦目迸裂，口齿俱露。

电子合成器丰厚的琴音中发出排山倒海的啸声，禽兽呜咽，潮水漫卷，山岳崩坍，大地开裂。舞池上空各种开关的灯开始旋转，四壁形成一个巨大的环形银幕，交替出现一幅幅缓缓移动的画面：转动的星空、倾泻的银河、奔流的大海、壮丽的山川。

我像一列全速向前行进、失去制动的重载火车一样眼睁睁地看着自己脱轨而出，笔直地冲进大海——波涛吞没了我。

舞厅亮起一只一闪一闪光线强烈的灯，整个舞池陷入骤明骤灭的氛围，舞蹈着的人们的动作被分解成一个个跳跃的造型。四面八方射来的激光集束照在人脸上就像一道闪电蜿蜒爬过，每个人都在可怕地狞笑。

门铃响了，周瑶抱着脖颈上系着粉红绸带的雪白的波斯猫走过廊道打开门。站在台阶上的是本街派出所的民警小丁和一个有着胖嘟嘟脸蛋的老警察，小丁向周瑶介绍他姓单。

“我先生不在家。”周瑶一边礼貌地把两位警察让进客厅一边说。她已经是位保养得很好、体态丰盈的少妇了，依然栗黄的头发又浓又密，在脑后盘了个松松的大发髻，“他回下边探亲去了，他的事我都不知道。”

“这次我们不是找他，是想找你了解一件事。”

周瑶的右眉向上挑了一下，冷淡地抱着猫坐下，不置一词。

“今天傍晚有个人到我们派出所投案，说他昨晚在海边把你杀死了。”说到这儿，小丁禁不住微笑了一下。周瑶仍是面无表情。于是他也不笑了，干巴巴地说：“恰好今晨我们在海边发现了一具溺毙的女尸。他坚持说那个女尸就是你，正是他把你淹死的，这是他蓄谋已久的事情。他详尽地讲述了你们过去的一些龃龉，可以说，嗯，绘声绘色地描述了他是怎么、采取什么手段把你杀害的。”

周瑶抚了抚波斯猫长长的毛。小丁颇有点尴尬，这种谈话实在是有点荒唐。

“当然我们知道那具女尸不是您，也不可能是他杀的，谁也不是，那个女孩子是自杀的，留有一份挺工整的遗书，因为失恋。这事你可能也知道了，岛上都轰动了。”

“我不知道。”

“知道不知道不去管它。”小丁急急地说，“反正你好好活着呢——我们倒不是捕风捉影，疑心重重，可那小子说得太像了，有鼻子有眼儿，简直不由人不信。也不该有人敢和公安机关开这么大的玩笑——知道公安机关厉害的人都不敢。所以我们觉得还是慎重点，没准儿这是一件我们尚未掌握的案子……”

“我不用说什么了吧？”周瑶看着局促不安的小丁缓缓地说，“事情既然这么清楚，明摆着。”

“当然您不必说您没死了，我们都已看见。”小丁觉得自己又说了句废话，懊恼地皱皱眉，“问题是这个人为什么要这么干，他发疯了，自个儿给自个儿栽这么大的赃；太太平平的日子过腻了，想出风头？可当杀人犯又有什么好处可捞？就算到了名字能上回布告，万人争睹，臭名昭著，可名声带来的一切方便或不方便你也根本来不及享用呀。于是我们反复盘问他，终于发现他既不是幡然悔悟也不是精神失常，实际上他是被一个人逼得走投无路才不得不来投案以求解脱。这个人在海边女尸被发现后便以警察的身份审问了他，用种种可以追溯的事实之间存在的逻辑证明了他不但有动机而且也具备手段杀您，您没死真是奇迹！噢，对不起，我是说除了您没死其他一切都是那么无懈可击，简直显得您没死是出人意料的。”

“没发生的事情并不等于永远不会发生。”

“对。”小丁看了眼姓单的老警察，抢着说，“预防犯罪也是我们公安机关的责任。我们想了解一下这件事究竟在多大程度上是可信的。毕竟我们只听到了一面之词，而那个警察显然是冒充的，他冒充的不是别人，正是老单同志——也不知他在哪儿耳闻了老单同志的大名。但这也不是说他说的一切都没有价值，连当事人也蒙了嘛，信以为真。那小伙子还是个有文化的人呢，必定其中有触目惊心的事实。”

“您认识这个人吗？”单立人实在对小丁的絮絮叨叨不耐烦了，截断话头径直向周瑶发问，他把那个小伙子的姓名告诉了周瑶。“你们过去是否曾在一起当兵？你当过兵？”

“是的，我当过兵，海军。”

就像无法把眼前这个红润的少妇同淹死鬼联系起来一样，单立人也无法把周瑶同兵联系起来，她身上简直一点当过兵的影子都没有。但她一一承认了她在海军的履历和与林时跃的间接亲属关系。谈到所谓“旧日情人”问题时她说：

“这纯粹是一种经过歪曲的臆想。我认识他，但从没关系密切到暧昧的地步。就算当时我们互相存过这念头，也从未表现出来，这在当年部队生活的那种气氛中是不能想象的。那时我们又年轻又纯洁，充满理想和憧憬，都用最高尚最严格的标准要求自己，那是一个已经逝去的年代的浪漫。”

周瑶仍旧冷淡地抚着膝上的猫，声音显得倦怠、慵懒、刻板。

“那时谁要说‘爱’，都会让人感到是一种亵渎。”

“那么你们是不是常在一起游泳、看电影？”

“是也不意味着我和他的关系与众不同。当时我有一大群在舰队各单位的老乡和朋友，大家经常一起游泳、看电影，甚至手拉手。都是孑然一身出来当兵，萍水相逢，无芥无蒂，谁也没想得更多——那时人人都很简单。”

“海滨大道树下茶座、千人围观、军官和纠察队干涉是怎么回事？”

猫从她膝上蓦地跳下，一溜烟跑了。她像被人冷不丁揭了伤口上的痂，浑身绷直了。

“当我们回忆过去时总是有意无意将其美化。”单立人说，“一个生活平淡乏味的人总是喜欢想象自己过去曾有过热烈动人的时光。我不否认那时你们是纯洁的，但即便是，那时你们也不是真空罐里的无菌儿。不管你认为自己那时有过和现在相比多么不同的境界，据我们掌握，起码他并不是像你说的那么简单、天真烂漫。”

“不管在你们看来他是什么人，反正我坚信他绝不会因为我们在大街上吵嘴便起意杀人。”

“据说，”单立人温和地说，“他曾因一件比吵嘴更微不足道的事，一次酒后失言，便对人报复——他巧妙地使李晋元入党的梦想破灭了。”

“你们确定一个人是否有意杀人就采取这种道听途说的工作办法吗？”周瑶睁圆眼睛问，“这么干那还有谁能说自己是无辜的？我真怀疑那个人并不是冒充的警察，这简直几近设网陷害。”

“我们认定一个人是否有罪当然不会这么草率，我们的工作方法也不会尽如那个人所为，难道我们现在不正是在审慎调查这件事的真伪？那个人确实是个冒牌货，但他网罗的一些事实又是那么不容置疑，我们不得不慎重对待而不能一笑了之。”

“这种干法使我想起了一些可怕的人和事。”周瑶闷闷不乐地说，“他们到处找人证实一些孤立、零星、符合他们愿望的事实，左挂右连，简单演绎，以图得出置人于死地的结论。”

“你为什么坚信他不会杀你？”

周瑶垂直眼睛看着单立人。

“这，除非你有事实能证明这根链子并不是环环相扣，否则我即便不能轻易相信那个家伙的结论也同样不能相信你的说法。我认为那样一个侮辱是足以使一个狭隘自负的人怀恨在心的。这不难理解。”

“那我就告诉你们他为什么不会怀恨而恰恰相反吧。”周瑶叹口气，“我不愿意说这件事，因为委实无聊。在海浪大道风波之前的一天，我无意中发现我的朋友和一个当地的姑娘有着和我类似的关系。我上街买东西，在一家饭馆和他们相遇了，懂吗？面对面的，双方都很尴尬。我并不是无端和他冲突的，受亏待的是我不是他；海滨大道的事之所以弄得不可收拾责任也不在我。他没理由恨我，不管是那时还是现在——特别是那时，这种发现都会被认为是不可饶恕的背叛。”

“你的意思是说合理的解释是他不但不该怀恨反而应当负

疚。”

“他不是个厚颜无耻的人。如果论杀，也应该是我杀他。”

“懂了，就是说你们之间的确存在过那种我们称之为‘爱’的玩意儿。”

周瑶俯身抱起又骨碌着亮晶晶的眼睛溜达回来的猫，低头抚它的毛。

单立人极见不得女人的眼泪，把眼睛看向别处。小丁也低下头，揪着自己的裤线。

“顺便再告诉你们一件事。”周瑶低着头说，“海滨大道事件发生后，他调到新部队就开始到处跟人说我死了因为他的责任，但那个故事和这个不一样。那个故事里他是和我一同乘车，车翻了，我们全摔在冬天水库的冰面上，我滑到冰层薄的地方便破冰沉了下去，他卑鄙地爬着逃生了。这个故事同样使很多人信以为真，因为我们舰队的确出过一次类似的翻车事故，死了一个女兵，但那是在我们入伍之前。”

“不打扰您了。”单立人站起来，“很抱歉麻烦了您半天，我们的确没想到事情竟会是这样。”他对小丁说，“我看你们该采取点措施不要老任着那个失了业积习成癖的专爱臆想的家伙乱跑乱窜，该送精神病院就送。”

“送过。”小丁分辩说，“没两天人家又把他送了出来，谁也不敢留他。他在精神病院一会儿装警察，一会儿装罪犯，搅得大夫到病人都不得安宁。”

“这可真叫人头疼。”

来到门口台阶，单立人问周瑶，她已平静如初。

“他打电话约你吃饭，你为什么拒绝了？直到今天还不肯原谅他？”

“我早无所谓了。我只是不想让他看到我现在的样子。顺便问一声，他怎么知道您的名字？”周瑶目光黯淡地看着单立人。

“大概那天电视新闻表扬我们老单来着。”小丁说，“你说呢？老单。”

“可以这样推断。”单立人望了灰蒙蒙的天一眼，慢慢走下台阶……

（原载《热点文学》1988 年）

王朔主要作品年表

【1978年】

《等待》（短篇小说）发表于《解放军文艺》第11期。

【1982年】

《海鸥的故事》（短篇小说）发表于《解放军文艺》第8期。

【1984年】

《空中小姐》（中篇小说）发表于《当代》第2期；

《长长的鱼线》（短篇小说）发表于《胶东文学》第8期。

【1985年】

《浮出海面》（中篇小说）发表于《当代》第6期。

【1986年】

《一半是火焰　一半是海水》（中篇小说）发表于《啄木鸟》第2期；

《橡皮人》（中篇小说）连载于《青年文学》第11、12期。

【1987年】

《枉然不供》（中篇小说）发表于《啄木鸟》第1期；

《人莫予毒》（中篇小说）发表于《啄木鸟》第4期；

《顽主》（中篇小说 ）发表于《收获》第6期。

【1988年】

《痴人》（中篇小说）发表于《芒种》第4期；

《人命危浅》（中篇小说）发表于《蓝盾》；

《毒手》（短篇小说）发表于《警坛风云》；

《我是狼》（短篇小说）发表于《热点文学》；

《各执一词》（短篇小说）发表于《文学故事报》；

中篇小说集《空中小姐》由中国青年出版社出版。

【1989年】

《一点正经没有》（中篇小说）发表于《中国作家》第4期；

《千万别把我当人》（长篇小说）连载于《钟山》第4、5、6期；

《永失我爱》（中篇小说）发表于《当代》第6期；

长篇小说《玩的就是心跳》由作家出版社出版。

【1990年】

《给我顶住》发表于《花城》第6期；

《王朔谐趣小说选》由作家出版社出版。

【1991年】

《我是你爸爸》（长篇小说）发表于《收获》第2期；

《修改后发表》（中篇小说）发表于《小说家》第4期；

《无人喝彩》（中篇小说）发表于《当代》第4期；

《谁比谁傻多少》（中篇小说）发表于《花城》第5期；

《动物凶猛》（中篇小说）发表于《收获》第5期。

【1992年】

《你不是一个俗人》（中篇小说）发表于《收获》第2期；

《懵然无知》（中篇小说）发表于《都市文学》；

《许爷》（中篇小说）发表于《上海文学》第4期；

《过把瘾就死》（中篇小说）发表于《小说界》第4期；

《刘慧芳》（中篇小说）发表于《钟山》第4期；

《千万别把我当人：王朔精彩对白欣赏》（王朔、魏人合著）由人民中国出版社出版；

《过把瘾就死》（著名作家新作大系）、《王朔文集》（纯情卷、矫情卷、谐谑卷、挚情卷）由华艺出版社出版；

《我是王朔》由国际文化出版公司出版。

【1993年】

《海马歌舞厅：四十集电视系列剧》（电视剧本选集）、《青春无悔：王朔影视作品集》由中国社会科学出版社出版。

【1995年】

《王朔文集》（1—4卷）由华艺出版社出版。

【1998年】

《王朔自选集》由华艺出版社出版。

【1999年】

长篇小说《看上去很美》由华艺出版社出版。

【2000年】

《美人赠我蒙汗药》（对话集）由长江文艺出版社出版；

《王朔最新作品集》由漓江出版社出版；

《无知者无畏》（随笔集）由春风文艺出版社出版。

【2001年】

《文学阳台——文学在中国》、《美术后窗——美术在中国》、《电影厨房——电影在中国》、《音乐盒子——音乐在中国》等“文化在中国”网站系列丛书由上海文艺出版社出版。

【2003年】

王朔文集（包括《顽主》、《过把瘾就死》、《我是你爸爸》、《玩的就是心跳》、《篇外篇》、《橡皮人》、《千万别把我当人》及《随笔集》）由云南人民出版社出版。

【2007年】

小说集《我的千岁寒》由作家出版社出版；

长篇小说《致女儿书》由人民文学出版社出版；

小说随笔集《新狂人日记》由长江文艺出版社出版。

【2008年】

长篇小说《和我们的女儿谈话》第一部发表于《收获》第1期，并由人民文学出版社出版。

图书在版编目 (CIP) 数据

无情的雨夜 / 王朔著. — 北京 ：北京十月文艺出版社，2016.6
（王朔文集）
ISBN 978-7-5302-1567-8

Ⅰ. ①无… Ⅱ. ①王… Ⅲ. ①中篇小说—小说集—中国—当代 Ⅳ. ① I247.5

中国版本图书馆 CIP 数据核字（2016）第 057071 号

无情的雨夜
WUQING DE YUYE
王　朔　著

出　　版　北京出版集团公司
　　　　　北京十月文艺出版社
地　　址　北京北三环中路 6 号
邮　　编　100120
网　　址　www.bph.com.cn
发　　行　新经典发行有限公司
　　　　　电话（010）68423599
经　　销　新华书店
印　　刷　北京盛通印刷股份有限公司
版　　次　2016 年 6 月第 1 版
　　　　　2022 年 10 月第 11 次印刷
开　　本　850 毫米 ×1168 毫米　1/32
印　　张　9.75
字　　数　210 千字
书　　号　ISBN 978-7-5302-1567-8
定　　价　46.00 元
质量监督电话　010-58572393